Einaudi Tas

Giovanni Bianconi

Mi dichiaro prigioniero politico

Storie delle Brigate rosse

Einaudi

www. einaudi. it

ISBN 88-06-15739-6

Mi dichiaro prigioniero politico

Dopo, dopo! Verrà il momento delle discussioni; ma ora... organizzarsi, per abbattere. Il resto, dopo.

JURIJ TRIFONOV, *L'impazienza*.

Gli esperti sono stati invece adibiti a studiare il linguaggio delle Brigate rosse: e non c'era bisogno di esperti per scoprirlo poveramente pietrificato, fatto di slogan, di *idées reçues* dalla palingenetica rivoluzionaria, di detriti di manuali sociologici e guerriglieri. [...] L'italiano delle Brigate rosse è semplicemente, lapalissianamente, l'italiano delle Brigate rosse.

LEONARDO SCIASCIA, *relazione di minoranza alla commissione parlamentare d'inchiesta sulla strage di via Fani, il sequestro e l'assassinio di Aldo Moro, la strategia e gli obiettivi perseguiti dai terroristi*.

1. «Pippo»

Il 30 aprile 1975 i vietcong entrarono a Saigon. Era la fine della guerra del Vietnam, un conflitto durato quattordici anni con oltre un milione di morti solo nei combattimenti, senza contare quelli uccisi dalle bombe e i feriti. Gli Stati Uniti d'America avevano perso, e la capitale conquistata dall'esercito rosso venuto dal Nord stava per prendere il nome del leader comunista Ho Chi Minh.

Nelle stesse ore, a Milano, moriva un ragazzo di diciannove anni, Sergio Ramelli, un «fascista» del Fronte della gioventú preso a sprangate e colpi di chiave inglese da alcuni «compagni» che l'avevano ridotto in fin di vita, quarantasette giorni prima.

A Roma, dopo sei mesi di carcerazione preventiva, venivano concessi gli arresti domiciliari al generale Vito Miceli, ex capo del Sid, il Servizio segreto italiano, accusato di cospirazione politica e favoreggiamento nel tentato golpe Borghese.

A Genova si celebrava il processo d'appello contro Lorenzo Bozano, il «biondino della spider rossa» imputato per il sequestro e l'uccisione di Milena Sutter, figlia tredicenne di un industriale italosvizzero ripescata cadavere nel mar Ligure quattro anni prima. In primo grado era stato assolto per insufficienza di prove, di lí a tre settimane sarebbe stato condannato all'ergastolo, ma lui era già latitante.

A Torino, poco dopo l'alba, gli uomini dell'Ispettorato antiterrorismo e della polizia politica bussarono alla porta di un appartamento al quarto piano di via Pianezza 90, vicino al carcere delle Vallette. Dall'interno una voce chiese chi fosse, e quelli risposero che erano i tecnici della luce. «È da un po', in effetti, che non arrivano le bollette», pensò l'inquilino ancora assonnato. Aprí, e si ritrovò una pistola puntata alla tempia.

– Non ti muovere o sparo. Dove sono le bombe? – domandò il poliziotto che gli era saltato addosso.

– Non ci sono bombe e io non mi muovo, ma tu stai calmo sennò ti parte un colpo, – ribatté l'uomo, piú impaurito che deciso a resistere.

Si chiamava Tonino Loris Paroli, aveva trentuno anni e veniva da Reggio Emilia. Abitava lí da qualche mese insieme ad Arialdo Lintrami, un milanese di ventotto anni, anche lui bloccato a terra sotto il tiro delle armi.

Dalla perquisizione saltarono fuori molti libri di storia, filosofia e teoria politica, diverse cassette musicali soprattutto con le canzoni di Fabrizio De André, cinque pistole calibro 22 e 7,65, un mitra Mas del 1938 e tremila proiettili di vario calibro, uno schedario con migliaia di nomi tra i quali quelli di poliziotti, carabinieri, magistrati e dirigenti industriali, volantini, opuscoli e una radio ricevente sintonizzata sul canale della polizia, un milione e mezzo di lire in contanti e due macchine da scrivere.

Gli arrestati furono portati via con le manette ai polsi e davanti ai fotografi Paroli alzò il pugno chiuso. Poco prima aveva detto ai poliziotti: – Mi dichiaro prigioniero politico, sono un militante delle Brigate rosse.

C'entrano i moti di Reggio Emilia del luglio 1960, con questa storia, e pure la lotta partigiana, i Teddy boys e le sette opere di misericordia. Oltre, naturalmente, al Vietnam e a «Che» Guevara.

Tonino Loris era nato nel 1944 a Casina nell'Emilia, provincia di Reggio, quando dalle sue parti e nel Nord del Paese si combatteva la guerra di liberazione dai nazifascisti. Al Comune risultava «figlio di N. N.», come si diceva all'epoca, e piú tardi prese il cognome della madre: Paroli. Crebbe in casa di una zia, cattolica osservante molto rigorosa, che gli parlava del Cristo nato povero in una grotta e morto povero su una croce, e delle sette opere di misericordia che ogni cristiano deve sempre tenere a mente. Discorsi che Tonino ascoltava con attenzione e che furono sostituiti, quando divenne piú grande, da quelli sulla lotta partigiana dell'uomo che dopo la sua nascita aveva sposato la madre, uno che aveva combattuto sulle montagne e che per il bambino svolse di fatto la funzione di padre.

Dunque Tonino venne su, nell'epoca della ricostruzione, mescolando un po' di «cattolicesimo sociale», aperto ai poveri e a tutti i bisognosi d'aiuto, con le storie e i miti della Resistenza che piú d'uno, in città e nei paesi intorno, cominciava a considerare tradita da Togliatti e dalla via legalitaria imboccata dal Pci. Ma questo non era ancora un problema, per Tonino.

Sbarcata dalla Gran Bretagna sulle note del rock'n'roll americano, sul finire dei Cinquanta era giunta anche a Reggio Emilia la moda dei Teddy boys, i ragazzi vestiti in blue-jeans e magliette a strisce, i capelli portati lunghi sulla fronte e tra le labbra le sigarette che finalmente si potevano comprare a pacchetti e non piú soltanto sfuse, affascinati dalle moto, dai juke-box e dal mito di James Dean. Proletariato giovane conquistato da usi e costumi anglosassoni che non rappresentavano tanto uno stile di vita, quanto l'unico modo per distinguersi dalla generazione dei padri e ribellarsi a un mondo che non aveva ancora beneficiato del cosiddetto miracolo economico.

Tonino è cresciuto, ora è un adolescente che guarda con interesse a ciò che gli si muove intorno, ed è attratto da quei ragazzi dall'aria spavalda che sembrano non aver paura di nulla. Nemmeno di chi ha deciso che sono un pericolo per il quieto vivere della provincia.

Una sera è a passeggio sotto i portici di San Pietro, in via Emilia, con un amico che come lui indossa jeans e cinturone, quanto basta per insospettire una pattuglia della polizia che li ferma per un controllo; quel modo di vestire, per l'ordine costituito, è sinonimo di teppismo e ribellione. Tonino e l'amico sono «puliti», i poliziotti li lasciano andare, ma l'episodio viene vissuto come un segno dell'avversione del mondo esterno verso dei giovani che hanno il solo torto di sentirsi emarginati e di pensare a un avvenire diverso, magari prendendo le mosse dai discorsi ascoltati da bambini sul Vangelo che beatifica i poveri e sulla Resistenza che voleva cacciare i fascisti per costruire un Paese dove non fossero i padroni a dettare le leggi.

C'è già tutto questo nella testa di Tonino, che ha appena sedici anni quando Reggio Emilia s'infiamma per i moti del luglio 1960. Da pochi mesi a Roma s'è insediato il governo presieduto dal democristiano Fernando Tambroni sostenuto dai monarchici e dal Msi, il partito che raggruppa gli eredi del fascismo e della Repubblica sociale italiana. Rafforzato dal suo nuovo ruolo, il Msi ha convocato il proprio congresso a Genova, città medaglia d'oro al valor civile per il tributo di vittime pagato alla Resistenza. Il 30 giugno decine di migliaia di persone scendono in piazza per protestare contro la «provocazione» missina, dando vita a violenti scontri con la polizia, incendi e barricate che vanno avanti finché il prefetto non decide di rinviare il congresso.

Ma è solo una tregua, perché la settimana seguente è ancora segnata in tutta Italia da manifestazioni antifasciste e contro il governo Tambroni. La polizia ha l'ordine di reagire anche sparando nelle «situazioni di emergenza», e il 5 luglio a Licata, in Sicilia, un dimostrante viene ucciso mentre cinque restano gravemente feriti.

Due giorni dopo è Reggio Emilia a scendere in piazza. Accanto agli operai, ai sindacalisti e ai militanti del Pci ci sono pure i giovani emarginati e ribelli vestiti con i jeans e le magliette a strisce, i Teddy boys che lanciano sassi e accendono fuochi per difendersi dalle cariche dei celerini e dai caroselli delle jeep. Verso sera la polizia spara coi mitra: due dimostranti muoiono in strada, tre all'ospedale. A fine giornata i feriti sono trenta fra i civili e diciotto tra le forze dell'ordine.

L'ondata di violenze provocata dal governo sostenuto dalle destre non si ferma, tumulti e scontri si ripetono a Roma – dove restano feriti o contusi anche una ventina di parlamentari della sinistra – e in altre città. L'8 luglio la polizia spara ancora in Sicilia, uccidendo tre persone, e due settimane piú tardi Tambroni è costretto alle dimissioni.

A Reggio, molti giovani che fino a quel momento davano sfogo al loro istinto ribelle attraverso gesti insensati e «nichilisti», come seminare le strade di chiodi e fermarsi a guardare le macchine che sbandavano, sono attratti dalla politica proprio all'indomani del sacrificio di chi è rimasto a terra dopo le cariche della polizia. La vittima piú giovane aveva diciannove anni, e si chiamava Ovidio Franchi. Vent'anni aveva Afro Tondelli, ventuno Emilio Reverberi e Lauro Farioli, quaranta Marino Serri. Sono i «morti di Reggio Emilia», cantati e commemorati come martiri, nei decenni a venire, da generazioni di contestatori.

Tonino Paroli non partecipa ai moti di luglio ma resta affascinato dai racconti dei suoi amici piú grandi scesi in piazza. E una sera d'estate si ritrova con loro a dipingere sui muri della città slogan contro i fascisti e il «governo dei padroni» che spara sui disoccupati e gli operai, mentre il dibattito sui mitra della polizia contrapposti ai sassi dei manifestanti si fa sempre piú serrato. Qualcuno dice che d'ora in poi bisognerà pensare a difendere i cortei anche con le armi.

Ma il futuro sembra meno grigio del presente, e per adesso quell'intento non ha occasione di essere praticato. Passano i mesi e gli anni, arrivano i governi di centrosinistra, le nazionalizzazioni e il boom economico, del quale in qualche maniera cominciano a risentire anche gli operai. Piú nei grandi centri del Nord che a Reggio, in realtà, ma comunque le tensioni si allentano. Tonino ha il tempo di finire gli studi all'Istituto tecnico e iniziare a lavorare come apprendista tornitore in piccole imprese artigiane, dove entra in contatto coi licenziati dalle Reggiane – un'industria metalmeccanica che produceva aerei e carri armati – in cerca di nuovi impieghi. Gira da una mansione all'altra finché anche lui approda alla fabbrica: la Lombardini.

Lí si costruiscono motori, ma nel frattempo si coltivano progetti di riscatto. Tonino Paroli incontra il sindacato e la politica, e nel giro di poco tempo mette a segno tre tappe fondamentali della sua vita: a vent'anni si sposa, a ventuno gli nasce un figlio, a ventidue s'iscrive al Partito comunista italiano.

È il 1966, e oltre all'educazione ricevuta da bambino, ai valori del «cattolicesimo sociale» e della guerra partigiana, alle ribellioni dei Teddy boys e ai fermenti della fabbrica, ci ha pensato Ernesto «Che» Guevara – da un Paese lontano dell'America latina – a convincere Tonino che bisogna sporcarsi le mani e impegnarsi in prima persona per costruire un mondo migliore. Il «Che» naturalmente non sa nulla del ragazzo della Bassa emiliana cresciuto in fretta a dispetto della statura rimasta piccola, ma i suoi discorsi pubblicati su una rivista capitatagli tra le mani aprono ancor piú la mente del giovane padre di famiglia militante del Pci e del sindacato.

Non c'è solo la fabbrica, ora, nei discorsi del compagno Paroli, ma pure il Sudamerica e il Vietnam, il marxismo come metodo di analisi scientifica della realtà e l'internazionalismo proletario, per poi tornare a dibattere di ciò che propone la vita quotidiana, a Reggio come nel resto del mondo industrializzato: la medicina preventiva e la psichiatria democratica, i conflitti familiari e i problemi della sessualità, oltre naturalmente alle questioni dei salari, degli orari e delle condizioni di lavoro, dei rapporti con i capireparto. Il tutto mediato e stimolato dall'esempio della figura eroica del comandante «Che» Guevara, il quale dopo aver vinto una guerra di liberazione aveva rinunciato alla poltrona da ministro per tornare a combattere nei Paesi dove la Rivoluzione non aveva ancora trionfato, fino a essere ucciso in Bolivia nel 1967, con grande sollievo delle forze dell'imperialismo e della reazione.

Nel 1968, mentre le piazze tornano a riempirsi e gli studenti sembrano allearsi con gli operai per dare una spallata al sistema, Tonino partecipa a un convegno sindacale ad Ariccia, alle porte di Roma. Qui s'incontra e discute con gli operai della Fiat e delle fabbriche del Nord, che propongono gli scioperi settoriali e nuove rivendicazioni. Ma le analisi e le valutazioni che ascolta gli vanno strette. Lui vorrebbe socializzare ed estendere il conflitto ai temi che non nascono alle catene di montaggio; quelli di «Che» Guevara, appunto. Quando torna a Reggio si allontana dal Pci e dal sindacato ufficiale, considerato troppo contiguo e collegato al partito, per allacciare nuovi contatti con i gruppi della sinistra extraparlamentare.

Non è il solo. Altri ragazzi della città, che hanno respirato fin da piccoli i ricordi dei partigiani sulla Resistenza tradita e una diffidenza mai sopita verso la politica togliattiana, abbandonano il Pci e la sua Federazione giovanile per unirsi a Lotta continua, Potere operaio e ai movimenti che accendono il Sessantotto ben oltre i dodici mesi di quell'anno fatidico.

Nel 1969, da Reggio Emilia, parte un pullman di giovani che vogliono partecipare a una manifestazione anti-Nato contro la base militare di Rimini. Tra loro c'è Tonino Paroli e c'è pure Alberto Franceschini, classe 1947, ancora iscritto alla Fgci ma su posizioni sempre piú estreme, figlio di Carlone, un compagno stimato e rispettato nel partito. E c'è Prospero Gallinari, nato nel 1951 e già aduso al lavoro nei campi, che all'età di nove anni aveva partecipato, tenuto per mano dal padre, ai funerali delle vittime dei moti del luglio 1960.

A Rimini, nelle intenzioni dei giovani reggiani che si uniscono a tanti compagni del movimento studentesco e dei gruppi extraparlamentari arrivati da altre città, doveva realizzarsi un sit-in che bloccasse il viavai dei mezzi militari, impedito però proprio dal servizio d'ordine del Pci.

Tornati a casa, i «ribelli» subiscono una sorta di processo all'interno del partito, che prelude alla radiazione e all'espulsione. Ma per Franceschini cambia poco.

L'esperienza nel partito ormai è finita e lui – studente di Ingegneria a Bologna, con molti contatti già avviati coi compagni di Trento, passato per le occupazioni delle facoltà nelle quali ha abbandonato la giacca e la cravatta per l'eskimo e i capelli lunghi – decide che le regole democratiche e la legalità possono rivelarsi degli ostacoli da togliere di mezzo, se necessario. E con Tonino, Prospero e alcuni ragazzi che si pongono gli stessi problemi, dà vita al Collettivo politico operai studenti.

Il nome è generico quanto impegnativo, e in città il gruppo viene definito in modo piú semplice e sbrigativo: li chiamano «quelli dell'appartamento». I fuoriusciti dal Pci e dalla Fgci, infatti, insieme ai militanti piú focosi di altri partiti e movimenti della sinistra, dal Psi al Psiup, dai cattolici del dissenso agli anarchici, si ritrovano in una soffitta di quattro stanze presa in affitto in un edificio in via Emilia, accanto alla sede della Federazione socialista. Lí si tengono lunghe assemblee e discussioni politiche aperte a tutti, letture organizzate delle opere di «Che» Guevara e riunioni semiclandestine riservate a pochi. Ma si cucina pure e chi vuole, se le trova libere, può approfittare di alcune brandine sistemate nell'ultima camera per dormire o fare l'amore.

In poco tempo l'«appartamento» diviene un punto d'incontro non solo per i giovani delusi dalla politica dei partiti tradizionali, ma anche per ribelli d'ogni risma e tendenza, compreso ciò che resta dei Teddy boys e le rappresentanze locali degli *hippies*, semplici sbandati arrivati da altre città o gente che ha abbandonato la famiglia per seguire i propri istinti libertari.

Tra le decine di ragazzi e ragazze che passano per quella soffitta, Tonino è fra coloro che prendono piú sul serio le discussioni e l'attività politica che deve continuare, anche se fuori dal Pci e dal sindacato. Insieme ad altri stabilisce rapporti con il Cpm, il Collettivo politico metropolitano di Milano nel quale spicca un compagno trasferitosi nella metropoli dall'università di Trento, Renato Curcio, animatore del Comitato unitario di base della Pirelli, alternativa al sindacato ufficiale.

Ogni tanto qualche compagno – soprattutto Franceschini, che da studente ha già conosciuto la grande città, insieme a Fabrizio Pelli detto «Bicio», un compagno dell'«appartamento» transitato dall'infatuazione anarchica – parte da Reggio e ritorna, per riferire quel che si dice nel capoluogo delle fabbriche e degli operai; alle volte è Curcio che si affaccia sulla via Emilia per farsi conoscere e raccontare le esperienze che stanno maturando al Nord. Con lui si cominciano ad abbozzare discorsi sui «servizi d'ordine» da trasformare in piccoli nuclei clandestini, pronti all'intervento in caso di necessità.

Paroli partecipa ai dibattiti, ascolta, legge, parla e scrive, mettendo insieme ciò che vive in prima persona con ciò che gli arriva da fuori. In Indocina «vietcong vince perché spara», come si grida nelle manifestazioni, e in Italia s'è intravisto qualcosa che può assomigliare a un seme d'insurrezione armata nella «battaglia di corso Traiano» a Torino, quando il movimento di piazza è andato ben oltre le parole d'ordine del sindacato provocando scontri durissimi con la polizia. A Cuba Fidel Castro resiste ai ricatti dell'imperialismo nordamericano, e in Italia gli operai della Marzotto, in una «zona bianca» come Valdagno Legnano, hanno la forza di tirare giú la statua del fondatore della fabbrica come accade quando trionfano le rivoluzioni, mentre quelli dell'Ignis di Trento obbligano un fascista a girare in strada con la gogna e un cartello appeso al collo.

Sono fermenti che alimentano i sogni di un giovane padre di famiglia che, sulla soglia dei ventisei anni, non ha rinunciato alle lotte di liberazione di cui vagheggiava da bambino, e alle quali si sente spinto a partecipare ora che stanno prendendo forma sotto i suoi occhi. Lotte che non potranno essere nonviolente e legalitarie come vorrebbe il partito se addirittura lo Stato Borghese, come lo chiamano e pensano lui e i compagni, ha dovuto organizzare la strage di piazza Fontana per fermare l'avanzata della sinistra e i bollori dell'«autunno caldo».

I sedici morti dilaniati dalla bomba esplosa il 12 dicembre 1969 in una banca di Milano segnano la fine di un altro anno intenso e turbolento. Pochi giorni dopo, a Chiavari, si tiene una riunione per discutere sulle prospettive del Cpm, che vuole farsi avanguardia delle nuove lotte. Ne scaturisce la decisione di stringere i freni dell'arruolamento, di fare maggiore attenzione a chi si aggira intorno al movimento per evitare provocazioni e infiltrazioni, costituendo un nuovo gruppo, Sinistra proletaria, che produrrà anche un paio di «fogli di lotta».

Nel frattempo nuovi fatti infiammano le università e le fabbriche dove gli operai hanno assaltato e spaccato le catene di montaggio. E anche se a Reggio Calabria saranno i fascisti a mettersi alla guida dei moti, il vento della rivolta è arrivato fino al Sud: ad Avola, in Sicilia, e a Battipaglia, in Campania, i lavoratori scesi a manifestare per salari migliori e contro la chiusura delle fabbriche hanno pagato con quattro morti e decine di feriti un nuovo tributo di sangue a una causa che può considerarsi a buon diritto rivoluzionaria e proletaria.

Per questo, nell'estate del 1970, Tonino Paroli e quelli di Reggio Emilia si mettono a disposizione per organizzare un nuovo incontro tra compagni, nel quale bisognerà tentare di dare «uno sbocco concreto e unitario», come arringa Tonino, «al contropotere che nasce dai campi e dalle fabbriche».

L'appuntamento – organizzato da gente che ama il vino e la buona cucina, e che proprio di fronte ai bicchieri di rosso ha ascoltato i primi discorsi politici e costruito le sue teorie – è fissato per luglio presso la locanda *Da Gianni*, a Costa Ferrata, un piccolo centro ai piedi dell'Appennino poco fuori Reggio Emilia, gestita da un conoscente di Paroli. *Da Gianni* si mangia e si può anche dormire nelle stanze attrezzate al piano di sopra, e il salone utilizzato di solito per battesimi e matrimoni può tranquillamente ospitare l'assemblea del centinaio di militanti arrivati da Milano, da Trento, da Roma e da altre città.

A pochi chilometri dal grappolo di case allineate lungo la Provinciale, che non compare nemmeno sulla carta topografica, l'unica insegna stradale avvisa che ci si trova a Pecorile, il paese prima venendo da Reggio. Dopo, non ci sono piú cartelli. E allora, per chi giunge da fuori, il convegno si tiene a Pecorile.

L'ospite è stato avvisato che si tratta di un incontro tra studenti e operai, e non sospetta che tra loro qualcuno già favoleggia di lotta armata e clandestinità. Del resto in quel periodo è abbastanza normale che i giovani trascorrano le loro giornate a discutere di politica, anziché solo di donne e motori.

Per dormire, i «convegnisti» si arrangiano nelle stanze della locanda e nei posti rimediati qua e là dai compagni di Reggio, anche presso le famiglie del luogo che per poche lire sono ben liete di mettere qualche letto a disposizione di ragazzi e ragazze arrivati con gli zaini e i sacchi a pelo.

Per mangiare e bere non ci sono difficoltà. La cucina è quasi sempre in funzione, e per tre intere giornate e serate, nel lungo salone abituato a lauti banchetti e danze parentali si dibatte di politica mentre i camerieri del ristorante vanno e vengono senza dare peso alle relazioni e agli interventi che si susseguono al tavolo principale.

Nella sua relazione introduttiva, il «compagno della Pirelli» Renato Curcio espone la necessità di organizzare ancora meglio i servizi d'ordine in «nuclei capaci di intervenire nelle varie città, laddove lo scontro richiedesse una presenza dura». Non ancora con le armi da fuoco, ma con i mezzi della guerriglia urbana tradizionale: bastoni, molotov, bulloni.

Al di là dei discorsi ufficiali, nei capannelli e nelle riunioni «volanti» cominciano però a circolare nuove ipotesi, piú radicali e decise: «Unire la prassi politica con quella della guerra di lunga durata contro lo Stato e le strutture che fanno da freno alle istanze degli operai e del proletariato, che dovrà necessariamente passare per una fase anche violenta». A farsi carico di questa necessità, si teorizza, dev'essere un'avanguardia che avrà il compito di gettare le basi della «guerra civile», a cominciare dalle grandi metropoli dove si annidano le fabbriche, il cuore della rivolta.

«È lí la nostra giungla, il nostro Vietnam», pensa e dice Tonino, che non perde una battuta del dibattito innaffiato di progetti e di Lambrusco.

Dagli interventi pubblici e meno pubblici emergono tre anime all'interno del convegno. La prima, piú «movimentista», privilegia lo scontro di massa su larga scala, tutto interno al movimento e senza una guida organizzata; la seconda, sponsorizzata da Curcio, ipotizza un graduale passaggio alla resistenza armata a partire dalle fabbriche, attraverso nuclei ristretti ma sempre collegati con la massa e le «realtà di base»; la terza prevede un'ulteriore, immediata militarizzazione dei gruppi che prelude alla clandestinità, anche rompendo i rapporti col movimento.

Alla fine del convegno, tra baci, abbracci e pugni chiusi, i partecipanti si lasciano senza aver deciso nulla di concreto, ma Tonino e una parte dei compagni di Reggio scelgono di rimanere in contatto con Curcio e gli altri della «seconda posizione». Senza recidere però i legami con la terza, sostenuta da alcuni milanesi che fanno capo a Corrado Simioni, un ex socialista che aveva dato vita a un nuovo Collettivo di operai e studenti e che con le sue teorie avrebbe fondato, sulle ceneri di Sinistra proletaria, un gruppo chiamato Superclan.

Il primo a partire per Milano e a lasciarsi alle spalle la Bassa è Franceschini. Con Curcio e sua moglie Margherita «Mara» Cagol, una ragazza dall'educazione cattolica che a Trento ha imboccato la strada dell'estremismo politico, accende i primi fuochi di lotta armata nella città del Pirellone. Prima viene data alle fiamme la macchina di uno che, in fabbrica, aveva il vizio di fotografare gli agitatori e denunciarne i nomi, poi tocca alle auto di alcuni capireparto. Le azioni sono rivendicate con dei volantini dove compare una stella a cinque punte chiusa in un cerchio, simbolo che richiama le lotte dei tupamaros latinoamericani, e firmati con una nuova sigla: Brigate rosse.

Franceschini è clandestino perché renitente alla leva militare, ma quando abbandona Reggio ha già saltato il fosso dell'illegalità con la prima rapina in banca per autofinanziamento. «Esproprio proletario» l'hanno chiamato, per dargli una valenza politica e distinguerlo da un gesto di semplice malavita. Tuttavia, al di là della giustificazione teorica, quell'azione da banditi mascherati lascia un segno che non si toglie piú di dosso.

È successo a Rubiera, pochi chilometri fuori città, all'agenzia del Banco di San Gimignano e San Prospero. L'ebbrezza di acciuffare quattordici milioni in un paio di minuti – grazie a una pistola che ha il potere d'immobilizzare tutti, anche se è un ferro vecchio che forse non avrebbe nemmeno sparato – s'è mescolata al disagio per un'azione da criminali comuni commessa da gente come Franceschini e i suoi complici che mai sarebbe andata a rubare per fare la bella vita. Ma per sostenere la causa servono i soldi, e i soldi si prendono nelle banche. Per loro fortuna nessuno li ha bloccati, e cosí sono potuti tornare nell'ombra e nelle vesti dei militanti rivoluzionari, evitando di essere scambiati per dei banditi che vogliono arricchirsi senza lavorare.

Dopo Franceschini, da Reggio approda a Milano anche Prospero Gallinari, il quale però, all'inizio, si schiera col Superclan. Poi Fabrizio Pelli e Roberto Ognibene, un ragazzino del 1954 figlio di un assessore provinciale socialista che abbandona l'Istituto tecnico per geometri al terzo anno.

Tonino Paroli, invece, resta in città. Lui ha una famiglia da mantenere, e non è per nulla affascinato dalla metropoli. Anzi, ogni volta che ci capita non vede l'ora di tornare nella sua provincia, dove si muove con maggiore tranquillità, conosce tutti e si sente a proprio agio. Continua a condurre una vita regolare, a casa e al lavoro, ma nel frattempo mantiene i contatti coi compagni emigrati nel triangolo industriale; dopo Milano, infatti, le Brigate rosse si stanno organizzando anche a Torino e a Genova. Riceve i loro documenti, li studia e li diffonde, contribuendo al dibattito teorico che si deve accompagnare allo «sviluppo della prassi», cioè le azioni armate con le quali dare il via al programma rivoluzionario.

Uno dei primi documenti programmatici, datato novembre 1971, informa che

> la rivoluzione comunista è il risultato di una lunga lotta armata contro il potere armato dei padroni...

perché

> ...questo è l'insegnamento fondamentale che ci viene dalla Comune di Parigi, dalla rivoluzione bolscevica, dalla rivoluzione cubana e da quella cinese, dal «Che» e dal Vietnam, dalle forze che oggi combattono nei Paesi dell'Asia, dell'Africa e dell'America latina, e dai gruppi rivoluzionari combattenti nelle grandi metropoli imperialiste.

Come le Brigate rosse.

In un altro scritto dal sapore preelettorale, dell'aprile 1972, le Br avvertono:

> Le forze rivoluzionarie devono, adesso, osare. Osare combattere. Combattere armati. Perché nessun nemico è mai stato abbattuto con la carta, con la penna o con la voce, e a nessun padrone è mai stato tolto il suo potere con il voto.

Da un mese è morto l'editore rivoluzionario Giangiacomo Feltrinelli. Curcio e Franceschini lo consideravano un po' matto, ma comunque un compagno di valore col quale intrattenere rapporti politici e non solo. L'avevano incontrato a febbraio nel parco Sempione di Milano, per parlare di strategie e rifornimenti di armi, e annunciargli che le Br stavano preparando un salto di qualità. Il 15 marzo 1972 vennero a sapere dal giornale che un uomo era saltato in aria a Segrate, sotto un traliccio della luce. C'era la foto del morto, non ancora il nome, ma loro riconobbero subito Feltrinelli.

– Cazzo, è il matto! Porco cane, – esclamarono prima ancora di leggere i dettagli dell'articolo.

Da pochi giorni avevano portato a termine con successo il loro salto di qualità: il sequestro-lampo di Idalgo Macchiarini, un dirigente della Sit-Siemens rapito e fotografato con due pistole puntate in faccia e un cartello al collo infarcito di slogan: «Brigate rosse. Mordi e fuggi! Niente resterà impunito! Colpiscine 1 per educarne 100! Tutto il potere al popolo armato!»

Tra i rapitori del dirigente c'era anche un ex impiegato della Sit-Siemens da poco unitosi alle Br. Si chiama Mario Moretti, ha venticinque anni, è un marchigiano di Porto San Giorgio trapiantato a Milano che ha potuto studiare fino al diploma di perito delle telecomunicazioni grazie all'interessamento e all'aiuto della marchesa Anna Casati Stampa; sí, proprio lei, la nobildonna di cui s'erano riempite le cronache nere e mondane alla fine dell'estate del 1970, quando il marito geloso l'aveva uccisa insieme al giovane amante, prima di suicidarsi. Per seguire la strada della lotta armata, Moretti ha lasciato una moglie e un figlio di due anni.

Una delle due pistole puntate contro Macchiarini al momento della foto, invece, era quella affidata a Franceschini da un vecchio partigiano quando aveva saputo che Alberto partiva da Reggio per proseguire il cammino interrotto nel 1945. Nei pensieri del brigatista rappresentava un segno di continuità tra la Resistenza e la sua guerra.

Il «processo proletario» al dirigente era durato appena un'ora, poi l'avevano rilasciato e fatto ritrovare insieme alla foto e a un volantino nel quale le Br annunciavano: «Nessuno tra i funzionari della controrivoluzione antioperaia dorma piú sonni tranquilli».

Le azioni di propaganda dei nuovi terroristi che qualcuno chiama «sedicenti Brigate rosse» – a sottolineare un certo scetticismo sulla loro reale matrice di sinistra, nel Paese delle «trame nere» – vanno avanti fino al 12 febbraio 1973 quando, stavolta a Torino, c'è un nuovo sequestro. Per un giorno viene tenuto prigioniero e «processato» Bruno Labate, segretario provinciale dei metalmeccanici aderenti alla Cisnal, «pseudosindacato fascista che i padroni mantengono nelle fabbriche per dividere la classe operaia», scrivono i brigatisti sul cartello che gli appendono al collo quando, a sera, lo lasciano incatenato a un palo della luce. Accanto a Labate, alcune copie di un nuovo comunicato: «Ormai è urgente organizzare la resistenza proletaria sul piano della lotta armata».

Dieci mesi piú tardi, il 10 dicembre, le Br organizzano il loro primo sequestro lungo. Per una settimana, in una «prigione del popolo» ricavata nel retrobottega di un magazzino a Torino, tengono in ostaggio il cavalier Ettore Amerio, direttore del personale della Fiat gruppo auto. Dopo l'azione, alla quale partecipano tra gli altri Curcio, Franceschini e Paolo Maurizio Ferrari, un modenese di ventisette anni di estrazione cattolica che ha fatto prima il muratore a Torino poi l'operaio alla Pirelli di Milano, il Pci decide di avere un atteggiamento piú deciso contro le «sedicenti Brigate rosse». E Franceschini, che fino all'anno precedente tornava di tanto in tanto a Reggio per incontrare gli amici d'un tempo, mescolandosi tra la gente alle Feste dell'Unità, decide che è meglio non rischiare piú. Lo dice anche a Tonino Paroli, al quale i compagni saliti al Nord hanno chiesto di valutare l'ipotesi di seguirli sulla strada della clandestinità.

Il 1974 è l'anno delle nuove stragi fasciste e del referendum sul divorzio, l'anno in cui vengono parzialmente svelati i rapporti delle trame nere con gli apparati segreti e paralleli dello Stato. Ma è anche l'anno in cui le ancora poche decine di affiliati alle Brigate rosse – che hanno imparato a reperire soldi con gli «espropri proletari» e ad acquistare armi per lo piú con documenti falsi – si presentano al Paese con il vero salto di qualità: il sequestro del giudice genovese Mario Sossi, che sposta il «cuore della lotta» dalla fabbrica a una delle «articolazioni centrali dello Stato», la magistratura.

Un commando delle Br lo rapisce il 18 aprile, anniversario della sconfitta del Pci alle elezioni del 1948. In fondo la teoria della Resistenza tradita e della presunta continuità tra lotta partigiana e azioni brigatiste passa anche da quella data, che adesso segna una nuova svolta.

Sossi era stato un protagonista del processo alla banda XXII ottobre, da poco condannata per alcune rapine e l'omicidio di Alessandro Floris, un fattorino ammazzato nel 1971 mentre tentava di reagire agli uomini che gli stavano portando via il denaro. La foto in bianco e nero del killer che gli spara dalla Lambretta a bordo della quale sta fuggendo insieme al complice è una delle icone della cronaca italiana dei primi anni Settanta, e segna il passaggio all'omicidio colorato di motivazioni politiche.

A tenere in ostaggio il giudice per oltre un mese a Tortona, settanta chilometri fuori città, sono Franceschini, Mara Cagol e un altro compagno che spacciandosi per ingegnere ha preso in affitto l'appartamento trasformato in «prigione del popolo». È un ragazzo che ha una moglie e un figlio lasciati a casa in nome della rivoluzione; a turno con i compagni s'infila il cappuccio e si presenta al giudice per portargli da mangiare, condurre gli interrogatori, scrivere le lettere da recapitare all'esterno. Ma dopo quindici giorni trascorsi nel chiuso di quelle quattro mura è colto da una crisi di claustrofobia: – Se non esco da qui almeno per qualche ora va a finire che mi ammazzo.

Alberto e Mara si guardano in faccia: la richiesta va contro ogni regola di comportamento brigatista e può rivelarsi pericolosa, ma non ci sono molte alternative. E cosí, senza che nessun altro dell'organizzazione lo sappia, il terzo carceriere del giudice Sossi per un giorno torna a essere un normale padre di famiglia che va a trovare la moglie e il figlio prima di rituffarsi nella clandestinità e nella «prigione del popolo».

La trattativa con lo Stato per la liberazione dei prigionieri della XXII ottobre va avanti, e quando il tribunale concede la libertà provvisoria ai detenuti indicati dai brigatisti (poi bloccata dalla Procura generale) Mario Sossi viene rilasciato. È il 23 maggio 1974, e l'Italia ha appena detto no all'abrogazione del divorzio, infliggendo una dura sconfitta alla Dc guidata da Amintore Fanfani. I brigatisti, che hanno portato a termine il sequestro senza aver dovuto uccidere l'ostaggio, si concedono una cena in trattoria prima ancora di smantellare il covo di Tortona. Per una sera sono soddisfatti e festanti; non sanno che la strategia della tensione sta per mietere altre vittime, e che di lí a pochi giorni uno di loro cadrà nelle mani della polizia.

Si tratta di Paolo Maurizio Ferrari, il modenese già sospettato per i sequestri Labate e Amerio oltre che – adesso – di quello del giudice Sossi. La sera del 27 maggio, a Firenze, alcuni agenti bussano all'appartamento dove abita una certa Rossella. Lí dentro, oltre alla donna e alla sua amica Lucia, c'è pure un uomo che, come annoterà il magistrato,

> constatata la presenza degli agenti, prima di qualunque scambio di parole si dava alla fuga attraverso le scale e il giar-

dino, scavalcava il muretto e tentava di fuggire su una motocicletta, ma veniva arrestato ugualmente.

È la prima cattura di un brigatista clandestino, alla quale ne seguiranno molte altre, quasi sempre seguendo lo stesso copione. L'uomo si rifiuta di declinare le proprie generalità, ma lo identificano attraverso le impronte digitali. In tasca ha le chiavi di una macchina, all'interno della quale vengono trovate una copia del comunicato numero 8 diffuso dalle Br durante il sequestro Sossi e una patente falsa con la foto di Ferrari. Il giorno dopo la polizia rintraccia, a Torino, il rifugio dove Ferrari viveva sotto falso nome, pieno di volantini e opuscoli con la stella a cinque punte chiusa nel cerchio.

Nelle stesse ore a Brescia, durante una manifestazione antifascista indetta dai sindacati in piazza della Loggia, una bomba uccide otto persone.

Tonino Paroli è ancora a Reggio Emilia, brigatista a mezzo servizio, quando arriva la «chiamata» alla clandestinità. I compagni l'avevano già invitato a quella scelta, ma lui aveva preferito aspettare. Un po' per questioni familiari, un po' perché ai misteri e alle insidie della giungla metropolitana preferiva i ritmi tranquilli della sua provincia. Ma stavolta è come se arrivasse la cartolina per il servizio di leva: a Torino è «caduto» Ferrari, un compagno che teneva i rapporti con le fabbriche, e bisogna rimpiazzarlo. La scelta di partire non è obbligatoria, chi non se la sente può rifiutarsi, però Tonino decide di accettare.

La rivoluzione ha bisogno di lui, e secondo l'esempio di Ernesto «Che» Guevara e dei soldati vietcong che aveva decantato in tante assemblee e riunioni negli anni della contestazione, non si può far finta di niente. Anche se c'è il rischio molto concreto di infilarsi in un tunnel dal quale sarà difficile uscire; anche se è probabile che l'avventura finisca, presto o tardi, con l'arresto o con una pallottola in corpo.

A Reggio Tonino ha la sua vita, ma la lotta contro lo Stato «borghese e imperialista» si combatte altrove. Non è piú il tempo delle parole, ma dei fatti. Diversi compagni hanno già imboccato la strada della clandestinità, e adesso pure lui che ha ritardato la scelta finché ha potuto è arrivato al bivio. Come si fa a rimanere brigatisti e rivoluzionari se ci si tira indietro quando c'è da dimostrare che gli slogan tante volte gridati non erano solo stanche litanie?

Alla moglie che non sa nulla dei suoi contatti con chi, a Milano e a Torino, incendia le macchine e sequestra i rappresentanti dei padroni e delle istituzioni, Tonino dice che la fabbrica lo ha trasferito, che partirà per non si sa quanto tempo e che appena potrà si farà vivo. La donna ascolta, forse capisce o forse no, non fa troppe domande e si adegua alla situazione.

Gli accordi vengono presi attraverso i compagni che hanno già saltato il fosso, e l'appuntamento è fissato per un giorno di fine giugno al casello autostradale di Reggio, uscita nord. Ad attenderlo c'è una Fiat 128, con a bordo una donna che lo porterà a destinazione. È Mara Cagol, la moglie di Curcio che suona la chitarra e ama le montagne.

Tonino ha con sé solo una piccola valigia, saluta, sale sull'auto e comincia il viaggio verso la lotta armata. Lungo il tragitto si parla di politica e dell'organizzazione, del lavoro che Paroli dovrà svolgere a Torino. Ma anche dei problemi personali che il nuovo «regolare» si sta portando dietro, a cominciare dai sensi di colpa nei confronti di un figlio lasciato all'età di nove anni. Mara intuisce che quella di Tonino è stata una scelta sofferta, e lungo la strada verso la clandestinità cerca di sostenerlo e rassicurarlo, di convincerlo che la sua è tutt'altro che una scelta egoistica, e che la rivoluzione va fatta anche per il bambino rimasto a Reggio Emilia.

In poche ore giungono a destinazione: una cascina chiamata Spiotta d'Arzello, sulle colline del Monferrato, in provincia di Alessandria. Ci arrivano dopo aver deviato a sinistra dalla Statale per la Liguria e percorso alcuni chilometri di curve e viottoli. Alla fine appare una costruzione in pietra grezza, accanto a una seconda dove i mattoni sono intonacati di bianco; sul piazzale ci sono il pozzo e un forno per cuocere il pane.

È un posto accogliente, tra campi e vigneti, acquistato per pochi milioni di lire dai brigatisti che lo usano per le riunioni piú riservate e per trascorrere, di tanto in tanto, qualche giorno di riposo. Curcio e sua moglie hanno fatto amicizia con la famiglia di contadini che abita poco distante, e a volte capita che ricevano in dono uova fresche e latte appena munto. Ogni volta che può, Margherita si dedica all'orto, dove cerca di coltivare ogni tipo di frutta e ortaggi.

Alla cascina Tonino incontra altri compagni, rivede quelli partiti da Reggio Emilia e riceve le prime istruzioni sul suo lavoro futuro. Siccome con l'arresto di Ferrari le Br hanno perduto anche una «base» a Torino, la prima cosa da fare è comprare un nuovo appartamento. Grazie alle rapine nelle banche – anzi, agli «espropri proletari» – i soldi non mancano. A Paroli viene affidato un fascio di banconote che dovrà utilizzare per acquistare una casa da individuare secondo i requisiti descritti in un opuscolo a uso e consumo dei militanti clandestini.

S'intitola *Norme di sicurezza e stile di lavoro*. C'è scritto che ogni brigatista «deve presentarsi con aria rassicurante e gentile con i vicini di casa», che la scelta della zona dove abitare va fatta

> con particolare cura; la strada deve prestarsi a un facile controllo da parte del militante e a un controllo scoperto da parte del potere, cioè possibilmente non deve essere vicina a bar, luoghi pubblici di vario genere, negozi, magazzini eccetera.

Paroli comincia a sfogliare gli annunci economici dei giornali e a visitare diversi appartamenti, finché la scelta cade su un palazzo al numero 90 di via Pianezza, nel quartiere popolare di Madonna di Campagna. Il prezzo d'acquisto è fissato in sette milioni e mezzo di lire, pagato in contanti a nome di un inesistente signor Romano Chiesi.

Ad abitare nel nuovo covo vanno Tonino e un altro compagno, sempre nel rispetto delle norme fissate dal manuale di comportamento:

> La casa deve essere proletaria: modesta, pulita, ordinata e completamente arredata del necessario. Essa deve comparire all'esterno come una casa decorosa (tendine, lampadario d'entrata, zerbino, nome eccetera). Ogni casa comprata o affittata va rinforzata, e in particolare le serrature vanno sostituite con serrature di sicurezza antifurto. Bisogna fare particolare attenzione ai rumori (radio, macchine da scrivere eccetera) che dopo una certa ora possono disturbare o insospettire i vicini. La spesa non va fatta nel quartiere di abitazione. Lo stesso vale per l'acquisto dei giornali; i bar e le trattorie della zona devono essere accuratamente evitati.

Da brigatista clandestino, Tonino ha cambiato nome. Ce ne vuole uno «di battaglia» per camuffare meglio la propria identità anche dentro l'organizzazione, e lui ha scelto «Pippo», come si chiamava da partigiano il marito di sua madre.

Durante il giorno, Pippo si reca ai cancelli della

Fiat, dove incontra alcuni operai che gli sono stati indicati dai compagni come contatti già stabiliti dalle Br. Con loro discute di linee politiche e strategie per nuove, possibili azioni di propaganda, e cerca di individuare chi, tra gli operai, può diventare un'ulteriore appendice del reclutamento in fabbrica. Un compito nuovo e delicato per l'operaio ormai trentenne sbarcato dalla pianura padana, reso piú complicato dal fatto che a Padova le Brigate rosse hanno fatto i loro primi morti.

È successo il 17 giugno, ma è stato un «incidente sul lavoro». Durante l'incursione nella sede provinciale del Msi, nella quale cercavano documenti per stabilire un collegamento tra la destra istituzionale e la strage di Brescia, un gruppo di brigatisti del Veneto è stato sorpreso all'interno dell'appartamento da due missini, Giuseppe Mazzola e Graziano Giraluci, sessant'anni il primo e trenta il secondo. I compagni hanno reagito uccidendoli.

Due morti non previsti, che hanno fatto scalpore e si potevano anche non rivendicare, lasciando il duplice delitto nel limbo delle esecuzioni da antifascismo militante che in quel periodo si moltiplicano in tutta Italia. Ma Renato Curcio, che a Torino ha letto la notizia sul giornale, dopo averne discusso con Franceschini, Mara e gli altri compagni, ha deciso di non lasciare conti in sospeso e di diffondere un documento in cui le Br si attribuiscono i due omicidi, rilanciando però l'attacco al «cuore dello Stato». Due fascisti sono stati puniti – hanno scritto – ma le stragi sono il frutto della gestione democristiana del potere, e alle istituzioni che usano i «neri» come propri bracci armati bisogna «opporre un'iniziativa proletaria armata che si organizzi a partire dalle fabbriche».

È il tentativo di rimediare all'«incidente» padovano che rischiava di riportare indietro, alla guerra contro i fascisti, una campagna che ormai è avviata verso ben altri traguardi.

Il 25 giugno, al Senato, il ministro dell'Interno Paolo Emilio Taviani definisce le Br

> una vera e propria organizzazione clandestina composta di un numero limitato di individui, ferreamente collegati tra loro in una catena di cui il secondo anello conosce il terzo ma il terzo non conosce il primo.

Per ribattere alla propaganda brigatista, il ministro dichiara:

> I tupamaros hanno, nei Paesi dove agiscono, aliquote non vaste ma pur sempre consistenti di opinione pubblica favorevole. I delinquenti delle Brigate rosse, invece, non hanno alcuna aliquota, sia pur minima, del popolo italiano che li favorisca o li sostenga. Sono isolati dall'opinione pubblica, da tutti i partiti e da qualsiasi gruppo. Sono solo un nucleo di asociali deliranti. Come asociali si nascondono da tutti, come deliranti si gonfiano di megalomania.

Frasi che non impressionano chi, come Pippo, ha ormai deciso che quel potere dal quale sono bollati come «deliranti e megalomani» solo per esorcizzarne il pericolo, «non si cambia ma si abbatte».

Con l'arrivo dell'estate le fabbriche chiudono i cancelli per le ferie, e anche la rivoluzione va in vacanza per qualche settimana: Curcio e sua moglie in montagna, Franceschini al mare di Riccione dove si recava da studente, mentre Paroli resta in città a studiare e a conoscere meglio la giungla metropolitana nella quale è stato inviato a combattere. Non vanno in vacanza, invece, i registi della strategia della tensione che il 4 agosto, all'altezza di Bologna, fanno esplodere un'altra bomba nella carrozza numero 5 del treno Italicus diretto da Roma a Monaco, uccidendo dodici persone.

La vita da clandestino segue orari prefissati e poco flessibili, costumi morigerati e regole molto precise, cosí come stabilito dal manuale di comportamento brigatista. I contatti «extralavorativi» con persone estranee alle Br sono praticamente nulli, e Pippo soffre un po' le ristrettezze sociali imposte da un ambiente che per di piú è quasi totalmente maschile. Proprio di questo parla e si lamenta con Mara, la quale lo rassicura: è solo questione di tempo.

– Vedrai che entro pochissimi anni le compagne saranno molte, ma molte di piú, – sostiene la moglie di Curcio, e in effetti sarà cosí.

A parte le necessità dovute al proprio lavoro – e quello di Tonino si svolge all'entrata e all'uscita delle fabbriche –, è norma tassativa la buona cura di se stessi e la mimetizzazione in città secondo le abitudini del momento. Proprio per non essere additati in pubblico o facilmente individuati da chi è a caccia dei «rivoluzionari di professione» il manuale prescrive che

> ogni compagno deve essere decorosamente vestito e in ordine nella persona: barba fatta, capelli tagliati eccetera. È bene girare con non piú di due documenti e cioè la patente e una carta d'identità non legata ad alcunché. Sulle nostre agendine occorre avere cura di stracciare gli appuntamenti passati, e i futuri devono essere segnati in codice personale.

Altra regola è che «ogni militante dovrà portare la propria arma addosso» e Tonino, diventato Pippo, ha avuto in dotazione una 7,65 con la quale è andato alcune volte a esercitarsi in qualche gola delle montagne intorno a Torino. Custodisce la pistola nel borsello che tiene sempre con sé, sperando di non doverla mai usare perché, nonostante le prove di tiro, non ha acquisito grande dimestichezza con quel pezzo di ferro. Anzi, una volta ha temuto seriamente di cadere in trappola proprio per via di quell'arma.

Era entrato in un bar per bere un caffè, e terminata la consumazione e pagato il conto s'era dimenticato il borsello sul bancone. Fatte poche centinaia di metri s'era accorto dell'errore ed era tornato subito indietro, confidando che nessuno avesse aperto il borsello. Ma appena rientrato nel bar la cassiera gliel'aveva restituito con la faccia di chi aveva visto tutto, pistola compresa. Pippo aveva risposto con l'espressione piú complice possibile, e la donna c'era caduta: in fin dei conti in quegli anni molta gente girava armata, nel timore di rapine e sequestri, e la signora non era andata a pensare di trovarsi davanti a un soldato della rivoluzione. Oppure aveva semplicemente deciso di farsi gli affari suoi. Fatto sta che Pippo s'era ripreso la pistola salutando con un sorriso e allontanandosi dal bar a passo spedito. Da allora, non ci aveva piú rimesso piede.

Istruzioni precise sono dettate anche in caso di imprevisti come un incidente d'auto. Recita il manuale che

> se si tratta di cosa lieve bisogna lasciar perdere, assumersi la responsabilità del fatto ed eventualmente pagare il danno. In particolare se l'incidente è avvenuto nei pressi di una struttura d'organizzazione, occorre fare di tutto per arrivare a una conciliazione.

Era quello che Paroli aveva tentato il giorno in cui, per una distrazione, a bordo di una macchina delle Br con targa e documenti falsi, tamponò l'auto che lo precedeva. Si trattava di una banalissima ammaccatura, Tonino era sceso deciso a ripagare subito il danno, ma l'uomo – pignolo e puntiglioso come un torinese – non se ne dava per inteso: voleva prendere i dati della macchina e dell'assicurazione per sporgere regolare denuncia. Paroli non intendeva svelare il proprio nome di copertura e aveva insistito.

– Ho una tariffa *bonus-malus*, per cui preferisco evitare la denuncia e pagare in contanti, – provò a dire con le buone, ma sembrava che i soldi non interessassero affatto il danneggiato. Al punto che il brigatista, pur di scappare senza tirare fuori la patente di guida, fu costretto a simulare una rissa aggredendo il malcapitato e fuggendo via. L'auto era comunque «bruciata», ma per lo meno aveva salvato i suoi documenti falsi.

Il lavoro quotidiano delle Br prosegue su due direttrici, il reclutamento e l'ideazione di nuove attività. Il ministro dell'Interno ha descritto bene in Parlamento il meccanismo della «compartimentazione» al quale l'organizzazione si ispira: ogni militante sa cosa fanno i suoi contatti diretti, ma non come si muovono quelli coi quali hanno contatti gli altri. A Paroli, a parte i compagni di Reggio che conosceva da prima, Mara e Curcio, sono state indicate le persone con le quali collaborare in fabbrica, ma del resto non sa molto. Lui, incaricato di reclutare operai attraverso una faticosa e prudente tattica di avvicinamento, è inserito nel «fronte di massa» della «colonna» torinese. Ogni colonna manda i propri rappresentanti alla Direzione strategica, una sorta di parlamento interno, che stabilisce le linee politiche d'intervento ed elegge il Comitato esecutivo delle Br, cioè il governo dell'organizzazione.

Pippo partecipa a un paio di riunioni della Direzione strategica dopo che a settembre, riprese le attività politiche, le Br hanno subito un duro colpo dovuto all'infiltrazione di un prete sedicente guerrigliero chiamato dai giornali Frate Mitra, che aveva combattuto al fianco dei guerriglieri boliviani. È grazie a una sua soffiata che i carabinieri sono riusciti ad arrestare due capi del calibro di Curcio e Franceschini. Per l'organizzazione si tratta di una battuta d'arresto dalla quale non è facile ripartire, e nel dibattito interno irrompe improvvisamente un nuovo problema da affrontare: la liberazione dei prigionieri politici.

La Direzione strategica delle Br discute a lungo sull'opportunità di avventurarsi in quelli che normalmente si chiamano tentativi di evasione. Alcuni, tra i quali Mara Cagol e Tonino, sono favorevoli; altri, come Fabrizio Pelli, sono contrari perché ritengono piú efficace proseguire il lavoro nelle fabbriche e nei quartieri anziché concentrarsi su operazioni rischiose e finalizzate solo al recupero di qualche militante; altri ancora restano titubanti. Si verifica uno scontro molto duro, alla fine prevale chi vuole tentare e si decide di passare all'azione. Ma la divisione lascerà il segno, tanto che Pelli – il compagno Bicio venuto da Reggio Emilia come Pippo – deciderà di uscire dall'organizzazione.

Franceschini è rinchiuso nel carcere di Cuneo, Curcio a Casale Monferrato. Da fuori i compagni cominciano a inviare e ricevere messaggi, scritti col vecchio sistema dell'inchiostro simpatico che funziona ancora. Franceschini propone un assalto dall'esterno, visto che l'ufficio matricola nel quale l'hanno messo a lavorare si trova a pochi metri dal portone d'ingresso del carcere. Gli rispondono che un piano simile è già in programma per liberare Curcio, per lui bisogna studiare qualcosa di diverso. Allora Alberto chiede dei seghetti per tagliare le sbarre di un cancello che le guardie controllano solo saltuariamente; i seghetti arrivano, e insieme le istruzioni sulla macchina che troverà all'esterno del carcere con delle armi a bordo.

Il detenuto lavora di buona lena sulle sbarre, ma la sera fissata per l'evasione i compagni che hanno portato l'auto con le armi aspettano invano il suo arrivo. Dentro qualche recluso ha parlato, e il progetto di fuga viene sventato dalle guardie. La macchina coi compagni in attesa a poche centinaia di metri dalla prigione si allontana cercando di non dare nell'occhio.

Franceschini non ce l'ha fatta, ma per Curcio si deve ancora tentare. Pippo, Mara e gli altri le pensano tutte per penetrare nel carcere, dalle fogne alla possibilità di far saltare le porte blindate con l'esplosivo. Infine scelgono la strada apparentemente piú difficile, ma a conti fatti piú semplice: l'assalto.

Per la buona riuscita dell'operazione servono una decina di compagni ben addestrati, in applicazione della regola per cui ogni militante rivoluzionario deve essere capace di affrontare sia l'aspetto politico che quello militare della lotta; non c'è distinzione tra i due ruoli, né ci sono i funzionari di partito che dànno gli ordini e i soldati che li eseguono: tutti devono esercitarsi nella teoria e nella prassi. Stavolta la prassi consiste nel rubare un buon numero di macchine necessarie all'operazione, e per Paroli non è semplice dedicarsi a quest'attività.

A parte le difficoltà oggettive – una volta suona l'allarme, un'altra ci si accorge che l'auto prescelta è parcheggiata vicino a una caserma dei carabinieri e quindi bisogna rinunciare –, per lui c'è sempre il disagio di poter essere scambiato per un topo d'auto, se lo sorprendono mentre ruba. «Meglio beccarsi l'ergastolo per un omicidio politico che qualche mese di galera col marchio di ladro», ripete sempre Pippo. Ma in nome della rivoluzione è costretto a passare le sue serate nei dintorni di Casale Monferrato ad aprire macchine (quasi sempre delle Fiat 128, la prima e piú diffusa utilitaria con le quattro porte necessarie per salire e scendere in fretta nelle azioni) e portarle via senza farsi scoprire. Dopo molto esercizio, è diventato abbastanza bravo a forzare le portiere con una chiavetta limata a dovere, e far partire i motori collegando i fili giusti.

Ma non c'è solo la liberazione di Curcio nei progetti delle Br, e lo scontro con lo Stato si fa sempre piú duro. A ottobre vengono arrestati tre compagni nella «base» di Robbiano di Mediglia, vicino a Milano, uno dei quali – il giovane reggiano Roberto Ognibene, che ha da poco compiuto vent'anni – uccide il maresciallo dei carabinieri Felice Maritano e rimane ferito nello scontro a fuoco. Due settimane piú tardi, a Torino, cadono in trappola Prospero Gallinari e un altro brigatista.

L'organizzazione decide di reagire, e il pomeriggio dell'11 dicembre avviene un doppio blitz, quasi in contemporanea, in due sedi della Sida, il «sindacato giallo» della Fiat.

Negli uffici di via Nichelino, a Mirafiori, intorno alle 17, entrano tre uomini armati e coi volti coperti da sciarpe e passamontagna. Dentro trovano un solo impiegato, che legano mani e piedi sotto la minaccia delle pistole e fotografano con un cartello al collo: «Costruire ovunque il potere armato proletario. Costruire nuclei armati clandestini». Mentre uno traccia sui muri le scritte e la stella a cinque punte, gli altri rubano quanti piú documenti possibile.

Poco prima, in via Fossano a Rivalta, accade piú o meno la stessa cosa, ma qui a guidare il commando è una donna, Mara Cagol. Pippo, invece, ha partecipato al blitz di Mirafiori. Nonostante i colpi subiti da parte dello Stato, è sempre piú convinto che quella intrapresa sia la strada giusta, anche se la vita del clandestino è dura e gli mancano gli affetti e gli amici lasciati a Reggio. Ma la rivoluzione – l'ha letto anche lui – non è un pranzo di gala, e comporta sacrifici e rinunce, oltre all'accettazione della pratica della violenza. Del resto, quando si ferma a pensarci, si ritiene fortunato di essere stato assegnato a Torino anziché a Milano o a Venezia. In fondo qui ci sono le montagne sulle quali può andare a rifugiarsi appena può, per godere di un po' d'aria buona. E in questa città che pare organizzata a immagine e somiglianza della Fiat, riesce comunque a respirare il clima operaio nel quale è cresciuto e che gli serve per andare avanti, anche nei momenti di sconforto. Che per fortuna non sono i soli: ci sono pure i momenti di euforia.

Dall'interno del carcere di Casale Monferrato, Renato riesce a comunicare con Mara e gli altri compagni «attraverso persone che non sono mai state inquisite», come rivelerà lui stesso molti anni dopo. Un avvocato, forse. Il messaggio che manda fuori indica come momento migliore per un attacco dall'esterno – ci sono solo tre cancelli da superare per arrivare alle celle, e poche ronde armate – l'ora d'aria, tra mezzogiorno e l'una. Ma evidentemente qualcuno capisce male, e il commando si organizza per intervenire alle 16 di martedí 18 febbraio 1975.

Il giorno precedente Mara e Pippo hanno fatto l'ultimo sopralluogo in zona, per controllare gli orari di apertura e chiusura di un passaggio a livello che si dovrà attraversare durante la fuga. Sono rimasti in macchina per un'ora, parcheggiati lungo un viottolo di campagna, senza parlare, in sottofondo le canzoni di Bob Dylan suonate da un registratore portatile, mentre i pensieri di Pippo scorrazzavano dai compagni in galera alla famiglia abbandonata, fino alla paura di non rivedere piú nessuno. L'indomani lui e gli altri avrebbero dato il primo assalto armato a una struttura dello Stato, e anche se il piano è stato studiato per non fare vittime c'è sempre la possibilità che qualcosa vada storto, che si debba sparare e che si venga sparati. E la paura, dovuta soprattutto all'imprevedibile di fronte al quale non sai come potrai reagire, è una sensazione che sa come prendere anche un rivoluzionario aspirante guerrigliero come Pippo.

Il 18 febbraio le cronache di quotidiani e telegiornali sono piene di particolari sul furto di ventotto tele della raccolta Grassi, tra le quali spiccano dipinti di Van Gogh, Gauguin e Renoir, trafugate la notte precedente dalla Galleria d'arte moderna di Milano, e sui colloqui in corso a Ginevra tra il segretario di Stato statunitense Kissinger e il ministro degli Esteri dell'Unione Sovietica Gromyko. In televisione, al mattino, è andata in onda sul canale nazionale una puntata del programma *Bianconero*, nella quale il leader della sinistra Lelio Basso ha discusso delle multinazionali e del loro ruolo nei golpe sudamericani; nel pomeriggio, c'è la solita Tv dei ragazzi.

La giornata nel carcere di Casale scorre tranquilla fino a pochi minuti dopo le 16, quando due auto, una Fiat 124 gialla e una 128 blu, arrivano nei pressi del carcere. Scendono un uomo e una donna dai capelli biondi che suona al portone del penitenziario. Una guardia apre lo spioncino, la ragazza sorride.

– Devo consegnare un pacco a un detenuto, – dice.

È giorno di visite e tutto sembra normale, la guardia richiude lo spioncino e apre il portone, ma non fa in tempo ad allungare le mani per prendere il pacco che la canna di un mitra gli si pianta contro il petto:

– Non ti muovere o sparo.

Alle spalle della ragazza spuntano alcune persone vestite con le tute blu da operai, che si precipitano all'interno del carcere e tagliano i fili del telefono. Sempre sotto la minaccia del mitra, la donna costringe l'agente che le aveva aperto a chiamare il maresciallo che comanda le guardie. Il maresciallo sopraggiunge dall'interno del carcere, mentre al piano superiore Curcio vede arrivare di corsa un detenuto che lancia l'allarme:

– Giú nella rotonda ci sono degli uomini armati.

La sua cella è ancora aperta perché la conta non è terminata, e il capo brigatista capisce che l'ora tanto attesa è arrivata. Davanti alle guardie impietrite e impreparate comincia a correre lungo il corridoio e giú per le scale, finché si trova davanti a un cancello chiuso.

Attraverso le sbarre vede sua moglie Mara camuffata con una parrucca bionda e i compagni travestiti da operai. Uno si avvicina e gli passa una pistola. Mara, col mitra spianato, ordina a una delle guardie di aprire il cancello, l'uomo ci mette un po' a individuare la chiave giusta e quando la trova fa fatica a infilarla nella toppa. Alla fine ci riesce, le sbarre si aprono e Curcio si precipita fuori.

Prima di andarsene i brigatisti chiudono il maresciallo e le altre guardie nell'ufficio matricola. Un detenuto comune che stava pulendo il corridoio chiede di poter uscire anche lui, ma gli uomini del commando gli intimano di non muoversi. Il pacco portato da Mara rimane sul pavimento della rotonda. Piú tardi arriveranno gli artificieri nel timore che contenga una bomba, ma quando l'apriranno scopriranno che ci sono solo cartacce.

Sul piazzale del carcere Curcio trova tre macchine e altri compagni ad attenderlo. Sale a bordo della prima, che parte a razzo seguita dalle altre due. Il capo delle Brigate rosse, prigioniero da cinque mesi, è stato liberato con un'azione durata meno di cinque minuti che non ha richiesto un solo sparo.

Pippo è a bordo di una delle auto usate nella fuga, poi abbandonate. Quando vede il suo amico Renato al cambio macchina organizzato al di là del passaggio a livello, tensione e paura finalmente si sciolgono. Ma non c'è nemmeno il tempo per un abbraccio, bisogna correre per allontanarsi il piú possibile. Giungono alla cascina Spiotta che ormai si sta facendo buio. A Curcio vengono tinti i capelli, poi il viaggio ricomincia alla volta della Liguria, fino a una casa sul mare ad Alassio, dove Renato si ricongiunge a Mara. «Allora, finalmente, potei dare libero sfogo alla mia gioia, e anche alla commozione», racconterà.

Al di là dell'aspetto romantico di una moglie che guida l'assalto a un carcere per liberare il marito, l'evasione di Curcio è un successo delle Br che riempie di entusiasmo e soddisfazione anche un militante posato e razionale come Pippo, che festeggia a modo suo: in silenzio, riflettendo su un'azione andata a buon fine e su come si può continuare la lotta armata contro lo Stato borghese, anche dopo il «tradimento» di Frate Mitra, la scoperta di alcune «basi» e gli arresti di diversi compagni, proseguiti fino alla vigilia della liberazione di Renato.

La mattina seguente, tornato a Torino, si apposta vicino a un'edicola per ascoltare i commenti di chi legge la notizia sul giornale. Tornano gli interrogativi sulle Br e le loro complicità perfino dentro le istituzioni anche se, come scrive «La Stampa»,

> la minaccia viene da quei gruppi fascisti che dispongono di centrali terroristiche che sono in qualche modo legati a partiti italiani o stranieri, che hanno avuto legami oscuri con centri im-

portanti dello Stato, ossia da quel complesso indicato con il nome di trame nere.

Guai però, ammonisce il quotidiano di casa Agnelli, a sottovalutare il pericolo delle Br:

> Gli uomini e i mezzi di cui dispongono, il fanatismo lucido con cui operano possono provocare altre tragedie. E continuano comunque a fornire un facile alibi ai cospiratori fascisti e soprattutto a coloro che manifestano nostalgia per lo Stato forte.

Ma oltre alle parole di chi condivide tali preoccupazioni, davanti all'edicola Paroli coglie altre frasi, che lo stimolano ad andare avanti. Come il signore che dice a un amico: – Hai visto, però... Se avessero fatto cosí anche con Gramsci, ai tempi del fascismo, quel poveretto non sarebbe morto in carcere.

Pippo si sente forte e convinto a proseguire sulla strada presa.

La liberazione di Renato Curcio, che non è Antonio Gramsci cosí come l'Italia democristiana non è quella fascista, è celebrata dalle Brigate rosse con un comunicato inviato ai giornali nel quale si afferma che compito dell'avanguardia rivoluzionaria è di

> battere nello stesso tempo la repressione armata dello Stato e il neocorporativismo dell'accordo sindacale; la liberazione dei detenuti politici fa parte di questo programma.

Le Br criticano l'uso del «paravento dell'antifascismo democratico» da parte di chi vuole imporre «il vero fascismo imperialista», cioè la Dc asservita agli Stati Uniti che «ricatta» la sinistra con il fantasma della destra estrema e violenta.

La prima parte del 1975 – trentesimo anniversario della Liberazione – è segnata da violenze e incidenti nei quali sono coinvolti neofascisti che sparano, uccidono e provocano reazioni a catena da parte dell'estrema sinistra. È soprattutto a Milano che la tensione cresce fino all'uccisione a freddo del giovane comunista Claudio Varalli, il 16 aprile, che dà il via a tre giorni di scontri culminati con altre vittime delle cariche della polizia, nel capoluogo lombardo e non solo.

A Roma, in febbraio, nei disordini di piazza è stato ammazzato un militante greco del Msi, Mikis Mantakas, mentre di nuovo a Milano, il 13 marzo, comincia l'agonia del giovane Ramelli, un «camerata» del Fronte della gioventú preso a sprangate sotto casa.

Per le Br un simile fermento è solo dannoso; perché riporta indietro i termini dello scontro che l'organizzazione vuole imporre – come scrivono nei loro documenti – e perché ripropone la teoria degli «opposti estremismi» che rischia di risucchiare le loro azioni in uno schema funzionale al sistema di potere esistente. È ciò che pensa anche Pippo, che pure ha sempre avuto una particolare sensibilità per i temi dell'antifascismo. Ma stavolta la posta in gioco è piú alta, e proprio per sfuggire a quella che considerano una «trappola» le Brigate rosse continuano le loro azioni sul terreno della fabbrica e dell'attacco al «cuore dello Stato», imitati da nuove formazioni armate che cominciano a comparire qua e là.

Ad appena una settimana dall'evasione di Curcio, il 26 febbraio, le Br tornano a colpire proprio a Milano. Un'azione dimostrativa, che serve anche a rimpolpare l'archivio delle informazioni da mettere insieme per conoscere il «nemico» in tutte le sue articolazioni. Una di queste è individuata nell'Idi, l'Istituto dirigenti industriali che ha la sua sede in via Chiaravalle, vicino al Duomo, al terzo piano di un palazzo con un portiere che non nota nulla di strano nelle due persone – un uomo e una donna ben vestiti, completi di loden e valigetta ventiquattrore – che poco dopo le 19 attraversano l'ingresso e imboccano le scale.

Arrivati sulla porta dell'Idi, i due si calano i passamontagna e irrompono armati nella sede dove ci sono ancora il direttore e alcuni impiegati, seguiti da altri compagni con le pistole in pugno e i volti coperti. Il direttore pensa a una rapina e avverte che nell'Istituto non ci sono soldi, ma uno dei brigatisti replica seccato: – Sappiamo benissimo dove siamo, non siamo banditi.

Legati e rinchiusi i presenti nel bagno, gli assalitori lasciano il loro simbolo dipinto su una parete, raccolgono un po' di documenti e se ne vanno. Un'ora dopo, in una cabina telefonica, viene trovato un volantino che accusa:

> L'associazione dei dirigenti contribuisce alla loro specializzazione nella politica di repressione e di sfruttamento della classe operaia.

L'attacco all'Idi, per gli investigatori dell'Antiterrorismo che da oltre un anno si dedicano alle Brigate rosse quasi a tempo pieno, è un segnale ulteriore della vitalità dell'organizzazione, e della sua capacità di reclutare proseliti. Qualcuno ritiene perfino che l'ultima azione non sia opera del «gruppo storico», ma di un nucleo che intende proporsi alle Br come mano d'opera.

Alla ricerca dei contatti, prendendo le mosse dalle tracce lasciate nei covi scoperti e da alcuni tra gli arrestati piú importanti, gli ispettori della polizia allargano ad altre città d'Italia il loro raggio d'azione. E Reggio Emilia diventa un luogo da scandagliare a fondo.

Già tre brigatisti caduti in trappola – Franceschini, Ognibene e Gallinari – vengono da lí, e forse proprio partendo da loro, o forse seguendo altre piste, all'indomani dell'ultima azione milanese il capo dell'Antiterrorismo dell'Emilia Romagna, l'ispettore Berardino, si presenta nella casa reggiana di Tonino Loris Paroli. Anzi, «Paroli Tonino Loris», come dicono gli sbirri che antepongono sempre il cognome al nome. Ma Tonino non c'è. Ad aprire la porta agli investigatori che hanno in mano un mandato di perquisizione è la moglie. La donna ha ormai capito in quale tunnel s'è infilato il marito, ma non sa niente degli spostamenti dell'uomo.

– Non lo vedo né lo sento da mesi, – dice.

Dalla perquisizione non salta fuori nulla di interessante, se non il fatto che per i poliziotti si allunga la lista ufficiale dei ricercati per «banda armata», con l'aggiunta del nome di Paroli.

Pippo continua a vivere e «lavorare» a Torino, intuisce che il clima s'è fatto pesante e dopo le ultime azioni bisogna essere ancor piú prudenti. Segue alla lettera le indicazioni del manuale sui movimenti in strada del «militante regolare», per individuare eventuali pedinatori:

> Deve diventare abitudine di ogni compagno quella di guardare spesso lo specchietto retrovisore delle macchine. In particolare, ogni qual volta si rincasa o ci si reca in qualsiasi struttura dell'organizzazione, occorre accertarsi di non essere seguiti. È bene prendere l'abitudine di compiere qualche giro vizioso appositamente studiato per verificare in modo sicuro di non essere pedinati. Alla prima sensazione di insicurezza nella propria struttura di abitazione occorre segnalare il fatto al membro dell'Esecutivo per valutarne insieme la portata.

In via Pianezza Paroli rincasa ogni sera dopo aver applicato le regole, senza mai notare nulla di anormale intorno o dietro di sé. L'unica stranezza è che da un po' di tempo non arrivano piú le bollette della luce. Nel manuale c'è un paragrafo dedicato proprio alle bollette, che dopo i pagamenti – da effettuarsi sempre in uffici postali o banche nei dintorni della casa – vanno distrutte o «depositate in cassa, e per nessun motivo spostate dalla loro custodia». Anche su questo punto Tonino ha sempre rispettato le consegne, e s'interroga sull'improvviso ritardo negli avvisi di pagamento. Ma non piú di tanto: forse è solo un caso, visto che i conti di gas e acqua arrivano regolarmente.

Non si accorge che da qualche giorno il palazzo di via Pianezza è tenuto sotto osservazione, e non sa che agli inquilini qualcuno è andato a chiedere informazioni su chi abita nell'appartamento al quarto piano.

– Ci sono due o tre giovani educati e molto discreti, – è stata la risposta, che ha insospettito ancor piú gli investigatori.

Gli ultimi giorni di aprile sono pieni di avvenimenti che interessano Tonino Paroli, militante delle Brigate rosse impegnato nel reclutamento e nella propaganda alla Fiat, ma sempre attento anche ai problemi internazionali. Martedí 29, nel «suo» Vietnam, il presidente dell'azienda Gianni Agnelli s'è presentato agli azionisti per annunciare che nel 1974 la Fiat s'è indebitata con le banche allo scopo di non ridurre gli investimenti e «difendere l'attuale livello di occupazione» nonostante la crisi del settore automobilistico. Parole che per il compagno Pippo sono solo un ennesimo imbroglio padronale, rese però meno amare dalla sconfitta degli Stati Uniti che si sta consumando nel vero Vietnam: gli ultimi soldati americani stanno lasciando Saigon sugli elicotteri e le navi della VII flotta protette dai cacciabombardieri a stelle e strisce, e l'ambasciata Usa ha già chiuso i battenti. L'ingresso dei vietcong nella capitale che sarà ribattezzata Ho Chi Minh è solo questione di ore.

Tutto questo riferiscono i telegiornali della sera, e Tonino va a dormire con nuovi propositi di lotta; se il

Vietnam vince perché spara, un giorno la rivoluzione trionferà anche in Italia, e domani bisogna tornare alla Fiat per continuare la battaglia.

Ma non ci sarà modo, perché dopo poche ore di sonno, alle prime luci del 30 aprile, alcuni sedicenti operai dell'elettricità si fanno aprire la porta e mettono fine alla clandestinità del «soldato» venuto da Reggio Emilia.

Tutto precipita in pochi attimi: la pistola alla tempia e la paura che parta un colpo, le manette e la perquisizione, l'arresto. Fino alla resa e alla frase di rito:

– Mi dichiaro prigioniero politico, sono un militante delle Brigate rosse.

Tonino Paroli è uscito dal carcere nel 1990, per fine pena, dopo aver scontato sedici anni di detenzione. Vive a Reggio Emilia, dove dipinge e cura l'orto di casa. Partecipa e organizza mostre in tutta Italia. Il catalogo che ha accompagnato l'esposizione personale allestita presso i chiostri di San Pietro a Reggio Emilia, nell'aprile 2002, contiene anche alcune poesie scritte nel periodo di carcerazione, ed è dedicato al cantautore Fabrizio De André.

2. «Augusta»

Arrivarono all'ospedale di Acqui Terme intorno alle 17, dopo mezz'ora di attesa nella caserma dei carabinieri. Ad aspettarle, sulla porta della camera mortuaria, c'era il procuratore che strinse loro le mani e le accompagnò dentro. Fuori rimasero i cronisti, i fotografi e i curiosi.

Quando scoprirono il volto del cadavere non ebbero esitazioni, e il timore diventò certezza: al procuratore dissero subito che sí, era lei. Lucia e Milena Cagol, sposate con due impiegati del Trentino Alto Adige, avevano riconosciuto la sorella Margherita, sposata con un terrorista e terrorista anche lei.

Era il 6 giugno 1975. Margherita – Mara per i compagni delle Br – era morta il giorno prima alla cascina Spiotta dove, insieme a un altro brigatista riuscito a fuggire, teneva in ostaggio l'«industriale delle bollicine» Vallarino Gancia, rapito il 4 giugno. Nello scontro armato era stato ferito a morte anche l'appuntato Giovanni D'Alfonso, quarantaquattro anni e padre di tre figli, uno dei tre militari che la mattina del 5 erano andati in perlustrazione sulle colline del Monferrato.

I carabinieri giunsero alla Spiotta, videro due macchine parcheggiate e suonarono alla porta. Dall'interno della casa cominciarono a sparare e fu il finimondo. Il primo a cadere a terra fu l'appuntato D'Alfonso. Mara e l'altro brigatista uscirono dal casale, lei venne ferita, lui riuscí a dileguarsi tra i boschi.

Il primo colpo aveva raggiunto la donna alla spalla sinistra; il secondo, sparato piú tardi, le trapassò il torace. L'esito di un conflitto a fuoco, secondo l'Arma; un'esecuzione in piena regola, secondo i brigatisti. Furono quei due proiettili a fermare la corsa di Mara, l'ex ragazza di Trento ormai trentenne che si era laureata in Sociologia, nell'estate del 1969, salutando la commissione col pugno chiuso e due giorni dopo andava in sposa a Renato Curcio nella chiesetta di San Romedio di Trento, in Val di Non. Nella foto ricordo lei sorride gentile nel tailleurino d'epoca, lui sotto i baffoni alla Stalin, ingessato nella giacca a tre bottoni e la cravatta; il pomeriggio erano già a Milano per partecipare a un'assemblea di lavoratori-studenti.

La polizia aveva a disposizione le sue impronte digitali, per via di un arresto avvenuto nel 1972, agli albori delle Brigate rosse. All'ospedale di Acqui un funzionario della Scientifica le prelevò al cadavere ancora senza nome e il cartellino fu subito spedito a Roma, in aereo, per il confronto con quelle schedate. Ma prima ancora del responso, furono le sorelle Lucia e Milena a confermare il sospetto degli inquirenti. Era la moglie di Curcio, la stessa donna che – con ogni probabilità – a febbraio aveva guidato l'assalto al carcere di Casale Monferrato per liberare il marito. Dunque era lui l'uomo riuscito a fuggire tra i boschi, si chiedevano cronisti e inquirenti?

No, non era lui. Renato Curcio il 5 giugno del 1975 si trovava a Milano. Le Br avevano deciso che non dovesse partecipare all'operazione Gancia proprio perché era evaso da poche settimane, il suo volto conosciuto e la sua foto – presumibilmente – distribuita alle pattuglie di polizia e carabinieri. Però sapeva del sequestro, che doveva servire a rimpinguare le casse dell'organizzazione, e aveva parlato con Margherita la stessa mattina.

Lui aspettava la telefonata in un bar, e lei chiamò puntuale. Renato rispose all'apparecchio pubblico nel sottoscala del locale, mentre da sopra arrivavano i rumori di bicchieri e tazzine.

– Qui è tutto tranquillo, le cose vanno come stabilito, non ti preoccupare, – disse lei.

Lui le raccomandò prudenza, poi riattaccò. Alle due del pomeriggio, un compagno col quale aveva appuntamento in strada l'avvisò che alla cascina Spiotta c'era stato un conflitto a fuoco.

– Alla radio hanno detto che forse è morta una ragazza, – aggiunse.

Curcio corse a casa per ascoltare i notiziari, e seppe.

Fu proprio lui a scrivere di getto il comunicato fatto ritrovare dalle Br a Milano, dopo che l'identità dell'uccisa era stata svelata:

> È caduta combattendo Margherita Cagol, «Mara», dirigente comunista e membro del Comitato esecutivo delle Brigate rosse. La sua vita e la sua morte sono un esempio che nessun combattente per la libertà potrà mai dimenticare... Che mille braccia si protendano per raccogliere il suo fucile. Noi, come ultimo saluto, le diciamo: «Mara», un fiore è sbocciato e questo fiore di libertà le Brigate rosse continueranno a coltivarlo fino alla vittoria.

Nei giorni seguenti i giornali traboccavano di storie sui due sposini guerriglieri, sulla donna che aveva liberato il marito ed era morta sparando, sulla latitanza dell'uomo diventato fuggiasco e vedovo.

Seduta su una panchina della periferia di Torino, Angela Vai ascoltava i commenti di due anziane signore. Aveva ventiquattro anni, lavorava alla Seat come impiegata e studiava per ottenere il diploma di maestra. Militava nella Cgil e nella sinistra extraparlamentare, si occupava di tirar su un esercito di sei fratelli piú piccoli, due dei quali erano lí con lei, sulla panchina. E sognava la rivoluzione.

– In fondo, questa ragazza ha fatto tutto per amore, – disse una delle due vecchiette di Mara Cagol.

Angela rimase colpita da quella frase pronunciata da una signora che poteva essere sua nonna, e cominciò a pensare che aveva ragione. La moglie di Curcio era morta per una causa, ma soprattutto per amore. La sua vicenda era la dimostrazione che anche una donna può guidare la rivoluzione. E che la politica, anche la piú estremista, può accompagnarsi ai sentimenti.

Angela l'aveva sempre immaginato. S'era letta tutti i libri disponibili e qualunque articolo le capitasse sotto mano su Bernadette Devlin, la «pasionaria» indipendentista dell'Irlanda del Nord, sulla leader nera e comunista americana Angela Davis, sul ruolo delle donne nell'ottobre bolscevico. Ora era arrivata Mara Cagol, con la sua storia romantica e tragica, a dimostrare che anche in Italia la rivoluzione poteva avere un lato femminile per nulla secondario. Anzi, di primaria importanza.

«È vero, l'ha fatto per amore, ed è un bellissimo esempio», pensò Angela allontanandosi dalla panchina, tenendo per mano i due fratellini.

Due anni piú tardi, alle 8 di sera del primo maggio 1977, al centralino del quotidiano torinese «La Stampa», arriva una telefonata.

– In corso Vittorio, angolo corso Racconigi, nella cabina del telefono, c'è un volantino delle Brigate rosse, – dice un uomo. E riattacca.

I cronisti vanno, e tra le pagine dell'elenco telefonico trovano un foglio piegato in quattro, con l'intestazione ormai tipica delle Brigate rosse, fra le due parole la stella a cinque punte chiusa nel cerchio. Comincia cosí:

> Giovedí 28 aprile, alle ore 15, un nucleo armato delle Brigate rosse ha giustiziato il servo di Stato Fulvio Croce, presidente dell'Ordine degli avvocati di Torino…

In fondo, uno slogan e la firma: «Portare l'attacco allo Stato imperialista delle multinazionali. Brigate rosse-Colonna Margherita Cagol (Mara)».

In mattinata si sono celebrati i funerali dell'avvocato Croce, alla presenza del ministro della Giustizia Bonifacio e del vicepresidente del Consiglio superiore della magistratura Vittorio Bachelet, officiati dal cardinale Michele Pellegrino.

– Siamo qui per piangere un fratello caduto vittima dell'odio e della violenza, mentre serviva la giustizia, – ha detto l'arcivescovo di Torino.

Angela Vai non la pensa cosí. Perché nel frattempo è diventata «Augusta», militante regolare delle Brigate rosse. E perché c'era anche lei, tre giorni prima, nel cortile di via Perrone 5, dove l'avvocato Croce aveva lo studio ed era stato ucciso da un commando della «Mara Cagol».

Ha settantasei anni meno due mesi, l'avvocato Fulvio Croce, e cinquantadue di professione. Età da pensione, per la maggior parte delle persone. Ma per uno come lui, che ama il proprio lavoro e da nove anni è presidente del consiglio dell'Ordine, è difficile attaccare la toga al chiodo. Molto piú semplice proseguire il tranquillo tran tran quotidiano tra l'ufficio in tribunale, la villetta in collina e lo studio in città, scandito dai ritmi quieti ma operosi di un signore piemontese che non rinuncia al pranzo quotidiano in famiglia e al breve riposo pomeridiano, a qualche gioco con Kid, il barboncino di casa, e a privilegi come la domestica fissa che quando esce e quando rientra gli va incontro per porgergli, o ritirare, il cappotto e la borsa.

Un signore nato nel 1901, figlio del medico condotto di un paese del Canavese, Castelnuovo Nigra, che alle pulsioni d'inizio secolo ha concesso un breve periodo della sua adolescenza arruolandosi, a sedici anni, nei legionari di D'Annunzio diretti a Fiume. Poi ha ripreso gli studi, s'è laureato in Giurisprudenza, s'è iscritto all'albo dei procuratori e ha cominciato subito a occuparsi di diritto civile. In breve tempo ha messo su uno studio proprio, e in un'altra stagione politica è stato sindaco del suo paese natale, senza mai rinunciare alla professione.

Un piemontese piccolo di statura, le spalle un po' curve, due baffi biondicci e spioventi, il mezzo toscano tra i denti e un cappello dalle falde flosce e larghe sulla testa. Cosí si presenta ogni mattina, nei corridoi del tribunale, l'avvocato Fulvio Croce, stimato e apprezzato dai colleghi che nel 1967 l'hanno eletto all'unanimità presidente del consiglio dell'Ordine. Da allora le abitudini dell'avvocato, che nel frattempo è andato ad abitare in collina con la moglie Severina, in via Val Pattonera, sono un po' cambiate. La mattina, alle 9 in punto, non si presenta piú allo studio di via Perrone, ma nelle stanze dell'Ordine all'interno del Palazzo di giustizia: chiunque può rimettere l'orologio quando vede Croce salire i tre gradini sulla sinistra dell'ingresso di via Corte d'appello e varcare la porta del suo ufficio.

Il pomeriggio, invece, è dedicato ai clienti d'un tempo fino all'ora di cena, quando rientra nella villetta dove tiene tre macchine: un piccolo lusso a metà dei Settanta. Tutte Fiat, naturalmente; una 125 e una 500 per lui, una 850 coupé per la moglie.

Ha lavorato quasi sempre nel settore civile, l'avvocato Croce, ma da quando guida il consiglio dell'Ordine gli toccano molte grane che arrivano dal tribunale penale. E l'ultima è davvero grossa. Davanti alla Corte d'assise di Torino sta per ricominciare il processo alle Brigate rosse, la banda armata che da qualche tempo ha preso a colpire in città, come a Milano, a Genova e in diverse parti d'Italia, prima con microattentati e rapimenti lampo, poi con sequestri veri e propri, ferimenti e omicidi.

Gli imputati sono cinquanta brigatisti (una trentina detenuti, gli altri a piede libero), che dichiarandosi «prigionieri politici» e «militanti rivoluzionari» rifiutano di difendersi di fronte ai giudici dello «Stato borghese e imperialista».

Ricusano e respingono qualsiasi avvocato, anche quelli d'ufficio che per legge devono essere loro assegnati. E diffidano chiunque, con la minaccia di morte, dall'assumere il ruolo di difensore.

Maurizio Ferrari, il primo clandestino delle Br arrestato nel 1974, l'ha detto chiaro e tondo durante un'udienza, nel maggio del 1976. Parlava a nome di tutti i suoi compagni sotto processo quando ha dichiarato: – Revochiamo il mandato di fiducia ai nostri avvocati, ci professiamo combattenti e come tali ci assumiamo collettivamente e per intero la responsabilità politica di ogni iniziativa passata, presente e futura. Affermando questo viene meno qualunque presupposto legale per questo processo.

La strategia brigatista è chiara. Nessuno può essere processato se non è assistito da un difensore, di fiducia o d'ufficio, pena la nullità del dibattimento. Per i primi basta revocare il mandato, per i secondi scatta la minaccia.

– Considereremo gli avvocati che accetteranno il

mandato d'ufficio collaborazionisti e complici del tribunale di regime, – aveva detto ancora Ferrari. – Essi si assumeranno tutte le responsabilità che ciò comporta di fronte al movimento rivoluzionario.

Tradotto, significa pericolo di morte.

Quando, nella prima fase del processo, il presidente del Consiglio dell'Ordine Croce ha contribuito a superare l'impasse processuale nominando dieci difensori d'ufficio, c'erano state molte polemiche. Tra i designati comparivano alcuni legali politicamente impegnati nella sinistra «ufficiale», i quali accusarono Croce di averli scelti per metterli in difficoltà in vista delle imminenti elezioni. I nominati rifiutarono l'incarico e si arrivò a nuove designazioni; stavolta, tra i difensori d'ufficio, compariva anche Fulvio Croce.

Poi il processo ha subito vari rinvii, fino alla fissazione della nuova data: 3 maggio 1977. Una scadenza che, avvicinandosi, mette sempre piú in allarme la macchina della giustizia. Il problema, infatti, non riguarda solo gli avvocati, ma anche i giudici popolari: hanno paura e inviano al presidente della corte certificati medici per giustificare la rinuncia.

La mattina del 28 aprile, un giovedí, Fulvio Croce viene a sapere del nuovo problema: altri otto giudici popolari si sono fatti cancellare dall'elenco. Se va avanti cosí, il processo rischia di saltare ancora una volta. Croce ne discute con colleghi e magistrati, mentre da un'aula arriva la notizia che un altro dibattimento con dei brigatisti imputati è stato rinviato a data da destinarsi.

A un amico l'avvocato confida un timore che ha preso corpo negli ultimi giorni.

– Mi sembra di essere seguito da una 500 lungo il percorso da casa a studio, – dice. Poi è lui stesso a ridimensionare tutto: – Sarà una suggestione. Sai, di questi tempi...

All'ora di pranzo, come sempre, Croce torna a casa. Mangia, si riposa, e poco prima delle 15 è sulla porta per andare allo studio. La domestica gli consegna l'impermeabile, oggi piove.

L'avvocato esce e sale in macchina, la 125. Guida da via Val Pattonera fino a via Perrone, dove parcheggia l'auto dentro il cortile del palazzo, appena entrati sulla sinistra. È il suo posto da anni. Le due segretarie, Gabriella e Tiziana, arrivate da poco, lo vedono e si avviano lungo le scale che portano allo studio, al primo piano del palazzo. Croce chiude la macchina e le segue.

In quel momento, nel cortile giungono tre persone. Una si ferma sul portone di ingresso, le altre due avanzano verso l'avvocato. Quando è a pochi passi da lui, un uomo lo chiama, Croce si volta e quello spara due colpi di pistola.

La segretaria Gabriella sente il rumore, si gira e d'istinto fa per tornare indietro, ma una donna le punta contro un'arma: – Ferma o sparo.

L'uomo continua a scaricare la sua 38 special sull'avvocato Croce, due proiettili in testa, tre al petto. Mentre scivola lungo le scale, il corpo della vittima travolge e rompe un vaso di fiori. L'assassino e i suoi complici si dileguano in un attimo.

A sera, due telefonate raggiungono le redazioni dell'Ansa e della «Stampa»: – Qui Brigate rosse, siamo stati noi a sopprimere il servo del potere capitalista Fulvio Croce, avrete al piú presto nostre notizie.

A parte la rivendicazione, il collegamento tra il delitto e il processo alle Br in Corte d'assise è piú che esplicito. Il primo maggio arriva il volantino che avverte:

> Gli avvocati di regime sono parte integrante dei tribunali speciali di regime in quanto sono essi, insieme alla magistratura, elementi fondamentali sia nel funzionamento dei tribunali

speciali che per il loro contributo nell'applicazione e nell'esecuzione delle direttive del potere politico.

Due giorni dopo, puntuale, il processo alle Br salta di nuovo. Quattro giurati popolari su otto si dichiarano malati – per lo piú affetti da «sindrome depressiva» – e non si presentano. Il presidente della corte annuncia: – La composizione del collegio risulta impossibile e non si può procedere a ulteriori estrazioni... La corte rinvia tutte le cause della sessione a tempo indeterminato.

(Nelle stesse ore, dal carcere milanese di San Vittore evadono cinque malavitosi della «banda Vallanzasca» e un mafioso; se ne vanno dal portone principale, con le armi in pugno, dopo aver messo fuori combattimento gli agenti di custodia. Un'altra sconfitta dello Stato).

In aula, i brigatisti detenuti avrebbero voluto leggere il comunicato sequestrato dalle guardie durante una perquisizione. È firmato da sedici militanti, tra i quali Renato Curcio, Alberto Franceschini, Tonino Paroli, Arialdo Lintrami, Roberto Ognibene, Fabrizio Pelli. C'è scritto che l'organizzazione aveva avvertito i legali che avessero accettato di «collaborare col tribunale di regime», e che

> il primo degli avvocati di regime che si era assunto questo compito infame, Fulvio Croce, è stato giustiziato... Ribadiamo ancora una volta che chiunque accetta coscientemente il ruolo di agente attivo della controrivoluzione imperialista deve essere anche disposto ad assumersi sin da ora le sue responsabilità.

Croce l'ha fatto, come ha ricordato nei giorni precedenti il sindaco comunista di Torino Diego Novelli.

– Si tratta, – ha detto il primo cittadino, – di un ennesimo, e forse piú aberrante di ogni altro, atto di bestialità. Chi come me l'ha conosciuto sa quanto l'avvocato Croce fosse mite, cordiale, gioioso. Un uomo che, nella sua esistenza, non ha mai avuto un contrasto personale... È necessario rimanere uniti per vincere questa barbarie.

Anni dopo, Angela Vai sarà condannata all'ergastolo per l'omicidio di Fulvio Croce. I giudici diranno che era lei la donna del commando brigatista, descritta dai testimoni come una ragazza bruna, alta circa un metro e sessanta, stivali chiari col tacco, foulard beige a coprirle i capelli, giacca di taglio maschile. E diranno che uno dei due uomini era Lorenzo Betassa, ucciso dai carabinieri in un covo dell'organizzazione nel marzo 1980. Due strumenti della «barbarie» condannata da Novelli.

Ma appena due anni prima del delitto Croce, la sera del 16 giugno 1975, proprio Angela Vai e Lorenzo Betassa sono in piazza a festeggiare la vittoria del Pci alle elezioni comunali e la nomina di Diego Novelli a sindaco di Torino.

Lei ha ventiquattro anni, tanta voglia di vivere e cambiare il mondo, e da dieci giorni il pensiero fisso della «guerrigliera» morta dalle sue parti per la causa e per amore, Mara Cagol. Lui ne ha ventitre, da sei lavora in fabbrica, gli amici lo chiamano «Lucio» per via dei capelli a cespuglio che ricordano Lucio Battisti, e cerca di far convivere al meglio la militanza politica con lo scherzo e il divertimento.

Angela e Lorenzo sorridono, cantano e ballano insieme a centinaia di compagni sotto la sede del Partito comunista, in via Chiesa della Salute, tra slogan, pugni chiusi e bandiere rosse.

Il Pci ha raccolto oltre trecentomila voti, balzando dal 28,9 al 37,8 per cento dei consensi, mentre la Dc è scesa sotto i duecentomila. A Torino come a Roma, Milano, Napoli e altre città grandi e piccole, comincia l'era delle giunte rosse. Il grande salto verso la conquista del governo sembra imminente, il popolo di sinistra è in festa.

Angela frequenta da tempo i gruppi extraparlamentari. Quello al quale si considera piú vicina, Lotta continua, ha deciso che allo scontro elettorale bisognava votare Pci per provare a dare la spallata definitiva al regime democristiano. Lei ha aderito all'invito, anche se non troppo convinta. Il sogno della rivoluzione sta crescendo, ma è rimasto aperto ancora uno spiraglio sulla strada della «via legalitaria» alla conquista del potere.

Per questo Angela ha votato Pci e adesso è sotto la sede del partito, tappa apparentemente vittoriosa di un percorso politico cominciato nel 1969, a diciotto anni, appena uscita da un collegio di suore ad Asti.

Alle religiose era stata affidata al momento di cominciare la scuola elementare, prima figlia in una famiglia di contadini originari di un paesino del Monferrato, Robella d'Asti, mamma e papà troppo poveri per mantenere bambini che arrivavano al ritmo di uno ogni due anni. E cosí Angela va in orfanotrofio, come se i genitori fossero morti, mentre invece sono vivi e vegeti ma devono restare a lavorare in campagna, per occuparsi dei suoi fratelli.

Dalle suore del Paese dei Celestini la bambina studia, lavora e prega, guidata da ex ragazze che a loro volta sono finite in convento perché provenienti da famiglie povere. Anche in lei, i racconti ascoltati in casa sui partigiani comunisti e gli operai della Fiat licenziati per le loro idee politiche si mescolano con i valori cattolici che le insegnano in collegio.

Sua madre l'ha battezzata dandole il nome del fratello, lo zio Angelo, partigiano rosso ucciso dai fascisti nel 1945; sua nonna, la mamma di suo padre, era morta prima che lei nascesse per le botte prese dai fascisti quando avevano scoperto che nascondeva i partigiani; altri due zii materni, operai all'officina Fiat chiamata «Stella rossa», erano stati licenziati su indicazione dei «guardioni» della fabbrica negli anni Sessanta. In collegio invece, tra un'assistenza alle veglie funebri e alcuni lavori da accolita di Santa romana Chiesa, c'era chi le faceva dire le orazioni contro i comunisti.

Ma il mondo non appare mai di un colore solo, e fra quelle mura impregnate di incenso e odore di pane raffermo Angela ha incontrato una suora che le ha raccontato la storia dei partigiani massacrati a Boves dai nazisti, e una cuciniera che le ha insegnato l'importanza dell'ecumenismo e del dialogo interconfessionale tra cattolici e valdesi. Finché sulla soglia dei diciotto anni, durante un ritiro spirituale, un prete missionario arrivato dall'America latina non le ha parlato dei tupamaros e della guerriglia che può essere anche giusta.

Col bagaglio di simili discorsi Angela si ritrova fuori del collegio, nel 1969, in piena stagione di lotte sociali e sindacali. Ci sono gli scioperi, i cortei, le manifestazioni di massa, e lei – che lascia la provincia e sbarca a Torino perché non vuole sposarsi, ma studiare e lavorare per costruirsi una vita autonoma – è già terreno fertile per essere arruolata nelle file della contestazione giovanile e operaia.

A casa i fratelli sono passati da quattro a sei, la mamma non sta bene e Angela decide che sarà lei a sostituirla, per evitare che anche loro debbano finire in collegio. Comincia a lavorare come impiegata, ma nel frattempo studia alle scuole serali. Vuole prendere il diploma magistrale perché sente crescere dentro di sé la vocazione della maestra. Non si considera, però, una studentessa-lavoratrice, bensí una lavoratrice-studentessa: prima vengono le necessità economiche, poi quelle della mente.

È proprio alle scuole serali che Angela ascolta riflessioni nuove che l'entusiasmano e la aprono a nuove esperienze: tra ragazzi, quasi tutti emigrati dal Sud, sente parlare di superamento della divisione capitalistica del lavoro e di questioni piú terra terra come le frequentazioni tra maschi e femmine, che in certi contesti sono ancora un tabú. Poi si discute dei diritti sociali da conquistare, in primo luogo la casa, ma anche le relazioni in famiglia, lo statuto dei lavoratori che sta per essere varato, la parità salariale tra uomini e donne, il divorzio, l'aborto, la chiusura dei manicomi, l'organizzazione dei «mercatini rossi» dove poter fare acquisti a prezzi popolari.

Passando da una riunione all'altra e da una sede all'altra, sull'onda delle lotte e di un fermento che sembra sempre aumentare, Angela approda a Lotta continua e ai gruppi della sinistra extraparlamentare. Con loro – mentre lavora alla Seat dove organizza il primo sciopero in qualità di delegata della Cgil – partecipa alle occupazioni delle case, in un pellegrinaggio fra quartieri ancora da costruire che finirà solo nel 1976: da Barriera Milano alle Vallette, fino a Collegno.

Sono occupazioni a volte anche dure, nelle quali il contrasto con le forze dell'ordine può sfociare e spesso sfocia nella violenza. Ma Angela si interessa d'altro, e tra le mille attività alle quali partecipa non c'è mai l'arruolamento in un servizio d'ordine o l'organizzazione dell'autodifesa con «armi improprie» come sassi, bastoni e bottiglie molotov.

In una delle case occupate dà vita a una sorta di comune nella quale Angela trasferisce l'intera famiglia e il fidanzato, affascinato dall'esuberanza e dalla generosità di una giovane donna piccolina ma vivacissima, e al tempo stesso costretto a subire l'imposizione di vivere con la propria ragazza ma anche coi fratellini, la mamma e qualche amico o amica.

– Siamo comunisti o no? – gli dice lei.

– Sí, – risponde lui, un po' frastornato.

E lei: – Essere comunisti vuol dire anche condividere e occuparsi dei disagi altrui. Significa contribuire a tirare su sei ragazzini che se abbandonati finirebbero in collegio o in qualche altra «istituzione totale». Noi non lo dobbiamo permettere.

– D'accordo, d'accordo... – s'arrende lui.

È una sorta di rivoluzione culturale in famiglia quella di Angela, che nella sua giornata sempre piena di incontri, appuntamenti e assemblee trova anche il tempo di occuparsi di ciò che succede nel mondo, e dunque partecipare alle manifestazioni per il Vietnam, il Cile, l'Angola e il Portogallo. In nome dell'«internazionalismo proletario».

Il Terzo mondo l'attrae, e per qualche tempo le ronza in testa l'idea di partire per l'Africa o il Sudamerica, come missionaria laica. Ne parla col fidanzato e i compagni, a volte sembra decisa, altre meno. Alla fine si lascia convincere che la vera sfida è in Occidente, dove c'è un sistema di produzione e di organizzazione sociale che vuole imporsi anche fuori dai propri confini, contro il quale bisogna combattere rimanendo al suo interno.

«L'accerchiamento del capitalismo si rompe lottando qua, non solo in Africa o in Sudamerica», è la scelta finale di Angela.

Le lotte, in quel pezzo di Occidente chiamato Torino, passano per le autoriduzioni delle bollette del telefono e della luce; per la sensibilizzazione delle donne all'uso degli anticoncezionali e alla liberazione dal maschilismo dei loro uomini, che pure si definiscono compagni; per il recupero di spazi adatti a organizzare i consultori e il doposcuola.

Angela, che a causa dei sei fratelli trovati all'uscita del collegio ha una particolare sensibilità per i problemi dell'educazione e dell'infanzia, organizza nei quartieri lezioni pomeridiane che non servono solo a far fare i compiti agli alunni delle elementari e delle medie, ma anche a tenere occupati ragazzini altrimenti destinati all'emarginazione e a un nuovo veicolo di morte che si sta diffondendo in città: la droga.

Di questo, di donne e di bambini, discute. E litiga di frequente con i compagni che, come lei, anelano alla rivoluzione.

– Dobbiamo partire da lí, – dice con foga Angela nelle riunioni, – da come si organizza la vita delle madri e dei loro figli, che non può essere ridotta a mero supporto della vita e del lavoro del marito operaio.

Discorsi che qualcuno comprende e qualcun altro meno, perché possono apparire deviazioni rispetto al problema dello sfruttamento in fabbrica o dell'assetto capitalistico del processo di produzione.

Ma Angela insiste: – Il problema è il capitalismo, d'accordo, ma noi dobbiamo essere ben piantati nel territorio, radicati nella realtà che ci circonda. E fuori dalla fabbrica o dall'azienda io vedo la realtà di donne giovani e meno giovani che non hanno sbocchi nemmeno nei progetti rivoluzionari. Siamo noi che dobbiamo darglieli. Dobbiamo adeguare il nostro linguaggio per farci capire dalle madri che non sanno come tirare su i propri bambini...

Comunismo e femminismo, insomma, fanno parte della stessa battaglia che Angela ha ingaggiato per cambiare il mondo, facendo sua una massima che ha cominciato a ripetersi appena è uscita dal collegio e s'è affacciata su quel mondo da cambiare: il cuore non ha pregiudizi.

Perciò non sta troppo a guardare chi si trova a fianco nelle lotte per la parità tra i sessi, per i diritti sindacali, per la casa. Va bene chiunque condivida un principio e un obiettivo. Ma capita a volte, troppe volte, che quel qualcuno accanto al quale la ragazza aspirante maestra partecipa a cortei e occupazioni, cada a terra colpito in piazza dai fascisti o dalle forze dell'ordine. Oppure dalla «violenza insita nel sistema», che s'insinua anche tra la gente comune.

È il caso di Tonino Miccichè, un compagno di Lotta continua che Angela conosce bene, venticinque anni, siciliano della provincia di Enna emigrato nella città della Fiat e attivissimo nelle lotte per la casa. Alla Falchera, il quartiere dove vive, lo chiamano «il sindaco» perché è sempre pronto ad ascoltare i problemi di tutti, a organizzarsi per risolverli, a trovare una risposta per ogni domanda. Anche lui, come tanti, ha fatto le sue settimane di carcere dopo l'assalto a una sezione missina, nel 1973.

Il 18 aprile del 1975, di sera, Tonino torna al quartiere dopo una giornata trascorsa fra assemblee e riunioni. Sono giorni caldi per la politica e il movimento. Anzi, caldissimi. A Milano, Roma, Firenze e in altre città gli scontri coi fascisti e la polizia si ripetono sempre piú violenti. Già due compagni sono morti in strada, e bisogna reagire, far vedere che il movimento non si spezza e non si piega.

Tonino rientra alla Falchera poco prima delle otto, e con gli aderenti al Comitato di lotta per la casa decide di affrontare definitivamente un problema che si trascina da tempo: uno degli assegnatari delle case, che di mestiere fa la guardia giurata nel gruppo Cittadini dell'ordine, ha occupato abusivamente un box, oltre a quello che gli spettava. Lui ha due macchine, e siccome un garage era libero, se l'è preso. Ma per i compagni del comitato è un sopruso bello e buono:

– Bisogna che lo liberi, perché finché non viene assegnato lo dobbiamo utilizzare come sede a disposizione di tutti.

La guardia però non ne vuole sapere:

– Avete rubato le case, ora volete rubare anche i box!

E cosí, per stasera, s'è deciso lo sgombero del garage. Tonino e altri compagni e compagne vanno verso il box, ma trovano la moglie della guardia giurata pronta a sbarrare il passo. Comincia una lite che degenera in schiaffi e tirate di capelli tra donne. Arriva il marito che impugna una pistola: ancora grida, qualche spintone, poi lo sparo. Un colpo solo, che ammutolisce la piccola folla. Tonino Miccichè è stato colpito all'occhio sinistro e stramazza a terra.

– È l'ennesimo compagno morto, cosí non si può andare avanti, – commenta il giorno dopo Angela Vai. In questi anni di lotte ha sempre tenuto a distanza il richiamo della violenza, ma ha anche imparato che violento è il sistema che vuole cambiare, e a volte non c'è un modo diverso per replicare.

Tra compagne e compagni se n'è discusso spesso, anche perché mentre Angela e gli altri facevano assemblee e manifestazioni alla luce del sole, nell'ombra c'era chi aveva cominciato – pure a Torino – a bruciare macchine, «azzoppare» qualche caporeparto, sequestrare dirigenti industriali, poi addirittura magistrati. Erano le Brigate rosse e i Nap, i Nuclei armati proletari.

Nel movimento arrivava l'eco di queste azioni che sembravano orchestrate da lontano ma forse no, nascevano da molto piú vicino di quanto si potesse immaginare. E comunque erano la dimostrazione che qualcosa si stava muovendo pure in Italia, e non solo in Africa o in America latina.

Finora Angela ha letto e saputo di tutto ciò senza soffermarsi troppo sul significato della scelta armata. Ma adesso che il dibattito sulla violenza si fa piú serrato nelle discussioni alle quali partecipa, comincia a riflettere meglio sulle azioni di brigatisti e nappisti.

L'assassino di Tonino Micciché subito dopo lo sparo è scappato, poi s'è consegnato in Questura, ma chissà quale scusa troveranno per lasciarlo andare o comunque giustificare il suo gesto. Se invece Tonino e i compagni del Comitato non fossero andati a mani nude a sgomberare il box...

È una sirena che comincia a farsi sentire con sempre maggiore insistenza, quella della risposta armata alle violenze e alle provocazioni del sistema. Ma il clima politico del Paese sta cambiando, dopo la sconfitta al referendum sul divorzio la Dc non sembra piú il monolito inattaccabile che resiste a tutto e tutti.

Il 15 giugno 1975 si vota per il rinnovo di Comuni, Province e Regioni: sarà il banco di prova per vedere se il famoso «sorpasso» è possibile e se si può arrivare al governo delle sinistre attraverso le urne. Anche Angela mette la sua croce sulla scheda, sopra il primo simbolo in alto a sinistra: falce, martello e stella su bandiera. Il Pci vince e lei va a festeggiare in strada.

Passano i mesi, e i compagni attendono. Alla guida della città c'è la «giunta rossa» che anche una parte del movimento ha contribuito a eleggere, ma i risultati che s'aspettavano non si vedono. È un'ottica parziale, ovviamente, però è quella che conta per loro. E allora si organizzano nuove occupazioni di case.

Angela Vai sbarca a Collegno, e mentre lavora discute di contingenze e prospettive politiche.

– Qui mancano perfino luce e gas, c'è tutto da costruire. Rimbocchiamoci le mani e cominciamo.

– Siamo come i rom che devono mettere in piedi un campo.

– Almeno noi abbiamo i palazzi costruiti.

– Sí, ma non possono diventare semplici dormitori. Dobbiamo fare animazione, offrire opportunità alla gente: doposcuola, consultori, mercatini…

– Ma non doveva pensarci l'amministrazione di sinistra a tutte queste cose?

– Sí, se aspetti loro… La verità è che sono politicanti come gli altri.

– Hanno tradito la nostra fiducia.

– Non gli interessa risolvere i problemi della gente, ma costruire le proprie carriere. Invece la politica significa interessarsi della cosa pubblica per il bene collettivo, non personale o del partito!

– Sono solo amministratori dell'esistente, niente piú.

– Perché, invece che ti aspettavi?

– Come, che mi aspettavo… Ma dico: ora che hai vinto, almeno fai vedere che ti interessa gestire le cose in modo diverso, comincia a immaginare qualcosa di nuovo per il lavoro operaio, inventati qualche servizio sociale… Invece niente!

– Compagni, noi non abbiamo piú nulla a che vedere con questo partito e con questa amministrazione. Una possibilità gliel'abbiamo data, e non è cambiato nulla. L'unica cosa che resta da fare è riprendere le nostre lotte e andare avanti per la nostra strada.

Simili discorsi si accavallano nelle giornate e nelle serate di Angela, durante e dopo il «lavoro politico» a Collegno e nelle «realtà sociali» nelle quali è impegnata. Ottenuto il diploma magistrale, a venticinque anni è diventata la maestra Vai, che si divide tra una scuola elementare e l'altra, con la qualifica di precaria. Al pomeriggio è ancora occupata nei doposcuola e tutto il resto, compresi i centri di accoglienza per le ragazze madri che sono scappate di casa.

In fondo anche lei poteva finire cosí: non voleva sposarsi né fare figli perché aveva troppo da fare nel mondo, e con sei fratelli da crescere non le mancava di che soddisfare l'istinto materno. Dunque perché non andare incontro e aiutare altre giovani donne che rifiutavano anch'esse l'istituzione della famiglia borghese?

A Collegno Angela ha trasferito tutta la famiglia, fidanzato compreso. Mantiene i contatti con i compagni che, dopo la delusione ricevuta dall'amministrazione di sinistra, hanno proseguito scegliendo ognuno un percorso diverso. Lotta continua s'è sciolta, e gli altri gruppi della sinistra extraparlamentare dànno vita a partitini che tentano di entrare in Parlamento, ma con scarsi risultati.

Nel frattempo i tumulti di piazza si ripetono, e c'è chi insiste a ragionare sulla violenza e sull'inevitabilità di uno scontro armato con il potere. Tanto piú ora che qualcuno ha cominciato a metterlo in pratica, lo scontro.

A Torino e nelle città del Nord le Brigate rosse e i Nap continuano a colpire. Sono proseguiti gli «espropri proletari» nelle banche, i ferimenti, l'omicidio di qualche poliziotto o carabiniere. Proprio a Torino, nell'ottobre del 1975, viene sequestrato il capo del personale dell'Ansaldo meccanica, mentre a Milano sono attaccate una sede della Confindustria e una caserma dell'Arma. Di nuovo a Torino, a dicembre, un medico della Fiat è «punito» con una revolverata alle gambe.

Il 1976 si apre con nuovi assalti alle strutture dei carabinieri, ma il 18 gennaio, a Milano, cade nuovamente in trappola Renato Curcio insieme a quattro brigatisti, dopo un conflitto a fuoco. Le Br rispondono con altri attacchi a caserme e presidi dell'Arma, mentre l'8 giugno ammazzano il procuratore generale di Genova Francesco Coco e gli uomini della sua scorta: era accusato di essere il «duro» che due anni prima, ai tempi del sequestro Sossi, s'era opposto alla scarcerazione dei detenuti del gruppo XXII ottobre.

È un ulteriore salto di qualità nell'attacco delle Brigate rosse allo Stato. L'omicidio politico è diventato un fatto concreto col quale non devono confrontarsi solo le istituzioni, ma pure i giovani che sognano la rivoluzione e si trovano davanti una nuova realtà: compagni che hanno imbracciato i mitra e li usano contro le persone.

La sirena della risposta armata riprende a farsi sentire.

– Il problema, – sostiene Angela nelle discussioni, – non è violenza sí o violenza no, ma rivoluzione sí o rivoluzione no. Se lo risolviamo dicendo rivoluzione sí, allora deve necessariamente esserci una fase violenta, armata. Perché sennò il sistema ci fermerà prima, e non ci consentirà di arrivare fino in fondo. Anche uccidendoci, come hanno dimostrato di saper fare.

Questa è la teoria, che qualcuno sta già trasformando in pratica sparando e mandando in giro comunicati per fare proseliti e reclutare nuove forze. Semplici volantini, pezzi di carta che a volte possono cambiare una vita. Per esempio quella della maestra Angela Vai.

È una mattina dell'autunno 1976, e a Torino fa già freddo. Imbacuccata e sempre di corsa, Angela sta andando al supermercato per fare la spesa. Prima d'entrare, a terra vicino alla porta d'ingresso, nota qualcosa d'insolito. È un mucchio di fogli ciclostilati, lasciati lí; chi vuole può prenderli, ma nessuno sembra farci caso. Lei invece sí.

Si avvicina, si china per vedere meglio e scorge una stella a cinque punte chiusa nel cerchio: un simbolo che già conosce. Poi l'intestazione: Brigate rosse.

Angela si guarda intorno, nessuno bada a lei, afferra un foglio e l'infila in tasca. Poi entra nel supermercato, compra ciò che deve comprare, torna a casa, posa le buste della spesa e riprende in mano il volantino.

Lo legge d'un fiato, lo rilegge. Si parla di Stato imperialista delle multinazionali e delle lotte all'interno delle fabbriche; di critiche all'Unione Sovietica e di appoggio ai movimenti di liberazione nel mondo. In fondo, una serie di slogan, tra cui uno che la colpisce piú di altri: «Onore ai compagni caduti, onore a Mara Cagol».

Ancora lei, la guerrigliera Mara. Forse per istinto o forse perché in cuor suo ha già deciso che stavolta vuole approfondire, Angela non getta via quel pezzo di carta. Lo conserva, lo leggerà di nuovo.

Qualche giorno dopo, a una riunione fra compagni, prova a uscire allo scoperto: – Ho trovato un documento delle Br, contiene molte cose interessanti. Mi piacerebbe saperne di piú.

Chi l'ascolta si divide secondo gli schemi ormai tradizionali: chi dice che sono fascisti mascherati, chi riconosce loro la qualifica di compagni che però sbagliano, chi sostiene che invece non hanno tutti i torti, e che se uno avesse un po' piú di coraggio potrebbe anche abbracciare la stessa scelta.

Ma non è certo il coraggio che manca a una ragazza come Angela. Una delle domande che si pone sui brigatisti riguarda proprio la paura: l'avranno? Come si fa a decidere di poter morire per un ideale? Sono interrogativi che si pone da tempo, anche prima di trovare il volantino. Ma stavolta il caso ha voluto che quando pronuncia quella frase – «Mi piacerebbe saperne di piú» – lo faccia nel posto giusto e al momento giusto.

Tra coloro che l'ascoltano c'è una persona che lei conosce come «militante rivoluzionario», uno tra tanti, il quale al termine della riunione la chiama in disparte e le sussurra: – Se vuoi possiamo parlarne.

È un brigatista, Angela non lo sapeva e ancora è solo un sospetto. Quando si rivedono, qualche giorno dopo, seduti su una panchina lungo il Po, il compagno glielo dice apertamente: – Siamo noi, e abbiamo bisogno di gente disponibile e preparata come te. Sempre che tu sia d'accordo con la nostra impostazione, naturalmente.

– E quale sarebbe, l'impostazione? Qual è il programma? – domanda lei.

– Niente di scritto e prestabilito. Il programma lo dobbiamo costruire con l'azione, strada facendo. L'impostazione è quella teorica del marxismo-leninismo, del non allineamento con l'Urss, come hai letto nel volantino, e dell'attacco al sistema produttivo e delle multinazionali.

È l'inizio di un lungo botta e risposta che andrà

avanti per molti appuntamenti e incontri. Con Angela che domanda e il brigatista che replica.

– Sulla condizione femminile che cosa proponete? E sulla condizione dei bambini?

– Anche su questi temi le risposte arriveranno attraverso l'azione.

Un po' poco, ma sufficiente a capire che non c'è alcun rifiuto per gli argomenti che le stanno a cuore, a cominciare dalla casa per arrivare all'ambiente e all'organizzazione delle città.

Angela continua a rimuginare sulla proposta ricevuta, ma non può parlarne con nessuno. Né in casa né fuori. Per adesso l'unico contatto e l'unica possibilità di confronto è con quel compagno, col quale arriva ad affrontare il problema chiave: l'accettazione della violenza, della possibilità di dare e ricevere morte.

– Noi siamo un'avanguardia, – le spiega il brigatista, – ma in fondo anche tu col tuo lavoro svolto finora lo sei: nel sindacato, nelle occupazioni, nell'educazione. La differenza sta nella scelta dell'uso delle armi, che non significa andare a sparare nel mucchio, ma essere disponibili a compiere azioni nelle quali si può anche rimanere vittime.

Ecco, ci siamo. – Di questo non ho paura, – pensa e risponde Angela, quasi d'impulso.

– È la cosa piú importante, – ribatte lui, – perché se c'è una certezza nel percorso che abbiamo iniziato riguarda i rischi che corriamo: la morte o la galera.

Ad Angela ritornano in mente vecchi slogan del tipo «Non abbiamo da perdere che le nostre catene», e pensa che è proprio la sua condizione. Non ha l'ambizione di diventare ricca, e tutto ciò che possiede è una famiglia da mantenere.

– Puoi continuare a farlo, non serve che entri in clandestinità, – le dice il brigatista. – Anzi, sarebbe piú utile che tu rimanessi all'interno della tua realtà, mantenendo coperta l'appartenenza all'organizzazione.

Passano i giorni e le settimane, e Angela prosegue la sua riflessione solitaria. Tanti discorsi fatti e sentiti sull'uso della violenza riaffiorano all'improvviso; ora è il momento di metterli in pratica, di abbracciare il rischio non piú solo dell'autodifesa, ma di un attacco senza il quale le cose non cambierebbero. In fondo è un male necessario, ormai ne è convinta, per certi versi simile alla scelta che dovettero fare i partigiani.

Una scelta politica, ma anche d'amore. Come quella di Mara Cagol, pensa Angela. Una donna arruolata nelle file della rivoluzione, e adesso forse tocca anche a me...

Amore per un uomo e per il mondo, quello di Mara. Anche Angela ama il mondo e ama un uomo, il suo fidanzato, con il quale ha condiviso anni di militanza e di lotte. Ma stavolta non vuole tirarlo dentro. Sarebbe pericoloso e ingiusto: la lotta armata è una scelta personale, e tale deve restare.

Per questo, quando dopo altri incontri accetta di entrare nelle Brigate rosse, Angela decide di lasciare il suo uomo.

– Mi dispiace, ma non ti amo piú, – gli dice una sera di dicembre, mentendo.

Il ragazzo sulle prime non capisce, ma lei insiste:

– È cosí, te ne devi andare.

E il ragazzo se ne va. Soffrendo.

Anche Angela soffre, ma ha dovuto farlo perché – pensa – non sarebbe giusto che per via di un sentimento lui la seguisse su una strada senza ritorno. E che sia una strada senza ritorno Angela ne è sicura. Per certi versi, fatte le proporzioni e distinzioni, è come prendere i voti: una scelta definitiva nella quale si dev'essere soli.

La maestrina di Robella d'Asti resta a casa con la mamma malata e i sei fratelli – il primo ormai ha ventitre anni, ma l'ultimo appena sette –, per i quali la partenza del fidanzato di Angela è solo la fine di una storia d'amore. Loro non sanno che invece si tratta di politica e di vita, di progetti rivoluzionari e di lotta armata. Non sanno che Angela è diventata una militante delle Brigate rosse e s'è data un nome di battaglia.

Per le Br Angela Vai diventa «Augusta», in ricordo di una vecchia partigiana della Val di Susa di cui la ragazza ha sentito parlare nei racconti sulla Resistenza.

Di mattina è ancora la maestra Vai, che gira da una scuola all'altra della cintura torinese, sempre precaria, a caccia di supplenze.

Nella casa di Collegno, a pranzo e a cena, è rimasta Angela, figlia e sorella-madre che si occupa delle necessità di tutti; dalla mamma da accompagnare in ospedale ogni volta che la malattia lo richiede alle necessità dei fratelli che hanno bisogno di essere aiutati nei compiti (i piú piccoli) o nella ricerca di un lavoro (i piú grandi).

Di pomeriggio e di sera d'ora in avanti è Augusta, una militante regolare ma non clandestina delle Br – il che significa girare coi propri documenti, e senza armi – inserita nella «brigata di fabbrica».

Il suo contatto rimane il compagno che l'ha avvicinata per primo, poi ne conosce altri che le vengono presentati di volta in volta e coi quali s'incontra attraverso appuntamenti in luoghi e giorni prefissati.

Sono diversi i brigatisti non clandestini all'interno della Fiat, della Lancia e di altre industrie – due o tre per ogni reparto o officina, tra cui anche Lorenzo Betassa, il «Lucio» che aveva festeggiato con lei la vittoria del Pci alle elezioni comunali – con i quali discute dei problemi della fabbrica, dei contratti che si preparano mentre le aziende hanno avviato una profonda ristrutturazione, delle condizioni di lavoro. Ma anche di capi e capetti da «punire», di macchine da bruciare, di segnali da lanciare contro gli esponenti del «sindacato giallo».

Si cerca di interpretare lo stato d'animo degli operai per capire come possono reagire a un'iniziativa o a un atto di «propaganda armata», si trova il modo di lasciare in fabbrica il maggior numero possibile di volantini.

Ormai è diventata Augusta e pensa alla presa del potere, ma Angela resta sensibile alle questioni che agitava quando era nel movimento, e pure coi compagni brigatisti discute dei problemi che incontrano con le loro mogli, di come impostano il rapporto uomo-donna all'interno della famiglia, dell'educazione dei figli.

I reclutamenti non sono un compito di Augusta, anche perché continuando la vita alla luce del sole è bene non scoprirsi troppo. Quando serve, invece, dà il suo contributo nelle azioni.

La prima alla quale partecipa è l'incendio della macchina di un caporeparto. L'indicazione dell'obiettivo è arrivata come sempre dall'interno della fabbrica, il ruolo di Augusta è quello del «palo» che deve controllare la strada mentre gli altri appiccano il fuoco. Anche per lei è arrivato il momento di saltare il fosso e immergersi nell'illegalità, e ne avverte tutta l'importanza.

Ancora una volta, la giustificazione è collettiva: «Si agisce per gli altri, non per sé; sono stati i compagni della fabbrica a decidere, gli operai, e io sono soltanto il loro braccio armato, l'avanguardia; è il sistema che impone la violenza, un male necessario e non fine a se stesso».

La sera, quando torna a casa e deve rientrare nei panni di Angela che non può condividere con nessuno l'esperienza e le sensazioni che ha appena vissuto, la giovane militante delle Br ripete a se stessa queste considerazioni.

Sa bene, perché gliel'hanno spiegato i compagni e adesso lo sta sperimentando in prima persona, che prendere parte a un'azione significa abbracciarla completamente, assumerne l'intera responsabilità a prescindere dal ruolo operativo. Ed è importante agire all'interno di un'organizzazione armata che ha un progetto. Serve ad assolversi e a trovare la forza per andare avanti. Perché dopo la macchina bruciata verrà il momento di sparare, e Angela ne è consapevole. Anche se sarà Augusta a farlo.

Per questo, accanto ai progetti di attentati che si susseguono in un 1977 che produce violenza da ogni lato, Angela-Augusta insiste a voler discutere di programmi, di ciò che succederà quando le Br avranno vinto e ci sarà la «dittatura del proletariato».

– A proposito, come si farà rispettare questa dittatura?

– Attraverso l'uso della forza. Dovremo costituire una polizia proletaria, un esercito proletario.

– No, io non sono d'accordo, non voglio piú vedere né eserciti né polizie.

– Invece saranno necessari, perché la borghesia non si piegherà tanto facilmente al potere del popolo, e cercherà sempre di armare la controrivoluzione.

Le discussioni spaziano da un tema all'altro, anche se quasi sempre in termini molto generici.

– E come organizziamo i piani di produzione?

– Poi si vedrà.

– Io penso che bisognerebbe stabilire prima quanta parte del tempo di un uomo dev'essere dedicata al lavoro produttivo, quanta allo studio, quanta al tempo libero.

– E che cosa produciamo?

– Dovremo stabilirlo non piú secondo le imposizioni del consumismo, ma secondo i principî del marxismo: a ciascuno secondo i propri bisogni.

– Sicuramente bisognerà produrre meno macchine.

– Meno auto private, vorrai dire, e piú mezzi pubblici.

– Costruire piú case e meno chiese.

– Già, ma quali case? Non certo i palazzoni delle periferie.

– Ci vogliono spazi verdi, giardini per l'infanzia.

– E piú scuole.

È uno degli argomenti preferiti da Angela, che resta sempre una maestra.

– Sí, ma quali scuole? Io dico che dovremo applicare dei sistemi multidisciplinari, sullo stile del metodo Montessori. Oppure prendere a esempio il sistema di recupero dei bambini di strada che hanno sperimentato in Unione Sovietica.

– Io preferisco la Cina, col sistema delle comuni.

– E io Cuba. Anzi, dovremmo studiare l'organizzazione delle zone liberate dai castristi durante la rivoluzione.

– Noi dobbiamo fare in modo che chiunque possa usufruire di certi diritti che nella società borghese sono riservati a pochi, e invece devono essere di tutti: diritto alla cultura, alla bellezza, all'arte...

Ma questo verrà dopo. Adesso è la fase della propaganda, propaganda armata. Tempo di attentati, ferimenti, omicidi, in una stagione dura e violenta. Non solo per mano delle Brigate rosse.

Venerdí 22 aprile, alle 13,15, un commando formato da due uomini e una donna, nel chiuso di un garage sotterraneo della periferia di Torino, spara alle gambe di Antonio Munari, quarantasei anni, capo officina al reparto presse della Fiat Mirafiori. Pochi minuti dopo, una telefonata all'Ansa rivendica l'azione: – Siamo le Br, abbiamo colpito Munari, servo della Fiat.

Anni dopo un «pentito» dirà che la donna del commando era Angela Vai, cioè Augusta. Ma in quello stesso giorno, molte altre violenze si sono verificate a Torino e non solo. In città, al mattino, nel corso di una manifestazione studentesca sono state lanciate molotov contro il Provveditorato agli studi, alcuni bar e l'Arcivescovado, mentre a sera le bottiglie incendiarie hanno colpito la sede del quotidiano «La Stampa» e un commissariato di polizia.

A Roma, dove ventiquattr'ore prima un poliziotto è stato ucciso negli scontri di piazza, un'assemblea degenera in rissa tra gli autonomi e l'ala piú moderata del movimento. A Firenze gli studenti bloccano le attività didattiche in alcune facoltà, a Bologna la polizia circonda l'ateneo per far cessare l'occupazione mentre a Milano i compagni prendono possesso dell'università Statale.

È un giorno come tanti del 1977. In questo clima, è piú semplice per Angela calarsi nel ruolo di Augusta, impugnare una pistola e colpire un obiettivo. Ma pochi giorni piú tardi c'è da oltrepassare un altro spartiacque: l'omicidio. È arrivato il tempo di uccidere.

L'ha deciso il Comitato esecutivo: l'avvocato Croce deve morire. Bisogna appoggiare dall'esterno la lotta dei compagni detenuti che rifiutano il processo, e le

Brigate rosse hanno scelto questa strada: uccidere il rappresentante dei legali torinesi per colpire tutta l'avvocatura e far capire che la partita con le Br non si può chiudere in un'aula di giustizia.

Da tempo Angela riflette e discute sull'omicidio come strumento di lotta politica. L'ha accettato quando è entrata nelle Br, sa che prima o poi può essere chiamata a commetterlo, ha trovato dentro di sé e con gli altri militanti la giustificazione e le ragioni per ammazzare una persona.

– Abbiamo dichiarato una guerra, e in guerra si può morire, noi come i nostri avversari. Il rischio di essere uccisi, in fondo, è una legittimazione a uccidere.

– Noi colpiamo il simbolo, non l'uomo. Spariamo alla divisa, non alla persona che c'è dentro.

– È la società borghese che riduce le persone a numeri. Noi siamo i proletari, gli sfruttati, ci hanno assegnato questo ruolo al di là degli uomini e delle donne che siamo; ma anche dall'altra parte gli uomini e le donne hanno dei ruoli, e sono quelli che noi colpiamo.

– Può esserci un problema umano, i legami e gli affetti che si recidono uccidendo una persona, ma è il prezzo della guerra.

– La rivoluzione non è un pranzo di gala... Poi, in fondo, un poliziotto, un giudice, un avvocato, accettano di far parte dell'istituzione che usa la violenza legalizzata, quindi sanno che possono subire un'altra violenza.

– «Colpiscine uno per educarne cento»... Io ci credo a quello slogan. Se dopo aver visto che facciamo sul serio c'è chi insiste a indossare una divisa e a schierarsi con lo Stato non è piú un problema nostro.

Non aver ancora preso parte a un omicidio non salva l'anima né la coscienza di chi ha aderito a un'organizzazione guerrigliera che utilizza pure la morte nella propaganda politica. Anche perché fin dalla fondazione le Br hanno stabilito che non ci può essere divisione tra chi teorizza e chi pratica la lotta armata: ognuno deve ricoprire i due ruoli

– La responsabilità è di tutti quelli che aderiscono, non c'è differenza tra chi spara e chi scrive il volantino.

– Sapere che alle spalle si ha un'organizzazione di compagni che sono pronti a prendere il tuo posto, e condividono le tue responsabilità, è un sostegno morale importante per chi deve compiere l'azione.

– Siamo tutti consapevoli, tutti partecipi, tutti responsabili...

Per certi versi, il «concorso morale» che poi verrà applicato sul piano giuridico – e attraverso il quale saranno elargite centinaia di condanne all'ergastolo – anche se discutibile sul piano della responsabilità penale, sul piano politico viene sancito dagli stessi brigatisti.

È un altro modo per accettare l'idea di distribuire morte, che non fa piacere a nessuno e nessuno inneggia. Si tratta del «male necessario, da utilizzare solo quando è indispensabile», come si ripete Angela a ogni occasione.

– Compagni, ma vi rendete conto di quello che sta succedendo in questo Paese? C'è un proliferare di azioni portate a termine da militanti che noi nemmeno conosciamo, centinaia di persone cercano contatti per entrare nelle Br... Noi abbiamo il dovere di costituire un partito combattente che sia l'avanguardia di queste masse e si metta alla testa delle lotte, altrimenti ci sarà solo l'avventurismo.

– Ecco perché dobbiamo portare l'attacco al cuore dello Stato.

– E lo Stato è anche l'avvocatura. Il suo simbolo è Croce...

Il giorno è arrivato, e quel signore dalle abitudini borghesi e piemontesi viene ammazzato per la toga che porta, per ciò che rappresenta, anche se ha una moglie che l'aspetta a casa, un barboncino con il quale giocare, il giardino della villetta da curare.

Non è a questo che pensa Augusta, nel cortile di via Perrone 5, prima e dopo il delitto. L'avvocato avrà perso la vita e le sue tranquille relazioni sociali, i suoi familiari un punto di riferimento e l'affetto piú caro, ma il proletariato non ha da perdere che le proprie catene e l'avanguardia armata che deve guidarlo fino alla vittoria non può fermarsi di fronte alle riflessioni sul valore della vita umana. Che vita è, del resto, quella degli operai alle presse di una fabbrica pronta a licenziarli?

Sui giornali del 30 aprile, accanto alle notizie sull'omicidio Croce, ci sono i resoconti del discorso del presidente Gianni Agnelli agli azionisti della Fiat, nel quale l'Avvocato ha annunciato nuovi sacrifici per fronteggiare il «quadro di ritardi e incertezze in cui le aziende sono costrette a operare in Italia». In un'intervista del giorno dopo, lo stesso Agnelli dichiara che il vero problema non è la Fiat, ma l'Italia:

> Noi siamo andati meno bene di come saremmo andati in un altro Paese capitalistico... Gli europei nemmeno si sognano che forse gli toccherà vivere come i polacchi... Non vivremo piú come abbiamo vissuto in Lombardia o in Svizzera in questi anni... Chi ha meno di trent'anni ha conosciuto solo un aumento costante del tenore di vita. Non gli ha detto di no mai nessuno. Non se lo sognano quel che può essere un'economia di carestia. Io temo che un aggiustamento dovrà essere fatto, ma con molti dispiaceri per tutti...

Angela ha meno di trent'anni, e da quando è uscita dal collegio ha vissuto in mezzo ai «proletari» organizzando le loro lotte. Vive nelle case occupate, e alle sue orecchie le parole di Agnelli sui giovani che non sanno cosa sono i sacrifici, ai quali nessuno ha mai detto di no, suonano come un'ulteriore sfida. E la convincono ancor piú nella scelta di essere diventata Augusta, militante regolare delle Brigate rosse. Anche se adesso ha dentro di sé il peso di un omicidio.

Un peso che non può condividere se non coi compagni che insieme a lei hanno partecipato all'azione. Pure con loro, però, ne discute poco o niente: per pudore, e perché al di là della condivisione collettiva delle responsabilità, le sensazioni provocate da quel gesto restano intime e personali.

– È qualcosa che ti rimane dentro per sempre, e ti accompagna per il resto della vita, – dirà anni dopo all'unica persona con la quale riuscirà a parlarne a cuore aperto; non un militante delle Br né un compagno, ma una persona che ha fatto tutt'altro percorso e che vive e lavora ogni giorno a contatto con la morte, coi cosiddetti «malati terminali». – Perché comunque, anche se ridotto a simbolo, quello era un uomo...

Adesso trova solo la forza e le convinzioni per andare avanti, accettando il rischio di aver ulteriormente elevato lo scontro con lo Stato. Il che rappresenta un passo avanti verso il rischio della propria morte. O, se va bene, della galera a vita. Senza il conforto che in simili momenti può dare perfino la clandestinità.

I compagni che si sono dati alla latitanza vivono ogni momento a contatto con chi ha fatto la loro stessa scelta, e in certi casi è un aiuto perché si resta immersi nella realtà che ti ha portato a sparare contro un obiettivo.

Angela invece, terminate le azioni o gli incontri clandestini, rientra nella vita «normale». La sera torna a casa, dalla madre e dai fratelli, e insieme a loro guarda il telegiornale e ne ascolta i commenti a volte smarriti, a volte sconcertati, senza poter rivelare ciò che ha dentro, che lei è entrata in quel gioco, che a guardare da un'angolazione diversa anche uccidere una persona può essere necessario, avere un significato. E la mattina dopo, a scuola con le maestre e i bambini, deve sempre avere la massima attenzione a non scoprirsi per non destare sospetti.

Quando capita d'incontrare i compagni del movimento d'un tempo, che non sanno o fingono di non sapere della «clandestinità politica» di Angela, se si discute di Br e lotta armata lei può spingersi fino a commenti del tipo «Bisogna capirli, forse qualche condizione c'è». Poi basta. Non è piú il tempo delle macchine bruciate, o degli ostaggi fotografati coi cartelli al collo, quando c'era la libertà di dire: «Hanno fatto bene».

Un po' di aiuto, nella difficoltà di vivere la doppia vita di Angela e di Augusta, viene dal contatto con i compagni della «brigata di fabbrica», quasi tutti nella sua condizione di regolari non clandestini, con gli stessi problemi. Ma lí si discute di politica e di strategie, di come reagiscono gli operai, di ciò che si deve fare per proseguire la lotta. Non di come ci si sente dopo un'azione armata, e ancor meno dopo un omicidio.

Anche quando le Brigate rosse colpiscono ancora piú in alto, arrivando davvero al cuore dello Stato col rapimento di Aldo Moro, per Angela il problema è prima di tutto politico. Il suo lavoro di militante Br consiste soprattutto nel sondare gli umori degli operai, delle «brigate di fabbrica», per capire come proseguire la lotta mentre l'organizzazione ha in mano l'ostaggio piú ingombrante che si potesse immaginare.

Accade a Roma, il 16 marzo 1978, in via Mario Fani, una strada secondaria del sonnolento quartiere Camilluccia, a poco meno di un anno dall'omicidio Croce. In quegli undici mesi le Br hanno continuato a ferire e a uccidere. Anche a Torino, dove è stato colpito, fra gli altri, il vicedirettore della «Stampa» Carlo Casalegno, ferito sotto casa il 16 novembre 1977 e morto dopo tredici giorni di agonia. Un attentato compiuto mentre la Direzione strategica e il Comitato esecutivo hanno già deliberato di avviare la «campagna di primavera», con il sequestro del presidente della Democrazia cristiana.

I compagni delle varie «colonne» sapevano che era in preparazione una grossa azione, molto piú dirompente di quelle portate a termine fino ad allora, ma senza conoscerne i dettagli, e tanto meno l'obiettivo. L'unica cosa che si poteva intuire era che si voleva colpire la Dc, perché nelle settimane precedenti si erano intensificati gli attentati alle sezioni del partito di maggioranza, il partito-Stato. Ma niente di piú.

Angela è al mercato, quella mattina di maggio. Sta comprando le arance a un banco di frutta, quando sente la notizia del rapimento di Moro e dell'uccisione dei cinque uomini della scorta.

«Ecco che cos'era», pensa, e si ferma ad ascoltare – come ormai è abitudine dei brigatisti – i commenti della gente. Quasi tutti impressionati e scandalizzati, anche se c'è sempre qualcuno pronto a dire che insomma, però, questi potenti ogni tanto ricevono ciò che si meritano.

Un militante della colonna torinese, che diventerà il fidanzato di Angela, è sceso a Roma per partecipare all'agguato di via Fani. Ma con lei non ne ha parlato prima e non ne parla al ritorno, se non in termini «politici», per valutare le conseguenze dell'azione e le prospettive che si aprono dopo il sequestro. Anche tra due persone cosí vicine, che condividono la scelta armata e la vita, non ci si confida certe sensazioni. L'obiettivo è la rivoluzione, e di quello si discute.

La mattina seguente, e nei successivi cinquantacinque giorni del sequestro, Augusta porta avanti il dibattito coi compagni delle fabbriche, per poi riferire alla Direzione di colonna il pensiero della base.

La base vuole e spera che la trattativa con lo Stato vada a buon fine, e che l'attacco sferrato alle istituzioni non faccia passare in secondo piano le questioni sulle quali sono nate le Br: le condizioni e gli orari di lavoro nelle fabbriche, i rapporti interni, le relazioni col resto della classe operaia. Anche Angela la pensa cosí.

Adesso le Brigate rosse hanno un nemico dichiarato in piú, che si sta organizzando come e forse meglio dello Stato per togliere l'acqua ai pesci che sostengono la lotta armata: il Pci e il sindacato. Molti operai coi quali era stato avviato un dialogo, di colpo interrompono le relazioni. Non denunciano i «contatti» brigatisti, ma non ne vogliono piú sapere. In chi non fa questa scelta subentra comunque la paura: e ora che si fa? Non è stato un salto troppo grande? E se la nuova strategia brigatista dovesse risolversi nella cieca repressione di qualunque forma di lotta che non sia gestita dal partito e dal sindacato?

«Ci vuole un programma concreto, che tenga conto di quello che accade nelle fabbriche, altrimenti si può uccidere anche il Papa senza ottenere niente per i proletari», è il commento che Angela sente ripetere piú spesso.

L'aria è cupa, ogni giorno si aspettano novità che non arrivano. C'è la sensazione che Moro sia piú importante per i suoi rapitori che non per lo Stato, che rischia di perdere uno dei suoi uomini piú stimati. Almeno a parole.

In alcuni giorni aumenta la fiducia, in altri è lo sconforto ad avere il sopravvento. Il timore che l'avanguardia armata si sia infilata in un vicolo cieco. Forse colpire cosí in alto è stata una fuga in avanti dalla quale sarebbe opportuno ritirarsi il prima possibile. C'è chi torna a citare Lenin, un passo avanti e due indietro per proseguire nel cammino rivoluzionario.

Il dibattito riguarda anche l'attività delle colonne: devono organizzare azioni per aumentare la pressione sullo Stato oppure è meglio stare fermi per evitare ulteriori problemi?

Dopo oltre un mese di sequestro il vertice brigatista apre una consultazione per decidere cosa fare dell'ostaggio. Augusta riferisce che le «sue» fabbriche sono contrarie all'uccisione di Moro. Lo sarebbe pure lei, ma capisce che si sta andando nella direzione opposta. È quella forse meno utile alla causa, ma le Br non riescono a uscire dalla gabbia che gli si è creata intorno. E l'ostaggio viene ucciso.

Il 9 maggio, intorno all'ora di pranzo, la Tv annuncia che il cadavere di Aldo Moro è stato ritrovato in una macchina parcheggiata al centro di Roma, tra le sedi della Dc e del Pci. Angela è a casa, guarda, ascolta e comprende subito che niente sarà piú come prima.

L'arrestano un anno e mezzo dopo, in un appartamento trasformato in covo brigatista di via Rossini 35, a Nichelino. Era andata a un appuntamento con un clandestino, la prima volta che metteva piede in quella «base».

Consumato l'omicidio Moro, le Br hanno continuato a sparare, uccidere e ferire a Torino e nelle altre metropoli. Sotto la Mole, nel 1978, i militanti della colonna «Mara Cagol» e di altre formazioni armate – a cominciare da Prima linea – uccidono cinque persone, ne feriscono altrettante, bruciano una decina di macchine, assaltano sedi di partiti e istituzioni. Nel 1979, seguendo un'escalation che coinvolge l'intero Paese, gli attentati incendiari si riducono della metà, ma i ferimenti passano a dieci.

Augusta ha seguitato a fare la sua parte, senza mai entrare in clandestinità: non l'ha fatto prima e non l'ha fatto dopo il 9 maggio del 1978, sempre piú convinta che insieme alle azioni bisognasse proseguire con la propaganda politica non armata, nelle fabbriche e sul territorio.

Per questo è rimasta a Collegno, e ha continuato a frequentare le «tute blu» della Fiat e della Lancia nel periodo dei licenziamenti in massa e di una ristrutturazione aziendale molto pesante per gli operai. Ma negli ultimi mesi la sua militanza brigatista non è piú un mistero per gli investigatori.

Augusta ha la sensazione di essere pedinata, piú volte nota la stessa donna vestita in maniera elegante in diversi luoghi della città, sugli autobus o per le strade dove lei si ritrova a camminare. Ne parla coi compagni, altri hanno gli stessi sospetti, ma decide che non si può tirare indietro.

Potrebbe tornare Angela a tempo pieno, interrompere ogni contatto e forse salvarsi, ma il suo modo di ragionare non contempla il «si salvi chi può». Uscire adesso dall'organizzazione significherebbe abbandonare i compagni; entrare in clandestinità e sparire dalla circolazione farebbe diventare certezze i sospetti sul suo conto. Meglio continuare la doppia vita, confidando nel tentativo – se davvero la prenderanno – di potersi difendere dalle eventuali accuse.

Dentro di sé, però, si fa strada la convinzione che una fase si sta per chiudere.

– Ci prenderanno tutti o quasi, e la rivoluzione per un po' dovrà aspettare, – dice con chi si trova nella sua stessa situazione.

Finché glielo permettono, lei va avanti nonostante i dubbi sulle linee politiche e le perplessità verso un cammino il cui esito immaginava diverso, tre anni prima, seduta su quella panchina a discutere di programmi col primo brigatista incontrato quasi per caso. E quando i carabinieri del generale Dalla Chiesa la dichiarano in arresto, Augusta sta ancora ragionando di mosse e contromosse con i compagni.

È la sera del 14 dicembre 1979. I militari dell'Arma hanno circondato il palazzo costruito da poco, in fondo a una strada che finisce nella campagna di Nichelino. Dentro, in un appartamento al piano rialzato, ci sono un clandestino, latitante da diversi mesi, e due donne. Una è Angela, cioè Augusta. L'altra una ragazza di ventiquattro anni che aveva preso in affitto la «base».

A qualche vicino l'inquilina ha detto di essere la segretaria di un'azienda collegata alla Fiat, a qualche altro un'impiegata comunale. Ha trovato la casa attraverso un'inserzione sul giornale, da poco piú di un mese. Di giorno non si vede mai, esce al mattino presto e rientra la sera dopo le 8, quando tutte le porte sono chiuse a piú mandate. Ogni tanto si ferma a giocare col gatto della signora che abita nell'appartamento a fianco, ed è l'unico momento di «socialità» nel condominio.

Niente fa immaginare ciò di cui i carabinieri sono ormai certi: la ragazza gestisce un covo brigatista, nel quale stasera ha trovato rifugio un latitante. Gli investigatori ci sono arrivati dopo aver sfondato la porta di un'altra «base», in corso Lecce, vuota di persone ma piena di armi e documenti.

Al segnale, quando il buio è calato da un pezzo, scatta l'irruzione anche in via Rossini. Le due donne sono sorprese e immobilizzate senza che abbiano il tempo di reagire, l'uomo riesce a rompere il vetro di una finestra e si getta nel cortile. È armato, ma dopo pochi metri si blocca davanti a una selva di pistole puntate. Può solo arrendersi.

– Non sparate, – dice. Qualche ora piú tardi, in caserma, reciterà la formula di rito: – Mi dichiaro prigioniero politico.

Augusta, invece, riveste i panni di Angela e sceglie di difendersi: – Non so niente delle Brigate rosse, state sbagliando.

I carabinieri non le credono, e subito dopo l'arresto – mentre in città vengono fermati tre uomini accusati di far parte delle Br, compreso il fratello dell'inquilina di via Rossini – vanno a perquisire la casa dei Vai a Collegno.

È proprio Angela a chiedere di avvisare la famiglia, e uno dei suoi primi pensieri è l'eventualità che le tolgano la tutela dei fratelli minori. Anche per questo nega l'appartenenza alle Br. Nel frattempo scrive al tribunale dei minori per evitare che gran parte della sua famiglia finisca all'orfanotrofio o in collegio. Rivedrà tutti in carcere, alla prima visita concessa, un mese dopo l'arresto.

La linea difensiva rimane immutata fino al processo, quando Angela torna Augusta e, come gran parte dei suoi compagni, si dichiara una prigioniera politica che rifiuta il processo intentato dallo Stato borghese contro la rivoluzione proletaria. Comincia il lungo pellegrinaggio tra caserme e carceri speciali, segnato – soprattutto all'inizio – da continui tentativi di convincerla a collaborare con la giustizia.

Tentano anche di far leva sulla sua situazione familiare.

– Se vuoi tornare a casa da tua madre e da tutti quei fratelli non devi far altro che parlare, – le dicono.

Lei rifiuta le offerte: – Siamo una famiglia abituata a tirarsi fuori dai guai, ce la faremo anche stavolta.

L'idea di saltare il fosso e «pentirsi» non la sfiora nemmeno quando, durante l'isolamento, filtrano (forse ad arte) le notizie sui brigatisti uccisi in conflitti a fuoco. Conflitti chissà quanto autentici, pensano i compagni detenuti. Appena può avere carta e penna comincia a scrivere ai militanti arrestati, per riprendere un dibattito politico che – fra le mura invalicabili in cui è rinchiusa – diventa uno dei motivi per tirare avanti e resistere alla tentazione di arrendersi.

«La rivoluzione per un po' dovrà aspettare», si ripete Angela, ma la battaglia non è ancora finita. Certo, se gli investigatori erano sulle sue tracce significa che qualcuno ha parlato, ma la regolare-non-clandestina delle Br non immagina ciò che sta per succedere.

Dentro di sé, dopo l'arresto e le preoccupazioni dei primi momenti, è calata una tranquillità che immagina comune ai compagni. Non sarà cosí. Uno dei responsabili, «caduto» dopo di lei, deciderà quasi subito di «tradire» e collaborare con lo Stato.

Si chiama Patrizio Peci. Angela lo conosce bene, e quando in carcere sente dire che proprio lui sta stilando interminabili liste di brigatisti da consegnare ai carabinieri, pensa che sia una mossa psicologica per convincere lei e gli altri alla resa. Decide di inviare un telegramma a Peci: «Stai tranquillo, non crediamo a niente di quello che si dice su di te. Ti vogliamo bene».

Invece è tutto vero, e saranno proprio le confessioni e le accuse di quel compagno a spalancare per Angela e Augusta le porte del carcere a vita.

Angela Vai, condannata all'ergastolo, ha ottenuto i primi benefici carcerari nel maggio 1994, quando ha cominciato a usufruire del lavoro esterno dopo quindici anni di detenzione. Dal dicembre 2002, scontati ventidue anni e dieci mesi di pena, è in regime di libertà condizionale. Vive a Milano, dove esercita la professione di danzaterapeuta e musicoterapista. Ha scritto un libro di racconti intitolato *Camminando. Brevi percorsi metropolitani*, Edizioni dell'Arco.

3. «Claudio»

L'operazione della polizia scattò all'alba del 3 aprile. Aldo Moro era da diciotto giorni nelle mani dei suoi rapitori. Le Brigate rosse continuavano a diffondere i loro comunicati di guerra e le accorate lettere dell'ostaggio a coloro che – pensava lui – potevano e dovevano fare qualcosa per tirarlo fuori dalla «prigione del popolo». Dopo piú di due settimane si aveva la sensazione che a essere braccato era lo Stato, non il pugno di terroristi che teneva sequestrato il presidente della Democrazia cristiana dopo aver ucciso i cinque uomini della scorta. Gli investigatori non sapevano da che parte girarsi, salvo organizzare massicci e plateali posti di blocco piú utili all'immagine di un Paese in stato d'assedio che alle ricerche dell'ostaggio.

Cosí decisero l'operazione: centinaia di perquisizioni a Roma e in altre città nei confronti di sospetti brigatisti, pescando anche tra i vecchi militanti del movimento operaio e studentesco, dal Sessantotto in avanti. Quasi tutti rifluiti o integrati in tranquilli e borghesi impieghi, giacche e cravatte al posto degli eskimo di dieci anni prima, e quasi tutti resi piú vulnerabili dall'aria assonnata e stralunata di quell'ora che non era piú notte ma non ancora mattino.

Quelli trovati agli indirizzi rispolverati dagli archivi delle Questure, almeno. Perché qualcuno nelle vecchie dimore non c'era.

Per esempio Bruno Seghetti, ventotto anni, un «comunista rivoluzionario» del quartiere di Centocelle, periferia sud di Roma. Gli agenti bussarono a casa dei suoi genitori, chiesero del ragazzo, ma si sentirono rispondere che Bruno se n'era andato da tempo.

– Non vive piú qui, e non sappiamo dove sia, – dissero.

I poliziotti diedero uno sguardo in giro e salutarono.

L'indomani, dopo aver letto sui giornali del «rastrellamento» tra i vecchi compagni, Bruno telefonò ai genitori e seppe che avevano cercato anche lui.

– Non vi preoccupate, ci penso io, – rassicurò i suoi.

A casa non lo sapevano, ma da oltre un anno Bruno era diventato «Claudio», il nome di battaglia scelto al momento di entrare nelle Brigate rosse. La sera stessa parlò coi compagni dell'organizzazione di ciò che era accaduto.

– Mi cercano, che facciamo? – chiese.

La decisione non era facile. Potevano lasciar correre: uno che se n'è andato di casa non necessariamente è diventato terrorista; era possibile che «le guardie» si fossero accontentate del controllo e non cercassero altrove. Ma era anche possibile che continuassero a chiedere di lui, a muoversi finché non fossero arrivate a notizie piú attuali. E in quel caso il rischio sarebbe stato notevole.

Claudio era coinvolto direttamente nel sequestro Moro. Aveva partecipato al rapimento ed era stato legato ad Anna Laura, la ragazza che aveva acquistato l'appartamento-prigione nel quale le Br tenevano l'ostaggio. La carceriera di Moro, insomma.

– Non possiamo permetterci che seguano questa pista, – disse uno dei dirigenti. – È meglio presentarsi alla polizia e cercare di capire se e che cosa sospettano.

– Ma c'è la possibilità che mi arrestino, – disse Claudio.

– In tal caso faremo le nostre contromosse. Meglio un militante caduto di un'indagine che può portarli fino al prigioniero senza che noi lo sappiamo.

Alla fine anche Claudio fu d'accordo. Valutando i pro e i contro, era la scelta migliore.

La mattina dopo arrivò nel suo quartiere e tornò a essere Bruno. Parcheggiò la macchina intorno a casa, infilò la pistola nel borsello e la nascose sotto il sedile, come d'abitudine. Salí nell'appartamento dove era cresciuto, salutò i genitori, lasciò in un cassetto l'agendina con i numeri di telefono (quelli trascritti normalmente e quelli criptati), il documento falso che si portava sempre dietro, un mazzo di chiavi.

– Vado al commissariato, – disse, – ma voi state tranquilli, perché io non ho fatto niente. Sarà un controllo di routine –. Poi aggiunse: – Però se dopo un po' non mi vedete tornare, chiamate l'avvocato.

Pochi minuti piú tardi Bruno Seghetti varcò la soglia del commissariato di Centocelle.

– Eccomi, mi avete cercato? – domandò al poliziotto di turno.

L'agente non ne sapeva niente. Conosceva Bruno per le scorribande politiche degli anni passati, quando menava le mani coi fascisti e nei «picchetti proletari». Episodi che sembravano archeologia rispetto a quanto stava succedendo in quel drammatico 1978.

– Non so, probabilmente deve andare in Questura, perché è da lí che l'avranno cercata, – disse.

– Io pensavo che eravate voi, per via delle vecchie storie. Ma ormai sono fuori da tutto, – replicò Seghetti.

– Guardi, dovrebbe chiedere alla Questura, comunque mi lasci il suo indirizzo, – fece il poliziotto.

Bruno disse che abitava in un appartamento a Borgo Vittorio, dalle parti del Vaticano, e che lavorava come argentiere al laboratorio del fratello nel centro di Roma, in via del Cancello.

– Va bene, semmai le faremo sapere, – lo congedò l'agente prendendo nota.

Bruno salutò e se ne andò. Uno dei brigatisti che tre settimane prima avevano assassinato i cinque uomini della scorta e rapito Aldo Moro in via Fani, passò tranquillamente e quasi inosservato tra le divise dei poliziotti in apparenza occupati in altre faccende.

Tornò a casa dei genitori, riprese gli oggetti che aveva lasciato, uscí di nuovo, salí in macchina dove l'aspettava la sua pistola d'ordinanza. Poche ore prima l'appartamento di Borgo Vittorio che Claudio aveva acquistato coi soldi e per conto delle Brigate rosse era stato ripulito di ogni minimo indizio che potesse condurre all'organizzazione che teneva in pugno il presidente della Dc. Ma nessuno andò a bussare a quella porta.

Il Sessantotto, a Centocelle, arriva insieme a un combattivo comitato di quartiere composto da studenti medi, universitari e giovani lavoratori, alcuni dei quali già vicini al Pci per tradizione familiare. L'obiettivo è un «intervento», come si usa dire tra compagni, contro l'aumento dei prezzi, dagli affitti ai generi di prima necessità, e la mancanza di servizi come gli asili nido.

All'inizio il comitato si riunisce nella sede del Pci di Villa Gordiani, dove i nuovi arrivati trovano biliardini e anziani militanti che accolgono con sorpresa e simpatia le ragazze in minigonna e i capelloni che parlano di politica e di lotte sociali, di Vietnam e di rivoluzione. Dopo i primi incontri, però, i dirigenti della sezione comunista decidono di non mettere piú a disposizione la loro sede: il motivo ufficiale è che quei compagni non hanno la tessera del partito, ma sono emersi anche contrasti con le iniziative che il comitato di quartiere sostiene e organizza.

Tra i militanti allontanati c'è Bruno Seghetti, un ragazzo piccolo di statura e molto attivo, vivace e intuitivo, sempre presente alle riunioni e alle assemblee. Nonostante lo sfratto, l'esperienza del comitato di quartiere prosegue, ma ben presto Seghetti e molti altri si avvicinano a Potere operaio. A Centocelle il gruppo ha aperto una delle poche sedi frequentate non solo da compagni provenienti dai quartieri bene della città, dove approdano anche alcuni giovani responsabili della Fgci insofferenti alla cautela del partito nel clima di mobilitazione generale.

Da quel momento il «lavoro politico» si fa piú intenso e si estende alle piccole fabbriche sulla via Prenestina, alle borgate, alle scuole. Nell'«intervento» tra i baraccati si promuovono lotte per il diritto alla casa, manifestazioni davanti alle sedi del Comune, blocchi stradali, fino ad arrivare all'occupazione di interi stabili lasciati disabitati dalla speculazione dei «palazzinari» romani. All'occupazione partecipano sia i senza casa, tra i quali molti operai, sia chi una casa ce l'ha ma non riesce a viverci perché troppo piccola o troppo costosa rispetto al salario. Nasce da loro una delle parole d'ordine piú note che saranno gridate e cantate nei cortei del Sessantotto romano: «La casa si prende, l'affitto non si paga».

Potere operaio, insieme ad altri gruppi, organizza le prime occupazioni con gli abitanti delle baraccopoli spuntate intorno a Roma, dove vivono operai edili immigrati dal Sud o chi non ha mai abitato in una casa vera e propria. Nel degrado umano, sociale e igienico che si respira tra le lamiere e le fogne scoperte, erano entrate finora solo le suore di Madre Teresa di Calcutta, per portare conforto spirituale. Bruno e i suoi compagni arrivano in quello che chiamano «un inferno a cielo aperto» per affermare che la casa è un diritto: «Basta organizzarsi e lottare per conquistarlo».

Ma c'è da vedersela con le forze dell'ordine, e a Casalbruciato si verificano durissimi scontri con la polizia, intervenuta per sgomberare le abitazioni. Gli appartamenti vengono liberati, ma anni dopo saranno di nuovo occupati e finalmente assegnati. Alla Magliana, Lotta continua e altre sigle organizzano l'occupazione di trecento alloggi: la polizia si presenta all'alba, gli scontri vanno avanti per tutta la mattina fino allo sgombero. Gli occupanti tornano dopo pochi giorni e ottengono le assegnazioni.

Partecipando a queste battaglie, Bruno Seghetti è diventato uno dei piú attivi militanti del movimento romano di estrema sinistra. S'è iscritto a Potere operaio, alternando la partecipazione alle occupazioni di case e gli «interventi» ai cancelli delle fabbriche di periferia ai cortei per le vie del centro contro la guerra nel Vietnam e le visite di Nixon in Italia, per il salario garantito e i «diritti negati».

Dopo la licenza media Bruno ha smesso di andare a scuola, cominciando a lavorare coi fratelli alla bottega di famiglia, nel cuore di Roma. Piú che dalle tecniche per argentare oggetti e soprammobili, però, il suo interesse è risucchiato dalla politica. Non manca un appuntamento davanti alle fabbriche e alle scuole, che non frequenta piú ma sono piene di compagni da sostenere e appoggiare nelle loro rivendicazioni. I discorsi che ascolta e che fa riguardano la presa del potere da parte della sinistra, ma con il Sessantotto e l'inizio della strategia della tensione segnato dalla bomba di piazza Fontana un nuovo argomento s'è imposto all'ordine del giorno dei dibattiti tra gli extraparlamentari: la lotta armata «come inizio di prassi rivoluzionaria».

Che l'ipotesi rivoluzionaria proclamata a parole preveda l'uso della forza e della violenza diventa convinzione comune ai vari gruppi – compresi Lotta continua, Avanguardia operaia, e in parte perfino il «pacifico» Manifesto –, i quali proprio su questo punto trovano un motivo di contrapposizione col Pci che prevede esclusivamente la via non violenta del «socialismo progressivo». Fin da subito la questione diventa terreno di scontro teorico, specialmente quando si discute delle «forme» necessarie: violenza di massa o d'avanguardia? Esercito «rosso» o «proletario»? Insurrezione classica, proclamata attraverso lo sciopero generale, o costruzione immediata di «zone liberate»?

Dalla fine della Resistenza, è forse la prima volta che una nuova generazione si ritrova a discutere apertamente e in maniera concreta di teorie che contemplino una rottura anche violenta col «sistema di potere capitalistico e borghese».

A Roma, nel gruppo dirigente di Potere operaio comincia a diffondersi l'idea del doppio livello: quello visibile e legale, del giornale, dei discorsi pubblici e dei comizi; e quello meno visibile riservato a pochi e fidati militanti, che prende le mosse dal servizio d'ordine messo in campo nei cortei e nei quartieri, primo gradino di una struttura che, al momento opportuno, può dare vita anche a singole iniziative di lotta armata. Si chiama Lavoro illegale, e al suo interno compaiono le prime pistole recuperate al mercato nero, che si aggiungono agli strumenti di autodifesa utilizzati finora, «armi improprie» come bastoni e bottiglie molotov. Ufficialmente servono a difendersi dai fascisti e dalla polizia, ma costituiscono la base di un piccolo arsenale a disposizione del movimento.

Da Bassano del Grappa Roma è lontana. E dalla caserma dove la recluta Seghetti Bruno viene spedita a fare il servizio militare, tra il 1970 e il 1971, lo è ancora di piú. Le rigide regole dell'Esercito risultano davvero indigeribili al giovane militante rivoluzionario, sbarcato nella camerata dove ha sistemato lo zaino pieno di libri di Lenin e di testi sull'attualità della dottrina marxista.

Seghetti è assegnato con funzioni di autista a un battaglione della compagnia trasmissioni, un ruolo che non gli risparmia le esercitazioni all'aperto e i campi d'addestramento che si svolgono per lunghi periodi, d'estate come d'inverno, di giorno a correre e sparare e di notte a dormire sotto le tende. Le serate di libertà invece, Bruno le trascorre in cerca di compagnia e discussioni in una sezione del Pci di Bassano, dove c'è pure una trattoria per mangiare qualcosa di meglio del vitto che passa lo Stato e bere un po' di vino.

Alle bacheche si può leggere «l'Unità» e diverso materiale di propaganda del partito sui temi del momento, contro il governo guidato dal democristiano Emilio Colombo, la svolta a destra che porterà all'elezione di Giovanni Leone a presidente della Repubblica coi voti determinanti del Movimento sociale, le trame nere che rischiano di avvolgere l'Italia; pochi giorni dopo la strage di piazza Fontana è stato arrestato il ballerino anarchico Pietro Valpreda, in carcere da piú di un anno in attesa di un processo che già appare costruito ad arte.

Una sera, da quella sezione comunista, il soldato Seghetti esce portando con sé alcuni adesivi che riproducono gli slogan contro il presidente nordamericano Richard Nixon e l'intervento nel Vietnam. Rientrato in caserma, nota sul piazzale una schiera di auto blu in attesa degli ufficiali radunati per una festa. Al compagno Bruno viene in mente un'idea che – complice l'oscurità – realizza in men che non si dica, senza essere visto da nessuno: attaccare sulle macchine di quei papaveri in divisa gli adesivi completi di falce e martello che sbeffeggiano gli Stati Uniti e la loro guerra imperialista.

Al mattino tutti parlano del raid serale che ha lasciato di stucco gli ufficiali tornati alle proprie auto. Comincia la caccia al colpevole. Di «estremisti» in caserma ce ne sono due: quel Seghetti venuto da Roma e una recluta di Parma segnalata come simpatizzante del Partito socialista. Scattano le perquisizioni nei loro confronti, e dallo zaino di Bruno saltano fuori i giornali e le riviste dell'estrema sinistra, oltre ai classici del leninismo e il manuale di guerriglia del «Che» Guevara. Quanto basta per provocare una punizione e centrare ancor piú l'attenzione dei comandanti su quella «testa calda» di un romano.

Ma una punizione non è sufficiente a domare il comunista extraparlamentare che si nasconde sotto la divisa portata malvolentieri, e poco dopo Seghetti guida un ulteriore atto di protesta. Il nuovo comandante pretende il taglio dei capelli a zero per i suoi soldati e mentre si trova in fila aspettando il turno dal barbiere, Bruno lancia l'idea dello sciopero del rancio per ribellarsi a ciò che tutti considerano un abuso. L'indomani, a mensa, gran parte dei soldati e di chi si ritrova con la testa già rasata decide di non toccare cibo.

I Proletari in divisa organizzati da Lotta continua devono ancora nascere, ed è la prima volta che nella caserma si arriva a uno sciopero. Il comandante s'infuria e convoca Seghetti. La punizione è accompagnata da nuove perquisizioni, sequestri di stampa sovversiva e un colloquio a quattr'occhi nel quale il militare cerca di convincere il rivoluzionario a contenere la sua insubordinazione. Ma per Bruno l'unico problema è far passare in fretta i mesi di naja che gli restano e tornare tra i compagni della sua città.

A differenza che al Nord, a Roma non c'è – o comunque si sente meno – il confronto quotidiano dell'operaio con il caporeparto o il marcatempo che rendono impossibile la vita in fabbrica. Qui il discorso è piú ideologico, e il dibattito sull'uso della violenza assume i contorni della concretezza nelle manifestazioni di piazza. Tuttavia è proprio nella capitale che avverrà uno dei primi ferimenti di un «capetto», sindacalista di destra, organizzato e consumato da aderenti a Potere operaio.

La sinistra rivoluzionaria – ogni gruppo con la sua specifica forma di violenza e illegalità – rappresenta ormai un «soggetto politico» in grado di mettere in campo la sua «forza organizzata» da contrapporre alla forza dello Stato quando, nella seconda metà del 1971, Potere operaio organizza il convegno «per il partito, per l'organizzazione, per l'insurrezione». La tesi di fondo è che intorno alle esperienze di fabbrica con l'insubordinazione ai ritmi della catena di montaggio, e a quelle di quartiere con le occupazioni delle case, sta maturando la necessità dell'insurrezione, nella quale i vari momenti «di lotta» possono trovare una sintesi.

Si rilancia la proposta del «salario garantito» inteso come possibilità del proletariato di liberarsi dalla «schiavitú del lavoro salariato», e attraverso questo obiettivo scardinare l'ordine costituito.

Ai cortei, quelle idee si trasformano in slogan gridati da migliaia di giovani. Tra i cordoni dei «duri» e dei servizi d'ordine c'è sempre Bruno, con la sua determinazione e le sue convinzioni sulla necessità di salvaguardare il diritto a manifestare dall'attacco delle forze dell'ordine, anche con forme di autodifesa violenta. Determinazione e convinzioni che d'improvviso sembrano farsi collettive.

Un segnale si coglie durante uno dei tanti appuntamenti, lungo via dei Fori imperiali, quando compaiono bottiglie molotov in quantità, nelle mani del servizio d'ordine e non solo.

Bruno si entusiasma nel vedere la scena di circa trecento compagni schierati in file successive e tutte alla stessa distanza l'una dall'altra, come fossero a una parata militare, ognuno con la sua bottiglia incendiaria sotto il braccio. È una dimostrazione di forza come non ne ha mai viste prima, che non degenera in scontri solo perché la polizia desiste dalla tentazione di caricare un corteo autodifeso. Anche quando, in piazza Venezia, una molotov cade a terra esplodendo in una fiammata che fa allargare i cordoni, provocando qualche attimo di tensione.

Gli stessi compagni mostrano grande autocontrollo, finché il corteo non si scioglie in una piazza di Trastevere e le bottiglie vengono svuotate nella fontana.

La sera, i commenti sono positivi e pieni di progetti per il futuro: il movimento rivoluzionario ha espresso il suo «contropotere», se riesce a dimostrare tanta determinazione nella volontà di confrontarsi anche fisicamente col potere significa che la rivoluzione non è piú né un sogno né un gioco. Si può tentare davvero.

Al Nord le Brigate rosse hanno già imboccato la strada della clandestinità come scelta offensiva nei confronti del potere costituito, prima dentro, poi fuori le fabbriche. Una scelta che Potere operaio non condivide, ritenendo di dover rimanere ancorato al movimento e coniugare le «istanze politiche» della base con l'ipotesi dell'insurrezione.

Però le prime azioni firmate con la stella a cinque punte chiusa nel cerchio creano consenso nei compagni piú decisi, come Bruno. Il quale spinge per moltiplicare le «pratiche di contropotere» sul territorio esattamente come le Br fanno all'interno delle officine.

Ecco allora il sostegno alle rivendicazioni degli studenti che organizzano le autogestioni contro il «carattere selettivo e nozionista dell'istruzione voluta dai padroni».

Ed ecco il senso della partecipazione «dura» e massiccia alle lotte per la casa, con la propaganda nelle borgate e le occupazioni degli appartamenti sfitti. Anche a Centocelle, nelle case di via Carpineto occupate grazie all'«intervento» di Potere operaio tra i baraccati e gli operai, arrivano i celerini con l'intenzione di mandare via gli abusivi. Ma gli occupanti, spalleggiati dai compagni della zona accorsi a sostenerli, riescono a respingere le cariche, e quella forma di resistenza diventa un «esempio di lotta» per tutta la città. Studenti e operai «uniti nella lotta», come si grida nei cortei, diventano due facce di una stessa moneta che col tempo sta assumendo un nuovo valore, e può essere spesa sul mercato del movimento rivoluzionario che sta nascendo con prospettive finora inimmaginabili.

Bruno Seghetti, che da anni ormai frequenta le piazze e le assemblee, ne è sempre piú convinto. La difesa organizzata e in caso di necessità anche violenta delle posizioni conquistate – siano case o scuole occupate, oppure picchetti davanti alle fabbriche – ora coinvolge direttamente «proletari e studenti che vivono i problemi in prima persona». In precedenza quella difesa non era affatto scontata, quando arrivava la polizia si retrocedeva e tutto tornava come prima. Adesso non è piú cosí.

Anche dopo l'inesorabile ma temporanea sconfitta, resta il passo in avanti compiuto attraverso una resistenza massiccia e convinta, che non è piú circoscritta alle «avanguardie» e permette di immaginare nuove prospettive politiche.

«Se la partecipazione popolare prosegue a questi livelli, si pone il nodo politico di come continuare a dare alle lotte operaie e proletarie una prospettiva rivoluzionaria e di potere», pensa Bruno tornando a casa, la sera, dalle assemblee e dai presidi organizzati a Centocelle e negli altri quartieri di una città dove i rumori della rivolta si fanno sempre piú forti. Per via delle «lotte», e per le azioni di «antifascismo militante» sempre piú frequenti.

È il periodo che precede le elezioni del 1972, nelle quali il Msi balza all'8,7 per cento dei voti raddoppiando i consensi, mentre il Pci si ferma al 27,2 per cento, il Psiup subisce una drastica riduzione e la lista del Manifesto che candida Pietro Valpreda per tirarlo fuori dalla galera raccoglie un misero 0,7 per cento.

Chiusa definitivamente l'esperienza di centrosinistra, in concomitanza con una crisi economica che travalica i confini nazionali e prelude alla stagione dell'*austerity* fatta di domeniche senza automobili e di orari di chiusura anticipati per cinema, ristoranti e programmi televisivi, Giulio Andreotti si appresta a varare il suo primo governo. È un esecutivo marcatamente orientato a destra, costituito da Dc, Pli e Psdi.

In tale clima prende forma lo spettro di un connubio segreto e diabolico tra le organizzazioni neofasciste e alcuni apparati dello Stato, per ostacolare con ogni mezzo l'avanzata delle sinistre nel Paese.

A Centocelle, la sede di Potere operaio diventa una base dalla quale partono spedizioni punitive contro i «neri» del quartiere e dell'intera città. Come quel giorno dell'estate del 1972, poco dopo che a Parma un operaio disoccupato di appena vent'anni è stato ucciso a coltellate da una «squadraccia fascista».

Gli animi sono già accesi quando arriva la notizia che un compagno è stato picchiato alla fermata dell'autobus. La risposta, decisa e organizzata per il giorno seguente, è l'assalto a una sezione del Msi del Prenestino, l'unica di una certa importanza nella zona sud di Roma.

Una decina di compagni si muovono a bordo di tre macchine, armati di bastoni, spranghe e bottiglie incendiarie. Bruno Seghetti è dei loro. Una «ronda» ha già controllato che le strade adiacenti siano sgombre di poliziotti e carabinieri, e quando arrivano davanti alla porta con l'insegna della fiamma tricolore, Bruno e gli altri irrompono con l'intenzione di spaccare tutto quello che trovano.

Dentro ci sono due uomini e una donna che guardano la televisione. La signora viene fatta allontanare, mentre i due camerati si prendono una robusta razione di legnate. Mobili e tavoli vengono rovesciati, volantini, manifesti e giornali dati alle fiamme, suppellettili e insegne mandate in frantumi.

Il raid si conclude in pochi minuti, due molotov lanciate contro la porta coprono la fuga dei «giustizieri».

Ma la «giustizia proletaria» non si ferma ai raid contro i fascisti. Si può abbattere pure contro lo Stato e le divise dei suoi servitori. O «servi», come preferiscono chiamarli Seghetti e i suoi compagni. I quali certo non si scandalizzano alla notizia dell'omicidio del commissario capo di polizia Luigi Calabresi, ucciso la mattina del 17 maggio 1972 a Milano.

Due mesi prima era morto, dilaniato sotto un traliccio, l'editore e aspirante guerrigliero Giangiacomo Feltrinelli. «Un rivoluzionario è caduto», aveva titolato a tutta pagina il giornale di Potere operaio: un modo per rivendicare l'appartenenza di Feltrinelli a un'organizzazione clandestina, i Gruppi d'azione partigiana, che suscitò perplessità e qualche scandalo anche nella sinistra extraparlamentare.

Ora, col delitto Calabresi, ecco un'altra dimostrazione che agire si può. Dopo una violenta campagna di intimidazione e di odio nei suoi confronti durata due anni, nel movimento prevale la lettura dell'assassinio del commissario come la giusta risposta alla morte dell'anarchico Pinelli (entrato vivo in Questura il 15 dicembre 1969, convocato per l'inchiesta sulla strage di piazza Fontana, e rimasto cadavere sul selciato del cortile dopo un volo da una finestra del quarto piano), alla volontà di coprire la vera regia della «strage di Stato». Nessuno rivendica la paternità dell'omicidio, ma moltissimi sono convinti che il responsabile della morte di Pinelli abbia avuto quel che si meritava.

Mentre le Brigate rosse, con le prime azioni legate ai problemi della fabbrica, hanno già indicato il percorso del «radicamento» nella classe operaia, il delitto Calabresi diventa un nuovo elemento di riflessione per chi – come Bruno e altri compagni – sta valutando la scelta della «pratica armata»: «È un atto di giustizia», si dice, «che libera il movimento dall'impotenza che ha segnato il periodo successivo alla strage, all'uccisione di Pinelli e di tanti compagni per mano della polizia e dei fascisti».

La violenza si tramuta da disvalore a valore, non come esaltazione del gesto fine a se stesso ma come necessità nella fase che precede la conquista del potere. Finora era confinata a strumento di difesa, oppure a retaggio della mitologia tramandata dalla Resistenza; adesso è considerata «legittima espressione del proletariato in lotta», per affermare la propria supremazia e guadagnare posizioni.

In questa prospettiva, Seghetti comincia a guardare con interesse alla proposta delle Brigate rosse, nonostante le critiche che il suo e altri gruppi continuano a muovere ai «guerriglieri» entrati in azione soprattutto a Milano e Torino. Li accusano di privilegiare una concezione militare della lotta politica, attraverso la scelta della clandestinità, mentre Potere operaio continua a voler separare il momento politico dall'attività illegale, realizzata attraverso una struttura che agisca da «braccio armato» delle lotte.

Pur conservando alcune riserve, Bruno si sorprende a pensare che forse hanno ragione le Br, e che dietro i tanti «distinguo» dei dirigenti del suo gruppo non sempre si celino nobili motivazioni. Nasce il sospetto che non ci sia una sufficiente assunzione di responsabilità da parte di tutti coloro che si proclamano militanti rivoluzionari.

Un campanello d'allarme è l'attentato a un supermercato di Centocelle della catena Fiorucci, che uno dei responsabili di Lavoro illegale propone a Bruno.

– Mettiamo una bomba incendiaria e la facciamo esplodere di notte, – gli dice.

Seghetti è scettico. – Perché colpire un supermercato? – domanda. – Un conto sono gli attacchi all'autoparco della polizia, un altro è colpire una struttura frequentata dalla gente del quartiere.

– Noi colpiamo il simbolo dell'impresa che sfrutta i bisogni del popolo, – è la risposta. Che lo convince perché l'ordigno esploderà quando il centro commerciale sarà vuoto, e dunque non c'è il rischio di fare vittime.

Una pizza serale consumata al ristorante annesso al supermercato è l'occasione giusta. Bruno e il compagno finiscono di mangiare, e prima di uscire uno va a sistemare l'ordigno nel bagno, collegato a un rudimentale timer. Torna dicendo che è tutto a posto, mentre si avvicina l'orario di chiusura.

La mattina seguente Bruno va subito a vedere il palazzo, e si accorge che non è accaduto nulla: la bomba non è esplosa, la vita del centro commerciale prosegue regolarmente. Si preoccupa non tanto per l'azione fallita, ma perché l'ordigno è ancora lí e può esplodere da un momento all'altro in mezzo al viavai di gente che affolla i banchi della spesa.

Bruno telefona al compagno: – Bisogna avvertire la polizia e far sgombrare il palazzo.

Quello non è d'accordo: – Lascia stare, semmai andiamo stasera e vediamo cosa non ha funzionato.

Seghetti però insiste: – No, stavolta si fa come dico io –. Avverte il commissariato, e per sicurezza telefona anche al supermercato. Due chiamate anonime che fanno ritrovare l'ordigno e instillano in Bruno il dubbio che anche tra coloro che parlano di lotta armata ci siano persone poco serie. Un motivo in piú per schierarsi contro le tesi sul doppio livello dell'attività politica, legale e illegale. Contro chi a parole sostiene un'idea e nella pratica delega ad altri le azioni per realizzarla.

Precedendo gli altri gruppi, Potere operaio corre veloce verso lo scioglimento, che si consuma nel 1973. Da lí cominciano nuove esperienze di lotta che contemplano l'uso delle armi, di nuovo legate alle esigenze e alle richieste del «proletariato». In primo luogo il diritto alla casa, poi le autoriduzioni delle bollette della luce e del telefono; successivamente toccherà anche ai beni voluttuari, come il prezzo del biglietto del cinema.

È la risposta degli extraparlamentari alla «politica dei sacrifici» e al «compromesso storico» lanciato dal segretario del Pci Enrico Berlinguer dopo il colpo di Stato in Cile, nella convinzione che se pure le sinistre raggiungessero il cinquantuno per cento dei suffragi, non sarebbe consentito loro di governare da sole. Per la base del partito è una nuova svolta, alla quale bisogna adeguarsi; per i giovani che sognano la rivoluzione è l'ennesimo tradimento da parte di chi, da tempo, non rappresenta piú i reali interessi della classe operaia.

– I discorsi di Berlinguer sul Cile dimostrano non solo che è impossibile la via pacifica al socialismo, – sostiene Bruno nei dibattiti tra i compagni, – ma che la democrazia del cinquantuno per cento è sospesa. Le richieste di cambiamento che le lotte proletarie pongono ormai da cinque anni non sono tollerate.

Alle assemblee nelle fabbriche e nei quartieri, dove l'«intervento politico» ha «costruito e radicato la coscienza e l'organizzazione proletaria», si discute come affrontare la nuova situazione: andare avanti o fermarsi?

– Qualsiasi iniziativa di lotta, in fabbrica o nel sociale, – accusa il compagno Seghetti, – si trova ormai di fronte l'apparato repressivo dello Stato, palese e occulto, e quello denigratorio del Pci dispiegato in nome del compromesso storico.

Per lui e per chi la pensa alla stessa maniera, il dibattito politico sulla violenza da teorico e soggettivo diventa un problema pratico e oggettivo, «che si impone a tutta la sinistra rivoluzionaria».

L'ipotesi strategica della lotta armata è uno degli argomenti sul tappeto da quando sono entrate in scena le Br; ora s'inizia a discutere su quale «tipo» di lotta armata.

Dopo lo scioglimento di Potere operaio, nell'autunno del 1973 Bruno e altri compagni hanno fondato il Co. Co. Ce., Comitato comunista di Centocelle. Per loro, «mai piú senza fucile» non è solo lo slogan coniato al corteo che sfilava sotto l'ambasciata cilena, ma un vero e proprio programma politico.

Anche l'«intervento» nelle fabbriche, nonostante i successi conseguiti, è diventato piú difficile per via della radicalizzazione dello scontro sul piano generale.

L'organizzazione dei picchetti in occasione degli scioperi viene contrastata da schieramenti di polizia e carabinieri che finiscono per intimorire e scoraggiare le proteste. Bruno l'ha visto in uno stabilimento sulla Prenestina, quando i celerini hanno imposto di far entrare un gruppo di sindacalisti fascisti. O quando si è svolta un'assemblea di operai in una zona dove il sindacato non riusciva ad arrivare, sulla quale incombeva la massiccia e inquietante presenza di poliziotti in borghese e in divisa.

All'improvviso, dopo anni di lotte e di conquiste, gli strumenti tradizionali non sembrano piú in grado di garantire l'agibilità politica di un tempo. Il vento della rivolta non ha smesso di soffiare, ma è come se venisse incanalato lungo percorsi prefissati per non provocare nuovi sconvolgimenti. E allora «mai piú senza fucile», insistono Seghetti e i compagni del Comitato comunista.

Nella primavera del 1974, mentre l'Italia si divide nello scontro referendario sulla legge sul divorzio, le Brigate rosse rapiscono a Genova il giudice Mario Sossi. Bruno legge i comunicati delle Br e si scopre d'accordo con gran parte dell'analisi che contengono. Ma la domenica mattina, nelle piazze di Centocelle, si ritrova a discutere con i vecchi militanti del Pci che lo conoscono da quando era ragazzo.

Con i compagni del Co. Co. Ce. espone in strada le «mostre fotografiche» che attraverso immagini, ritagli di giornali e commenti scritti a mano dànno una lettura alternativa del momento politico. I pannelli denunciano l'ultima «strage di Stato»: a Brescia, una bomba esplosa durante un comizio sindacale ha provocato otto morti e novantaquattro feriti. Le accuse alle istituzioni proseguiranno dopo la bomba di agosto sul treno Italicus, dodici morti e centocinque feriti, poi contro «la corruzione e le connivenze della Dc con la mafia», «la complicità con i fascisti e i Servizi segreti deviati», «i retroscena sul golpe Borghese e il terrorismo di destra confessati dal generale capo del Sid».

Durante gli «interventi», Bruno deve fronteggiare i vecchi compagni della sezione del partito che diffondono «l'Unità». Quelli parlano dei brigatisti come dei fascisti travestiti. Terroristi rossi di nome e neri di fatto. Provocatori.

– Sono banditi come gli altri, – dicono. E soprattutto non accettano che le Br difendano «gli assassini» della banda XXII ottobre che avevano ucciso un fattorino durante una rapina. – Si sono messi al livello dei criminali comuni, e fanno il gioco di chi vuole criminalizzare la sinistra.

– Sono comunisti, – ribatte Bruno, – e le rapine non le fanno per interesse personale. È questo che li distingue dai banditi. Inoltre lo Stato ha già criminalizzato abbastanza i veri comunisti, non doveva certo aspettare le Br.

Le discussioni sono continue e sempre piú animate, ma di tempo per parlare ce n'è sempre meno di fronte alle occasioni di agire.

Sul finire dell'estate, nella borgata di San Basilio, Lotta continua organizza un'occupazione dei palazzi sfitti contrastata da diversi tentativi di sgombero da parte della polizia. Il quartiere finisce sotto assedio, ma gli occupanti riescono a resistere. Da tutta Roma accorrono in loro difesa i militanti dei vari «collettivi». Gli scontri proseguono per diversi giorni, con momenti durissimi e pause nelle quali gli occupanti offrono da mangiare ai ragazzi accorsi a difendere il loro «diritto alla casa».

Durante una carica, un colpo di pistola sparato dalla polizia uccide Fabrizio Ceruso, studente di diciannove anni aderente al Comitato proletario di Tivoli. La reazione degli occupanti e degli abitanti di San Basilio è immediata e violenta. Finora erano volate solo bottiglie molotov da una parte e lacrimogeni dall'altra, ma da quel momento compaiono le armi. I primi a tirarle fuori sono proprio gli abitanti del quartiere, che imbracciano fucili da caccia, pistole e «canne mozze» solitamente utilizzate da qualcuno forse anche per rapinare banche.

I militanti di Centocelle partecipano alla difesa dell'occupazione e si scontrano a piú riprese con i celerini. Alla notizia della morte di Fabrizio, Seghetti e un suo compagno chiamato Gulliver vanno a prendere le pistole che quello teneva in dotazione per conto della struttura «illegale». Ma quando tornano è troppo tardi per partecipare a veri e propri scontri armati tra una barricata e l'altra. Stavolta pure la polizia deve contare diversi feriti d'arma da fuoco tra i suoi uomini, e dopo le «giornate di San Basilio» si apriranno le trattative per l'assegnazione delle case agli occupanti. Per Bruno è un'ulteriore dimostrazione della necessità e della possibilità di resistere. Anche sparando.

Solo che la resistenza non basta, perché se pure vinci e tieni in piedi un'occupazione, ti staccano la luce o i telefoni, e perdi su un altro tavolo. E se riesci a evitare gli stacchi, scatta l'aumento delle bollette. Ecco perché la lotta si sposta sulle autoriduzioni.

L'iniziativa arriva a coinvolgere i consigli di fabbrica, che cominciano a raccogliere e autoridurre i moduli per pagare le tariffe elettriche, mentre altre strutture spontanee di operai organizzano nuove occupazioni di case. Per i giovani rivoluzionari è il segnale che i «proletari» non sono piú disposti a delegare o ad aspettare il «sol dell'avvenire».

– Sono pronti a lottare in prima persona, – commentano, – per conquistare i diritti tanto promessi, e la dignità della classe cui appartengono.

– Non è piú il momento delle lamentele, ma delle rivendicazioni portate avanti con orgoglio, – s'infervora chi contemporaneamente guarda con entusiasmo alla nascita delle esperienze guerrigliere in America latina e ritiene che pure in Italia possa affermarsi la tanto agognata «ipotesi rivoluzionaria».

Alcuni gruppi avviano le battaglie legali per sostenere le autoriduzioni, destinate alla sconfitta; altri continuano a organizzarsi pensando che l'unica alternativa sia «costruire momenti di contropotere».

La crisi delle organizzazioni extraparlamentari ha prodotto una proliferazione di partitini che si presenteranno alle elezioni raccogliendo risultati piuttosto deludenti: non è la strada che interessa quei comunisti di periferia che hanno imparato a «conquistare diritti e bisogni» attraverso le lotte nei quartieri, nelle fabbriche e nelle scuole, convinti che la rivoluzione si può fare. Anche se imporrà scelte sempre piú radicali.

I resti delle strutture parallele e semiclandestine dei gruppi disciolti, a partire da Potere operaio e dal suo Lavoro illegale, non hanno smesso di pensare alla possibilità di intraprendere la lotta armata. Pistole e fucili non circolano ancora al Co. Co. Ce., ma Bruno e i compagni sanno che le armi, se e quando si deciderà di impugnarle, non rappresentano un problema: al momento opportuno ci sarà chi potrà metterle a disposizione.

Nell'ultima sede di Potere operaio rimasta aperta, dalle parti di via Nazionale, comincia una serie di incontri tra Bruno, esponenti dell'apparato militare di

Potere operaio come Valerio Morucci (soprannominato «Pecos» dal nome del pistolero Pecos Bill) e Gulliver, militanti del vecchio gruppo come Luigi e Giancarlo, che hanno animato il Sessantotto romano. All'ordine del giorno, la volontà di mettere in piedi una struttura nazionale clandestina.

Come a Roma, anche a Milano, Firenze, Torino e altre città ci sono compagni, provenienti da Potere operaio ed esperienze simili, interessati a proseguire il dibattito e a renderlo meno teorico e piú pratico, se e quando se ne offre l'opportunità.

Si ritrovano tutti a Firenze, presso una cascina chiamata *Il cane e il gatto*, per discutere delle prospettive future e costruire un'organizzazione nazionale che possa contrapporre al militarismo clandestino delle Br un'idea di insurrezione legata al movimento. Alcuni dei presenti a quella sorta di convegno carbonaro Bruno li conosce da tempo: Pecos, Luigi, Giancarlo, Oreste, Paola e altri ancora. Intorno a sé ritrova buona parte della struttura di «intervento» politico e organizzativo nelle fabbriche ai tempi di Potere operaio, al punto che gli sembra di partecipare a una sorta di rifondazione clandestina del gruppo.

In mezzo a tanti discorsi, Seghetti matura l'idea che la contrapposizione con le Br va superata. Perché forse, nonostante lui sia nato e cresciuto «nel movimento», hanno ragione loro: per fare la rivoluzione bisogna mettere in piedi un «partito» vero e proprio, strutturato secondo il modello leninista. Inoltre hanno piantato le radici in fabbrica, il luogo che resta punto di vista essenziale per leggere e trasformare la società. Infine, stanno dimostrando di saper riprendere e portare avanti la tradizione comunista interrotta dal «tradimento» del Pci dopo la Resistenza.

Insieme a quei compagni, insomma, bisognerà prima o poi fare un pezzo di strada. Ma intanto chi gli è a fianco tenta di proporre un'alternativa all'egemonia brigatista, e siccome sempre di lotta armata si tratta, tanto vale camminare insieme. Quindi se ci sono da procurare delle macchine per i compagni di Torino che devono compiere un'azione contro un dirigente d'azienda, Bruno non si tira indietro. Si apposta nei pressi di un parcheggio custodito, aspetta che il primo cliente scenda dall'auto lasciando le chiavi attaccate al quadro, sbuca all'improvviso, s'infila in macchina e se ne va.

È facile. Piú facile di quanto potesse immaginare.

La macchina viene portata a Torino e utilizzata per il ferimento di un caporeparto della Fiat; il primo dopo le azioni con cui si sono presentate le Brigate rosse.

Capita spesso che ai romani siano delegati compiti organizzativi e «logistici», mentre quelli delle città del Nord si dedicano a scegliere e colpire gli obiettivi. E alla propaganda. In questa divisione dei compiti, il gruppo di cui fa parte Seghetti mette a segno qualche rapina alle armerie e alle guardie giurate per rimediare un po' di pistole, e ad alcuni esercizi commerciali per impadronirsi degli incassi.

A volte i «colpi» riescono, a volte no. Succede infatti che alle casse dei bar trovino solo i sacchetti dei gettoni telefonici. Oppure che alla biglietteria delle piscine del Foro italico – assaltata in piena estate con l'idea di prendere chissà quanti soldi – non ci siano che tessere e biglietti, e nemmeno una lira. Quando arriva la «dritta» per rapinare gli stipendi degli impiegati del Coni al Palazzetto dello sport, invece, tutto fila liscio: Bruno e compagni riescono a portare via ben quindici milioni di lire.

Nei dibattiti tra chi vagheggia la lotta armata, la distinzione di ruoli, nonché l'importanza che ciascuno attribuisce a quello che ricopre, si accentua fino a provocare una spaccatura nella federazione nata al *Cane e il gatto*, che ripropone in piccolo il contrasto tra il gruppo e le Brigate rosse.

– Voi pensate molto all'organizzazione e poco alla diffusione delle idee, – accusano i «nordisti».

– E voi non capite che senza organizzazione non ci sono prospettive nemmeno per le idee, – ribattono i «romani».

Nel concreto, c'è pure un problema di gestione del denaro accumulato. Quelli lo vogliono utilizzare per stampare giornali e opuscoli; questi preferiscono destinarlo all'acquisto di armi, documenti falsi e a procurare qualche «base» segreta.

Le strade si dividono, ma tanto per rimanere fedeli alla tradizione del movimento comunista costellata di continue scissioni, anche nel gruppo romano si creerà un'ulteriore divisione. Dal gruppo semiclandestino che s'è formato al *Cane e il gatto*, nel quale Seghetti è ormai pienamente integrato, si staccheranno alcuni compagni che daranno vita alle Ucc, Unità comuniste combattenti. Nel 1976 firmeranno quello che a Roma diventerà famoso come «il sequestro del macellaio»: il rapimento di un industriale di carni, con la richiesta di distribuzione gratuita di bistecche al popolo come riscatto. Con grande sorpresa di tutti, il giorno stabilito davanti alle macellerie indicate c'erano capannelli di gente in attesa della distribuzione della carne, e solo la polizia ne impedí la consegna.

L'indomani però, l'ostaggio tenuto nascosto in una casa abbandonata di proprietà del Comune verrà liberato dall'improvviso sopralluogo di un impiegato.

Prima che questo avvenga, provocando non poca ilarità tra gli aspiranti rivoluzionari, il gruppo di Morucci e Seghetti che ha preso il nome di Lapp, Lotta armata per il potere proletario, ha dato l'assalto a una delle centrali di smistamento della Sip, nel pieno della campagna per l'autoriduzione delle bollette telefoniche. All'azione doveva partecipare anche Bruno, che ha svolto l'«inchiesta» per conoscere gli spostamenti delle guardie notturne insieme a una compagna, ma all'ultimo momento è stato costretto a rinunciare per via di un incidente che gli è costato un proiettile nella gamba.

Accade nei giorni successivi all'omicidio di un militante del Fronte della gioventú, Mario Zicchieri, centrato da alcuni colpi di fucile sparati davanti alla sezione del Msi al Prenestino. Siccome si teme la reazione dei fascisti, Bruno prende parte alle ronde nel quartiere, a bordo della sua Dyane gialla. Con sé ha una pistola, una Bernardelli vecchio modello che passa al compagno che gli siede accanto. Ma mentre sta riabbassando il cane dopo aver messo il colpo in canna, fa una mossa sbagliata e parte un colpo: il proiettile lo ferisce al mignolo di una mano e alla coscia, che comincia a sanguinare.

Nonostante il dolore, Bruno riesce a guidare fino a casa del compagno, che nel frattempo è andato ad avvisare gli altri. Poco dopo arriva un infermiere amico di un amico, il quale si rende conto che l'arteria femorale è rimasta illesa e quindi non c'è pericolo di vita. Il giorno successivo un compagno medico emette il suo verdetto: Bruno non rischia niente, bisogna solo aspettare che si rimargini la ferita.

Bruno va a passare la convalescenza a casa di Anna Laura, una giovane compagna con la quale è nato un legame affettivo. Lalla, come la chiamano tutti, è affascinata da quel ragazzo cosí deciso e convinto della possibilità della rivoluzione. Ed è attratta dai suoi discorsi, oltre che dal suo fascino, fino a farsi coinvolgere nei progetti politici e militari che sostiene con tanto ardore.

L'antifascismo militante è rimasto ancora uno dei principali impegni, soprattutto dopo le rivelazioni sul fallito golpe tentato dal principe Junio Valerio Borghese. Gli scontri coi camerati nel quartiere e in diverse zone della città proseguono a ritmo quasi quotidiano, e in alcune occasioni gli assalti vengono pianificati con cura. Come quando il Co. Co. Ce. e altri comitati della zona sud di Roma decisero di celebrare il 25 aprile del 1974 mettendo a ferro e fuoco la solita sezione missina del Prenestino. A difenderla trovarono le «squadracce fasciste» armate di tutto punto, ma Bruno e i compagni avevano organizzato una tenaglia nella quale i picchiatori neri rimasero intrappolati.

Ci furono corpo a corpo violentissimi, coi fascisti che cercavano riparo nella chiesa o sotto le macchine. I giovani rivoluzionari di Centocelle si sono sentiti piú forti, portatori di un testimone che non poteva essere lasciato cadere con la crisi dei gruppi.

Anche per questo, insieme a quelli dell'Autonomia operaia organizzata, hanno aderito a una sorta di organismo unitario dei vari comitati chiamato «Assemblea cittadina». E nel dicembre del 1974 decidono che pure la gente dei quartieri popolari ha diritto ai pranzi e alle cene di Natale e Capodanno, al pari dei ricchi borghesi.

Nasce cosí l'idea di una grande spesa proletaria e di massa, in un supermercato del quartiere Torrevecchia, a beneficio delle famiglie che per la prima volta partecipano direttamente a un'azione illegale.

Seghetti e i membri del Co. Co. Ce. si preoccupano di controllare e disattivare, al momento opportuno, il centralino telefonico per non far scattare allarmi. Altri hanno il compito di sorvegliare le impiegate delle casse.

Mamme e papà arrivano alla spicciolata, entrano e cominciano a riempire normalmente i carrelli della spesa. Quando dagli scaffali sono stati prelevati tutti i generi alimentari che è possibile portare via, arriva il segnale convenuto. Le donne e gli uomini che hanno fatto la spesa si dirigono contemporaneamente verso le casse, Bruno e i suoi staccano la linea telefonica, i compagni piazzati ai varchi d'uscita tirano fuori bastoni e bottiglie molotov per far desistere le cassiere da qualunque tentativo di reazione.

Le persone coi carrelli pieni escono senza che nessuno nemmeno provi a bloccarle, e quando tutti sono al sicuro con le provviste, anche i compagni tolgono il disturbo. La polizia arriverà solo a «rapinatori» dileguati.

– Ma non è una rapina, è una spesa proletaria! – avevano gridato prima di andarsene.

Sono iniziative come questa, o quelle contro i fascisti, a tenere vivo ciò che resta del movimento del Sessantotto. Un modo per sopravvivere al riflusso dei «movimenti di massa», in attesa di una nuova ondata che faccia risalire le «istanze rivoluzionarie».

Sarà questa «rete di nuclei illegali», attraverso l'attività di comitati e collettivi, il retroterra che qualche anno piú tardi troverà il movimento del Settantasette, al momento della sua esplosione.

Per chi le organizza non si tratta di azioni estemporanee, ma di una «prassi» che s'intreccia con le valutazioni sulla situazione politica passata e presente.

– La crisi dei gruppi, – sostiene Bruno nelle discussioni, col linguaggio involuto tipico di certe analisi politiche estremiste, – s'è verificata proprio per l'incapacità di rappresentare a livello generale le tensioni e le lotte che hanno sedimentato, nelle fabbriche e nei quartieri, una presenza politica organizzata in grado di conquistare rapporti di forza favorevoli e garantire vittorie parziali su questioni immediate, come quelle che siamo in grado di ottenere oggi.

Il problema che si pone, per il futuro, è di non fermarsi alle vittorie parziali.

Il 1975 è l'anno in cui nelle grandi città vanno al potere le giunte rosse. Il Pci è partito di governo non piú solo nelle regioni dove tradizionalmente ottiene la maggioranza dal dopoguerra, ma anche nelle metropoli guidate fino ad allora da coalizioni nelle quali comandava la Democrazia cristiana. Roma compresa.

Nello stesso anno approda nella capitale un dirigente nazionale delle Brigate rosse, con lo scopo di impiantare una struttura dell'organizzazione nella città del potere. Il suo nome di battaglia è «Maurizio», e insieme a due compagni dell'organizzazione comincia a prendere contatti per studiare il contesto romano e capire a chi ci si può rivolgere per avvicinare nuovi militanti.

Le Br hanno deciso di «attaccare il cuore dello Stato», e non possono che farlo dalla città dove lo Stato «risiede». Perciò hanno bisogno di espandersi nella capitale. I compagni del movimento romano che ormai da tempo non solo discutono ma hanno cominciato a praticare la lotta armata, si rendono conto di questa improvvisa presenza attraverso vari segnali.

Il primo è un'azione attribuita alle Br, seppure di modesta entità, contro un mezzo dei carabinieri, realizzata nell'ambito di una campagna nazionale contro le strutture dell'Arma. Il secondo è un contatto diretto di Maurizio e alcuni suoi emissari con un gruppo di compagni, anch'essi provenienti da Potere operaio, che però non hanno ancora le capacità operative per azioni di un certo rilievo. Per questo, quando ricevono dalle Br l'incarico di «espropriare» un'armeria, chiedono aiuto al gruppo di Morucci e Seghetti che mette a disposizione un'auto rubata e un equipaggio di copertura.

Per Seghetti la decisione delle Br di piantare le tende a Roma è l'occasione che aspettava da tempo. A febbraio ha brindato con Luigi in un bar di largo Argentina alla notizia dell'evasione di Renato Curcio dal carcere di Casale Monferrato. E a giugno è andato a comprare le bombolette di vernice spray per coprire i muri del Forte Prenestino di scritte inneggianti a Mara Cagol, uccisa dai carabinieri alla cascina Spiotta.

L'ha fatto da solo, anche perché da qualche tempo è entrato in disaccordo con Pecos sulla guida della loro piccola banda armata. C'è un problema di gestione della cassa e di distribuzione dei ruoli: a Bruno non sta bene che dei sedicenti «capi» si siano attribuiti uno stipendio e la funzione di dirigenti. Non perché anche lui voglia essere pagato, ma per il principio che certe decisioni non possono calare dall'alto.

Il dissidio porta alla fine anche di quell'esperienza, ma molti di coloro che vi hanno preso parte continuano a vagare per i sentieri del movimento dove si seguita a cercare contatti e creare occasioni per prendere parte alla lotta armata.

Bruno andava spesso con Pecos a sparare nei terrapieni di campagna vicino a Ponte Galeria, alle porte di Roma. Si esercitavano tirando contro le carcasse delle macchine abbandonate, facendo attenzione a non incappare nei cacciatori: il contrario di ciò che Bruno farà qualche anno piú tardi, insieme a due militanti delle

Br, quando andrà lí di prima mattina proprio per incontrare dei cacciatori, fingersi un agente della polizia venatoria e farsi consegnare i porto d'armi necessari per acquistare delle munizioni.

Anche adesso Seghetti ritorna ogni tanto a Ponte Galeria, per far addestrare i compagni piú giovani che continuano a circolare nel quartiere di Centocelle. La sede del Co. Co. Ce. ha chiuso i battenti, ma tutti sanno che non è affatto chiusa l'aspirazione di chi la frequentava di diventare guerriglieri a tempo pieno. E le esercitazioni continuano.

Un pomeriggio Bruno sta sparando con un fucile a pompa, accanto a lui altri stanno provando qualche pistola, quando il compagno messo di vedetta avverte dell'arrivo di una macchina. Tutti si bloccano, mettono via le armi, si fanno da parte per evitare di dover fornire spiegazioni imbarazzanti. La macchina prosegue verso di loro, facendo crescere ansie e sospetti.

Quando ormai li ha raggiunti, ma non accenna a fermarsi, Bruno guarda dentro e riconosce una delle due persone a bordo: è Pecos, seduto accanto a un uomo che non ha mai visto prima. Bruno fa finta di niente, Pecos non batte ciglio e prosegue. Per Seghetti è la riprova che anche Morucci non ha abbandonato l'idea della lotta armata. Anzi, in giro si dice che sia entrato in contatto diretto con le Br, qualcuno sostiene che è già stato reclutato.

Bruno ancora non lo sa, ma il signore che stava in macchina con Pecos è Maurizio, il dirigente venuto dal Nord per trasferire a Roma la stella a cinque punte chiusa nel cerchio.

Il progetto brigatista, per il momento, non prevede la creazione di una colonna cittadina come quelle operanti a Milano e Torino, bensí di coltivare una rete di simpatizzanti sui quali poter contare per esigenze logistiche, come la disponibilità di appartamenti o macchine. L'azione con cui le Br si presenteranno a Roma col proprio marchio di fabbrica, contro l'auto di un consigliere circoscrizionale della Dc a Centocelle, avverrà vicino alla casa dove Bruno Seghetti è cresciuto. Ma con quello specifico attentato, ironia della sorte, lui non avrà a che fare.

È all'inizio del 1976 – quando le Br hanno sancito una sorta di alleanza politico-operativa con i Nap, autori del sequestro del direttore generale delle carceri Di Gennaro – che Morucci incontra Maurizio. Insieme discutono a lungo del ruolo che Pecos può rivestire nell'organizzazione. I simpatizzanti sono rimasti fuori dalle Br, lui invece potrebbe entrare come responsabile del settore logistico, considerata la conoscenza della città e l'esperienza accumulata in tanti anni di attività illegale, anche armata.

L'ingresso ufficiale di Morucci nelle Br avviene dopo qualche mese, nello stesso periodo in cui si pianifica la campagna brigatista contro la Democrazia cristiana, il partito-Stato da aggredire per portare l'attacco frontale al potere costituito. Quella Democrazia cristiana che, dopo la vittoria elettorale del 1976 coincisa col miglior risultato mai conseguito dal Pci, grazie alla mediazione di Aldo Moro ha avviato la stagione dei governi con la non-opposizione dei comunisti. L'esecutivo «monocolore» guidato da Giulio Andreotti, infatti, nasce e può lavorare grazie all'astensione del Pci in Parlamento.

E pensare che ai festeggiamenti di giugno per la grande avanzata del partito, sotto la sede di via delle Botteghe oscure, avevano partecipato anche alcuni militanti della lotta armata. Discutevano se il Pci, dopo un risultato che aveva portato la sinistra vicino al cinquanta per cento dei voti, non avrebbe lasciato cadere la proposta del «compromesso storico» per aderire alla proposta dell'alternativa caldeggiata dal Psi e da ciò che rimaneva dei gruppi extraparlamentari.

Si erano chiesti che cosa fare, in una simile eventualità, e la mente era tornata al Cile di Unidad Popular, e al ruolo che aveva svolto il Mir, Movimiento Izquierda Revolucionaria.

– Non possiamo fare la fine di Allende e del Mir, – dicevano tutti.

– Proprio per questo dobbiamo continuare a combattere come se nulla fosse cambiato, – aggiungevano quelli che già prefiguravano un Pci «guardiano dello Stato».

– Ci troveremmo davanti a un'importante novità, – ribattevano altri, – con la quale dovremmo confrontarci. Mantenendo comunque le strutture organizzate e clandestine, visto com'è andata in Cile.

– In fondo, – aveva aggiunto qualcuno, – chi s'è avvantaggiato politicamente della nuova situazione di illegalità diffusa non sono i gruppi che hanno presentato le loro liste alle elezioni, ma proprio il Pci. Prima o poi potrebbe diventare possibile coinvolgere almeno una parte nell'ipotesi rivoluzionaria, soprattutto tra i militanti di base.

Ma il Pci ha scelto una strada differente, bollata come «abbraccio mortale con la Dc, il nemico storico della classe».

Agli occhi di chi da anni batte le strade della sinistra extraparlamentare, discettando di rivoluzione e lotta armata, l'alchimia politica chiamata «non sfiducia» è solo la conferma che le vie legali alla conquista del potere sono definitivamente interdette. Bruno Seghetti la pensa cosí, sollecitato dall'ultima voce raccolta nei meandri piú sommersi del movimento: le Brigate rosse sono sbarcate a Roma, e hanno arruolato un suo vecchio compagno d'armi come Pecos. Per il rivoluzionario di Centocelle è arrivato il momento di bussare alla porta dell'organizzazione clandestina.

Bruno incontra Valerio Morucci, che ora si chiama «Matteo» ed è un brigatista a tempo pieno, nell'estate del 1976 in piazza del Popolo. I due passeggiano parlando di quello che sono le Br a Roma e di ciò che dovranno essere, secondo le intenzioni della Direzione nazionale.

– Ancora non c'è quasi niente, – avverte Morucci, – solo qualche compagno disponibile, alcuni arruolati e altri da arruolare.

Insieme a lui è entrata in clandestinità anche Adriana Faranda, sua compagna nell'attività politica e nella vita. Morucci avrebbe voluto portare nelle Br tutto il suo gruppo precedente, ma le regole dell'organizzazione impongono ingressi singoli e molto selezionati. Cosí, dopo la coppia e qualche altro reclutato da Maurizio, ora tocca a Bruno. Il rivoluzionario di Centocelle decide di salire sul carro del «partito» chiamato Brigate rosse. Dopo un breve periodo da «irregolare», nel quale si limita a qualche operazione di fiancheggiamento, diventa un «regolare», però legale. Vuol dire che mantiene la sua identità ufficiale, senza nascondersi nella clandestinità.

Il suo nome di battaglia è «Claudio», d'ora in avanti porterà sempre con sé anche un documento con false generalità, in caso di bisogno. Continua a vivere normalmente, dormendo a casa di Anna Laura dove s'è trasferito. Lalla intuisce la nuova avventura in cui s'è lanciato il suo ragazzo e accetta di condividerla.

Dopo l'incontro con Morucci, a Seghetti vengono fissati nuovi appuntamenti «strategici» dai due militanti delle Br venuti a Roma con Maurizio. S'incontrano ancora in piazza del Popolo, in via della Conciliazione e in diverse strade del centro, dove meglio ci si può mescolare alla gente che non pensa alla rivoluzione. Discutono dei documenti che le Br continuano a sfornare, di come mettere in piedi una vera e propria colonna romana. Con l'ingresso dei nuovi compagni, infatti, l'idea di colpire nella capitale attraverso militanti arrivati da fuori e sostenuti dalla rete dei simpatizzanti è stata abbandonata per creare una struttura permanente costituita da «regolari» e «irregolari» che possano garantire una presenza costante delle Br in città.

Claudio diventa una delle principali pedine del nuovo progetto, grazie alla sua conoscenza del movimento romano. Nessuno meglio di lui è in grado di dire dove le Br possono andare a pescare, in quali ambienti la propaganda può avere successo, quali obiettivi si possono individuare in questo o quel quartiere. Lui stesso, una volta entrato, si preoccupa di contattare e arruolare nuovi brigatisti o fiancheggiatori. Forte dell'esperienza e della pratica accumulata negli ultimi anni, contribuisce contemporaneamente ad allargare le disponibilità logistiche dell'organizzazione.

Appena entrato gli affidano il compito di affittare una nuova «base», e lui – con la copertura fornitagli dall'impiego ufficiale di argentiere – entra nell'appartamento di Borgo Vittorio; un monolocale al piano terra con angolo cottura e soppalco che funge da camera da letto. All'appuntamento col proprietario si presenta con la valigetta di rappresentanza piena del campionario di oggetti della bottega del fratello. L'uomo non immagina che sta mettendo a disposizione delle Br un altro covo. Intasca l'affitto anticipato di qualche mese, naturalmente in «nero», e se ne va soddisfatto.

La Direzione delle Br ha già programmato una serie di azioni che dovranno suggellare l'attacco alla Democrazia cristiana. Ma sono state rinviate per consentire la costituzione della colonna romana.

Da «regolare», Seghetti percepisce lo stipendio riconosciuto ai militanti che lavorano a tempo pieno per la causa. E lui, tornato dalle vacanze dell'estate 1976 trascorse come sempre tra ostelli e campeggi in Sardegna, a Carloforte sull'isola di San Pietro, è diventato un «rivoluzionario di professione». Cambiando poche abitudini, tra le quali il modo di vestire: anche lui ha smesso l'eskimo e i capi un po' trasandati tipici dei giovani dell'estrema sinistra, sostituendoli con anonimi completi piccolo borghesi. Non certo perché investito dal riflusso, com'è capitato ad altri, ma per obbedire a una delle prime regole di comportamento imposte dalle Br.

A parte le discussioni con Morucci, Faranda e i compagni calati dal Nord, Claudio trascorre le sue giornate occupandosi delle esigenze logistiche, delle inchieste su futuri obiettivi e contattando persone che possano ingrossare le file delle Br, o comunque fornire degli appoggi.

Claudio e gli altri neobrigatisti sono incaricati di accumulare e tenere in consegna le macchine dell'organizzazione, acquistare e custodire armi, gestire le «basi». Le auto rubate vengono ritargate con un metodo piú avanzato rispetto all'incollatura di pezzi di targhe diverse, praticata dai gruppi in cui Bruno ha militato in precedenza. Le Br sono in grado di produrre targhe nuove di zecca, applicate alle auto insieme ai contrassegni di bolli e assicurazioni.

Con la nuova identità in apparente perfetta regola, le macchine brigatiste sono parcheggiate in strade tranquille della città e spostate ogni due o tre giorni.

Man mano che la colonna cresce, poi, si acquistano – al mercato dell'usato – dei motorini che consentono spostamenti piú rapidi in città e minori rischi di controlli.

Claudio utilizza spesso una Vespa 50 per muoversi e giungere puntuale agli appuntamenti; quelli coi militanti dell'organizzazione, quelli con chi aspira ad entrare, quelli con chi non ci pensa nemmeno ma sarebbe un buon acquisto. Lui conosce passato e presente di gran parte dei compagni del movimento romano. Quando le Br vogliono sapere qualcosa di qualcuno si rivolgono a Claudio, e viceversa: se qualcuno del movimento vuole tentare di avvicinarsi alle Br e all'ambiente piú vicino alla lotta armata, si rivolge a Seghetti. Anche se lo conosce come Bruno, e non ancora come Claudio.

Il neoreclutato si trasforma cosí in reclutatore, oppure in colui che deve allontanare chi non è piú ritenuto in grado di rimanere nell'organizzazione. Accade con un militante di Ostia, che in passato ha avuto qualche problema con l'eroina. «Un bravo compagno», è la definizione che ne dànno tutti, ma quando ci si rende conto che è tornato a bucarsi non resta che metterlo fuori.

Una decisione faticosa, per la persona che ne deve fare le spese e perché può apparire conseguenza di un moralismo un po' borghese che non appartiene alle Br, e tanto meno a Claudio. Solo che un «partito» armato e combattente non può permettersi di arruolare chi non è completamente affidabile, sotto ogni punto di vista. E chi ha a che fare con la droga non lo è.

Padrone di «farsi» con tutto ciò che vuole, polvere o erba che sia, ma fuori dalle Brigate rosse. Il problema di un'organizzazione rivoluzionaria non può certo essere lo «sballo» dei suoi militanti. Ci sono ben altre questioni da affrontare e risolvere.

A Milano, il 15 dicembre del 1976, è «caduto» il compagno Walter Alasia, intercettato dai poliziotti mentre era a far visita ai genitori. Prima di essere ucciso dal fuoco delle forze dell'ordine è riuscito a sparare ammazzando due sottufficiali.

La morte di Alasia richiama tutti alla necessità di muoversi con la massima attenzione e cautela. Anche Claudio, che da quando è diventato un brigatista «regolare» ha tagliato i contatti con la famiglia, ma continua a frequentare gli ambienti antagonisti. Un po' perché il suo essere rivoluzionario ha senso in quanto proviene e vuole rimanere immerso in quel mondo, un po' perché lo richiede il suo ruolo all'interno dell'organizzazione. Tuttavia le precauzioni sono aumentate, ed è costretto a muoversi cercando di «spedinare» eventuali inseguitori, facendo lunghi giri prima di rientrare a casa e tenendo sempre con sé una pistola pronta all'uso. Durante la sua militanza brigatista ne proverà di ogni tipo e modello, dalla Beretta 34 alla 92, dalla Walter Pkk a uno strano esemplare tedesco che lui chiama «la motocicletta», una Henker & Koch con la canna di una 7,65 parabellum e il cane che sembra il pedale d'accensione di una moto.

Il 12 gennaio del 1977, a Genova, le Br rapiscono l'armatore genovese Piero Costa, giovane rampollo di una delle principali famiglie industriali della città ligure. È un buon colpo per l'autofinanziamento dell'organizzazione. Il sequestro frutterà un cospicuo riscatto che verrà pagato a Roma. Parte resterà alla colonna romana, insieme al sospetto che le banconote siano state cosparse di una polverina invisibile per renderle fluorescenti al controllo. Per sicurezza, su consiglio di un compagno laureato in chimica, i brigatisti le laveranno una a una.

Un mese dopo, 13 febbraio, un commando brigatista spara sette colpi di pistola alle gambe dell'ispettore generale del ministero di Grazia e giustizia Valerio Traversi, delegato al controllo delle carceri che in questo periodo vivono un periodo piuttosto turbolento. Anche a causa della presenza, dietro le sbarre, dei primi terroristi arrestati.

Il funzionario abita in una palazzina annessa al vecchio penitenziario di Regina Coeli, a poca distanza dal Vaticano e dalla «base» di Borgo Vittorio affittata da Seghetti. L'obiettivo è stato indicato dal «fronte carceri» delle Br. Ricevuto l'indirizzo, un gruppo di compagni, tra cui Claudio, svolge una rapida inchiesta sui movimenti e le abitudini di Traversi.

Decidono di colpire di domenica, giorno di festa e di calcio, col campionato di serie A che vede il duello al vertice tra Torino e Juventus; nel pomeriggio i bianconeri affronteranno la Lazio, mentre i granata se la vedranno a Genova con la Sampdoria. Piove. Sulle prime pagine dei giornali ci sono gli echi delle violenze colorate di politica che da settimane si ripetono in molte città, a cominciare da Roma dove gli studenti occupano da dieci giorni l'università La Sapienza. Il governo Andreotti, tenuto in piedi dall'astensione del Pci, sta cercando la via per affrontare una crisi economica della quale non riesce ad avere ragione. Dentro il palazzo della politica i repubblicani di Ugo La Malfa accusano l'esecutivo di non avere sufficiente coraggio per ridurre il costo del lavoro e il disavanzo pubblico; fuori si susseguono le proteste e le manifestazioni di piazza contro «l'attacco alla scala mobile e la politica antioperaia di Andreotti». A Roma i neofascisti hanno sparato alcuni colpi di pistola davanti a un liceo di periferia, mentre nel carcere di Firenze è scoppiata una rissa tra alcuni detenuti aderenti ai Nap e altri di estrema destra.

L'episodio è avvenuto nella notte di sabato, e probabilmente se ne dovrà occupare anche l'ispettore Traversi, che l'indomani esce verso le 8,30. Come tutte le domeniche passa a piedi il ponte sul Tevere, compra il giornale all'edicola della piazza dove nei giorni feriali c'è il mercato, si ferma al bar per bere un caffè e si riavvia verso casa. Alle sue spalle sbucano una donna e un uomo. Lei lo chiama, mentre il suo compagno gli scarica sette colpi di pistola nelle gambe.

Traversi cade a terra e comincia a urlare, per il dolore e per invocare aiuto. L'uomo e la donna salgono su una Fiat 128 che si allontana lungo via Giulia.

Negli uffici della polizia politica, in Questura, c'è un clima euforico: da poche ore è stato arrestato in un covo vicino al Campidoglio la «primula nera» Pierluigi Concutelli, un estremista di destra già militante di Ordine nuovo e presunto assassino del magistrato romano Vittorio Occorsio, ucciso il 10 luglio 1976. Concutelli aveva con sé un vero e proprio arsenale ma non è riuscito a sparare nemmeno un colpo. S'è arreso limitandosi a inscenare il saluto romano davanti a poliziotti e fotografi. La soddisfazione degli investigatori è bruscamente interrotta dalla notizia dell'agguato contro Traversi.

Le volanti si precipitano sul luogo del nuovo attentato, ma l'unico risultato sarà il ritrovamento, di lí a poco, dell'auto rubata usata dai terroristi in fuga. L'ispettore del ministero è già in ospedale, sotto i ferri, quando al centralino dell'agenzia Ansa arriva una telefonata: – Qui Brigate rosse. Rivendichiamo l'attentato contro Valerio Traversi. Nei prossimi giorni vi faremo avere un comunicato.

Sarà un volantino di due pagine, nel quale sono analizzate in dettaglio mansioni e «responsabilità» di Traversi e viene lanciata la campagna brigatista contro il carcere, «ultimo anello dell'apparato repressivo che rappresenta uno dei poli politici decisivi nella ristrutturazione controrivoluzionaria dello Stato».

Tra gli slogan che chiudono il comunicato ce n'è uno che invita a «costruire l'unità del movimento rivoluzionario nel partito combattente». Poi l'avviso:

> I trattamenti speciali cui sono sottoposti i membri della nostra Organizzazione e le altre avanguardie rivoluzionarie rinchiusi nelle carceri di regime devono cessare. Se cosí non sarà, a tempo opportuno risponderemo con la rappresaglia sui diretti responsabili.

Infine la firma: «Per il comunismo, Brigate rosse».

Si respira un'aria pesante, nel Paese e a Roma in particolare, quando le pallottole sparate contro l'ispettore Traversi annunciano la presenza del «partito combattente» in città. Un'aria pesante ma euforica per un militante come Bruno Seghetti, entrato nell'organizzazione clandestina dopo aver passato anni a darsi da fare affinché tornassero a soffiare i venti di rivolta. Ora sembra davvero di assaporare quel clima insurrezionalista che Bruno auspicava e che, diventato Claudio, lo convince ancor piú sulle possibilità di successo della rivoluzione.

Con l'inizio di febbraio s'è aperto il «ciclo di lotte» che passerà alla storia come «il Settantasette», riedizione aggiornata e corretta del tanto celebrato Sessantotto. Per il rivoluzionario di Centocelle è la scintilla che può provocare l'incendio.

Il primo giorno del mese, alla Sapienza, è convocata l'assemblea del Comitato di lotta contro la circolare

Malfatti, il provvedimento con cui il ministro della Pubblica istruzione ha abolito la liberalizzazione dei piani di studio. Ma la riunione è interrotta dall'irruzione di un gruppo di neofascisti che lanciano bottiglie molotov e sparano alcuni colpi di pistola. Uno prende alla nuca lo studente di ventidue anni Guido Bellachioma, ricoverato in fin di vita al Policlinico.

La prima, immediata risposta è l'attacco a una sezione missina dalle parti dell'università e l'occupazione della facoltà di Lettere, alla quale è iscritto Bellachioma. Per il giorno seguente è indetta una «mobilitazione antifascista» generale.

L'appuntamento, mercoledí 2 febbraio, è di nuovo alla Sapienza. Il corteo di migliaia di persone si muove per i viali dell'università, poi si dirige verso il Policlinico, e a fine mattinata alcune centinaia di «autonomi» coi volti coperti da sciarpe, fazzoletti e passamontagna si organizzano per «chiudere col fuoco» la sede del Fronte della gioventú di via Sommacampagna. Qualcuno ha portato le armi «per difendere l'illegalità dell'iniziativa».

Dopo l'assalto al «covo» neofascista, gli scontri proseguono verso piazza Indipendenza. Cominciano a sparare le pistole. Quelle dei manifestanti e quelle dei poliziotti in borghese, scesi da un'auto civetta che ha cercato di spezzare il corteo. Nel conflitto a fuoco rimangono feriti un agente, due studenti, un vigile urbano e l'autista di un autobus.

L'agente, colpito alla testa, viene ricoverato in gravi condizioni, cosí come i due manifestanti centrati alle braccia e alle gambe, piantonati dalla polizia prima in sala operatoria, poi nei letti d'ospedale. Uno era armato di una 38 Smith & Wesson, l'altro aveva in tasca il caricatore di una 7,65; poco distante c'era a terra una pistola dello stesso calibro.

Incidenti e assemblee vanno avanti fino a sera. Il ministro dell'Interno Francesco Cossiga è chiamato a riferire in Parlamento, mentre il senatore del Pci Ugo Pecchioli, responsabile comunista per i problemi della sicurezza, dichiara a «l'Unità»: «Il raid dei fascisti del Msi all'università e le violenze dei provocatori cosiddetti autonomi sono due volti della stessa realtà».

Bruno Seghetti, da brigatista tuttora immerso nelle acque piú agitate del movimento, sa bene che quel corteo «armato e autodifeso» era stato pianificato dai resti del Lapp, il gruppo da cui prima lui poi Morucci erano usciti, secondo una logica che appariva impraticabile considerati i rapporti di forza in campo. Non a caso lui ha fatto una scelta diversa, diventando un componente della Direzione di colonna delle Br. Tuttavia nelle discussioni coi compagni, dentro e fuori le Brigate rosse, non nasconde l'interesse per ciò che emerge dalle assemblee e dalle piazze.

– È l'esplosione di massa che aspettavamo dalle ultime manifestazioni dei primi anni Settanta, – ripete a chi gli chiede lumi su ciò che sta avvenendo, – alla quale abbiamo lavorato con le occupazioni delle case, le autoriduzioni, l'intervento nei quartieri e nelle scuole, le tante azioni contro la Dc. Ora finalmente è arrivata. Stavolta però, insieme al clima insurrezionale c'è una proposta organizzativa seria e credibile di lotta armata. Dobbiamo saper sfruttare l'occasione.

L'esplosione prosegue con piccoli fuochi quotidiani, che incendiano le sedi dei gruppi contrapposti e i discorsi coi quali ci si accusa tra destra e sinistra e all'interno della sinistra. Le polemiche degli autonomi contro il Pci che appoggia la «repressione del governo democristiano» investono anche i sindacati confederali e i reduci dei gruppi extraparlamentari che hanno dato vita ai partitini come il Pdup, Avanguardia operaia e le varie formazioni raccolte nei «cartelli» di Democrazia proletaria e della Nuova sinistra unita.

Alla contestazione dura e perfino armata si somma quella irridente ma ugualmente radicale degli «indiani metropolitani», la cosiddetta ala creativa del movimento. Nei cortei, agli slogan classici contro il governo, i fascisti e la Dc si aggiungono quelli che contestano la sinistra istituzionale: «Compagno Berlinguer, | non lo scordare mai, | o stai con la Dc | o stai con gli operai», «Lama, attento, | ancora fischia il vento», «Provocatori sono | Pci e sindacato, | che pieni di paura | invocano lo Stato». Poi quelli quasi surreali degli «indiani»: «Viva viva la Dc, | carri armati anche qui», «Pecchioli, Pecchioli, | quanto sei bello | vestito da tenente colonnello».

Ma sempre piú spesso, all'improvviso e solitamente dalla coda delle manifestazioni, si levano anche grida d'incitamento alla lotta armata: «Rosse, rosse, rosse, | Brigate rosse», «Contro la Dc, | contro il fascismo, | lotta armata | per il comunismo».

Alle parole c'è chi vuole far seguire i fatti, e tra gli animi piú accesi del movimento si vagheggia di liberare Paolo e Daddo, i compagni feriti e arrestati in piazza Indipendenza. Tentativo nemmeno immaginato troppo sul serio, anche su consiglio di chi è piú avvezzo a pratiche guerrigliere e intuisce che si andrebbe incontro a un inesorabile fallimento.

In un'assemblea, la prima volta che compaiono i volantini delle Brigate rosse, al termine di una animata disputa si decide di leggerli dal palco, come fossero dei normali interventi. Successivamente, vista la frequenza dei loro ritrovamenti all'università, ognuno li leggerà per conto suo. I brigatisti cresciuti in quell'atmosfera, come Seghetti e i reclutati nella neonata «brigata universitaria», ritengono un successo che le tesi dell'organizzazione vengano diffuse e dibattute dalla «propria» gente.

Anche dentro le Br si discute di che cosa rappresenta l'ondata del Settantasette, e che cosa ne può nascere. Qualcuno, tra i piú ortodossi, la considera espressione di un sommovimento sterile e piccolo borghese, destinato a morire alla stessa velocità con cui è nato. Qualcun altro, e tra questi Claudio, ribatte che solo chi non conosce certe «realtà sociali» può snobbarle e guardarle con sufficienza; al contrario, le Br devono continuare nella loro linea di «attacco al cuore dello Stato», ma cercando di interpretare e assorbire ciò che di positivo arriva dalla massa – soprattutto studentesca – che s'è messa in moto.

Le Br non vedono naturalmente di buon occhio l'idea di portare lo scontro armato in piazza sempre e comunque. La linea prescelta rimane quella dei nuclei che, attraverso le brigate di zona, agiscono sulla base delle decisioni prese dall'organizzazione. Claudio si attiene alle disposizioni stabilite nel chiuso dei suoi organismi dirigenti, ma allo scoccare degli appuntamenti importanti torna tra i compagni che frequentava quando era semplicemente Bruno, per rigenerarsi all'aria aperta della rivolta collettiva.

Per giovedí 17 febbraio è annunciato, sul piazzale principale dell'università occupata, un comizio del segretario della Cgil Luciano Lama. Il giorno precedente, dal comunicato stilato al termine dell'assemblea studentesca è partito un avvertimento: «Se crede di venire per fare un'operazione di polizia, il movimento saprà rispondergli in modo adeguato».

Alle 7 del mattino, due ore prima del comizio, i viali della Sapienza hanno un aspetto insolito: tutte le scritte contro il Pci e la Cgil sono state cancellate da solerti imbianchini di partito e sindacato. I servizi d'ordine sono già schierati, fuori e dentro i cancelli, a protezione del camioncino sul quale salirà il segretario generale.

Per i compagni dell'occupazione, e per Seghetti che è già in strada al loro fianco, è il primo segnale della provocazione. Poco piú tardi, quando i cordoni dei servizi d'ordine e dei contestatori si fronteggiano a pochissima distanza gli uni dagli altri, le facce che fino a pochi anni prima stavano dalla stessa parte nei picchetti operai e antifascisti si guardano in cagnesco, schiumando rabbia e insulti.

Quando Lama comincia a parlare, comincia anche la contromanifestazione degli «indiani metropolitani». Prima coi soliti slogan, «Sceeeemo, sceeeemo» e «Via, via la nuova polizia», poi con il lancio di palloncini pieni di acqua e vernice. Il servizio d'ordine risponde facendo avanzare il proprio muro, qualcuno «spara» la schiuma di un estintore per disperdere i contestatori. Ma dietro i volti mascherati e dipinti dell'ala creativa compaiono quelli coperti e travisati dei «duri» dell'autonomia, armati di spranghe e sampietrini.

Volano bastoni e sassi da una parte e dall'altra. Lama è costretto a interrompere il comizio e ad andarsene da un'uscita secondaria, il camioncino rimasto sguarnito è preso d'assalto e distrutto. È il momento dei disordini piú violenti, ai quali partecipano anche Seghetti e i neoacquisti delle Br, le facce nascoste da fazzoletti e passamontagna, gli animi in subbuglio e però entusiasti di coniugare la militanza in una formazione clandestina con un moto di piazza.

A fine mattinata i militanti del Pci e della Cgil lasciano l'università, nel pomeriggio arrivano i blindati di polizia e carabinieri. Per i sostenitori della rivolta è il segno della continuità e contiguità tra una struttura e l'altra, che rende impraticabile ogni ipotesi di alternativa non violenta all'alleanza tra la Dc e la vecchia opposizione. All'assemblea che si tiene in serata alla Casa dello studente, in un'atmosfera di euforia come dopo una battaglia vinta, Seghetti riconosce un paio di compagni della sezione del Pci di Centocelle. Sono venuti per strappare pubblicamente la tessera del partito. Non sceglieranno come lui la lotta armata, ma è una scena che lo rende consapevole della spaccatura ormai insanabile che s'è creata tra il Pci e il movimento. Una rottura che si consumerà fin dentro la classe operaia, all'interno dei quartieri e nelle stesse famiglie.

Per Claudio il Pci si sta facendo «poliziotto», «garante della Dc e dei padroni contro altri operai comunisti».

Nei commenti a ciò che vede personalmente o legge sui giornali, le iniziative antiterrorismo del partito diventano «schedature nei posti di lavoro degli operai piú combattivi, degli stessi militanti del Pci o dei sindacalisti in odore di dissidenza, mentre agli altri si chiede di fare la spia denunciando i sospetti. Cosí si instilla l'odio all'interno della classe operaia».

Anni dopo, questo clima porterà all'omicidio dell'operaio dell'Italsider Guido Rossa, sindacalista e militante del Pci, seguito dal suicidio dell'operaio della stessa fabbrica Francesco Berardi, militante delle Br.

– Una triplice tragedia operaia, – commenterà il brigatista Seghetti. – La prima sta in un atto inconcepibile all'interno della tradizione operaia: la denuncia alla polizia di un compagno di lavoro che aveva distribuito volantini delle Br. La seconda è una morte non voluta, visto che l'esecutivo delle Br aveva ipotizzato una «gogna», come nella tradizione della Resistenza, o un ferimento, ma non l'omicidio. La terza, il suicidio in carcere del compagno Berardi. Il costo politico pagato dall'organizzazione per quell'errore è enorme.

Per tutta la primavera di un Settantasette cosí veloce e tumultuoso, assemblee e manifestazioni si susseguono quasi senza interruzioni. Le giornate di Claudio sono divise tra il lavoro della colonna brigatista (appuntamenti «strategici», incontri con nuovi arruolati o aspiranti tali, inchieste per futuri attentati, reperimento di armi, auto e documenti, volantinaggi e iniziative di propaganda, partecipazione alle azioni) e le apparizioni all'università di nuovo occupata. La sera, compiuti i doveri della militanza clandestina, arriva dalle parti dell'ateneo, parcheggia la macchina, infila la pistola nel borsello, la nasconde sotto il sedile, scende e va a discutere coi compagni d'un tempo. Qualcuno sa della sua scelta, qualcun altro ne è all'oscuro, altri ancora la immaginano senza chiedere chiarimenti. In ogni caso, nulla gli impedisce di ascoltare – e in qualche occasione di parlare – liberamente.

Succede dopo la manifestazione nazionale del 12 marzo, nella quale sono state assaltate alcune armerie e le pistole sono tornate a sparare. Claudio era lí, in disparte, per vedere quanto succedeva, come alla successiva assemblea nella facoltà di Lettere, che si divide e arriva quasi allo scontro fisico al momento di decidere se i brigatisti detenuti e i militanti arrestati per reati legati all'eversione debbano essere chiamati «prigionieri politici comunisti», come vorrebbe l'Autonomia operaia, oppure «prigionieri comunisti combattenti», come loro si definiscono e chiede chi ha già abbracciato o è in procinto di abbracciare la lotta armata. Alla fine, nel comunicato appare la parola «combattenti».

E succede in aprile, dopo la manifestazione nella quale un proiettile sparato dai dimostranti ha ucciso l'agente di polizia Settimio Passamonti, ventitre anni. Alla Casa dello studente, Seghetti partecipa a una riunione dove, per la prima volta da quando è entrato nelle Br, prende pubblicamente la parola. Non dice di parlare a nome dell'organizzazione, ovviamente, ma quasi tutti i presenti sanno da che parte sta adesso. Prima di lui qualcuno ha proposto di trasformare i prossimi cortei in altrettante occasioni di scontro con le forze dell'ordine, preventivando anche l'uso di armi lunghe. Claudio interviene per contrastare il progetto, contrario alla strategia brigatista che non contempla in questa fase la sollevazione «militare» della piazza.

Nemmeno la linea che poi prevarrà, quella intermedia di colpire obiettivi selezionati a margine delle manifestazioni, lo trova d'accordo. Ma una volta che la decisione è stata presa, accetta di mettere a disposizione del movimento le armi e i compagni della «brigata universitaria» per assaltare una caserma della polizia durante un corteo.

Cosí facendo Claudio trasgredisce le regole brigatiste, come del resto quando decide di scavalcare i cancelli del Palazzo dello sport – rischiando di rimanere coinvolto nei disordini – per entrare a un concerto di Carlos Santana. Lui lo sa, e non lo fa a cuor leggero. È però il suo modo di restare legato all'ambiente dal quale proviene, e per il quale ha deciso di aderire all'organizzazione armata. Solo cosí ha senso, per lui, la militanza clandestina. E grazie alla doppia presenza, nelle Br e nel movimento, riesce a selezionare i compagni e le proposte di avvicinamento al «partito combattente».

C'è perfino qualcuno che tenta di mettersi a tavolino con le Brigate rosse per discutere insieme le strategie. L'idea viene suggerita a Seghetti dai rappresentanti di uno dei tanti comitati rivoluzionari sorti in questo periodo, anch'essi provenienti dalla diaspora di Potere operaio dopo *Il cane e il gatto*. Dicono di avere a disposizione nientemeno che dei kalashnikov, un tipo di arma che ancora manca all'arsenale brigatista, e sono pronti a cederli in cambio di un rapporto politico che consenta loro di incidere sulle scelte future dell'organizzazione. Claudio ascolta con qualche scetticismo, riferisce alla Direzione e torna con la risposta che s'aspettava: se volete venderci i kalashnikov bene, ma niente collaborazione politica. Il dialogo si chiude lí.

Il 12 maggio, quando agenti di polizia in borghese compaiono armati nelle strade dove si svolge una manifestazione vietata per ordine del ministro Cossiga, la morte della studentessa diciannovenne Giorgiana Masi è per Claudio l'ennesima conferma del volto repressivo dello Stato. Ma è pure la conferma che il movimento non disdegna affatto la risposta armata. Anzi, sembrano sempre piú numerosi quelli disposti a organizzarla e trasformarla in qualcosa di meno improvvisato.

– Si stanno verificando, – sostiene Seghetti, soddisfatto di essere protagonista anche della nuova stagione, – le condizioni per mettere in contatto tra loro tutti quei nuclei di compagni che negli anni precedenti hanno sviluppato decine e decine di azioni sui vari terreni di lotta: dalle autoriduzioni all'antifascismo, dal lavoro nero alla casa, dalle battaglie contro il carovita all'antimperialismo. Dall'azione piú eclatante alla bruciatura di una porta.

L'appoggio ormai esplicito di una fetta del movimento a forme di lotta armata spontanee provoca nuovi incidenti e attentati che si contano a decine in tutta Italia. E si mescolano ai ferimenti, gli omicidi e i sequestri di persona messi a segno da Br e Nap; a una congiuntura economica sempre piú difficile che porta a un nuovo accordo sul costo del lavoro tra governo e sindacati; al rinvio a giudizio davanti alla Corte costituzionale degli ex ministri Gui e Tanassi per le tangenti dello scandalo Lockheed.

Il 4 giugno, nel secondo anniversario dell'omicidio di Mara Cagol, un volantino firmato dal Nucleo combattente romano delle Br annuncia nuove azioni e invita i militanti di Autonomia operaia a desistere dall'«ormai inutile scontro di piazza classico, perché di facile repressione e perché pericoloso per i compagni che lo attuano».

Dopo quelli dei primi anni Settanta, si riaffacciano i «comizi volanti» nei mercati rionali, con altoparlanti, bandiere e distribuzione a mano di volantini, a opera delle «brigate». Sono vere e proprie azioni, con tanto di «copertura armata» garantita dai «regolari». E quando davanti a un supermercato sulla via Casilina i brigatisti s'incontrano con alcuni militanti del Pci che diffondono i loro volantini, quelli rimangono esterrefatti ma non troppo sorpresi.

Tra i brigatisti del Nord comincia a svanire la diffidenza nei confronti dei «romani parassiti», fossero pure operai o impiegati nei servizi, che campano sulle loro spalle. E quando piú tardi un operaio della Fiat arruolato nell'organizzazione, Piero Panciarelli, sbarcherà nella capitale per partecipare a un'«azione di autofinanziamento» contro il ministero dei Trasporti, avrà modo di constatare personalmente il «radicamento» dell'organizzazione a Roma, rimanendo entusiasta della discussione tra quindici persone in una trattoria di Testaccio, nella quale i compagni e le compagne raccontano non solo le azioni, ma anche il «lavoro nelle situazioni di classe». Si fermerà alcuni giorni, e se ne andrà con un'idea diversa da quella con la quale era arrivato. Ma i militanti romani non lo rivedranno piú: morirà ucciso, nel marzo del 1980, insieme a tre militanti durante l'irruzione dei carabinieri nel «covo» di via Fracchia a Genova.

A Roma, tra giugno e novembre del 1977, la colonna brigatista nella quale Seghetti ha raggiunto posizioni di vertice firma i ferimenti del direttore del Tg1 Emilio Rossi, del preside della facoltà di Economia e commercio Remo Cacciafesta, del segretario regionale di Comunione e liberazione Mario Perlini e del consigliere regionale della Dc Publio Fiori.

I nuclei armati compaiono all'improvviso – normalmente di mattina presto o quando è già calato il buio, intorno alle abitazioni o ai luoghi di lavoro delle vittime –, colpiscono e rientrano nell'ombra. È cosí che preparano l'operazione ben piú importante e complessa con la quale l'organizzazione ha deciso di alzare il livello dello scontro.

Alla fine del luglio 1977 Claudio torna a vestire i panni di Bruno e parte per una vacanza di mare con Anna Laura, la fidanzata che nel frattempo è stata definitivamente reclutata nelle Br. Vanno come al solito in Sardegna, a Carloforte, ma a parte la militanza politica, tra i due è rimasto ben poco in comune. Lui ha allacciato un nuovo legame, con una compagna che sta passando dai collettivi femministi alle Brigate rosse, e lei ha capito che la loro storia è finita. A causa dei sentimenti che sono mutati, ma anche della rivoluzione che richiede un impegno sempre maggiore e finisce col sacrificare le relazioni private.

Partono insieme, Bruno e Anna Laura, ma tornano

separati. E al rientro a Roma, calatosi nuovamente nel ruolo di Claudio, Seghetti comincia a dedicarsi quasi a tempo pieno a quella che per le Br sarà la «campagna di primavera» del 1978.

L'obiettivo è sequestrare un personaggio politico di primo piano della Democrazia cristiana. I nomi in ballo – da quando se ne parla, prima ancora che il dirigente nazionale delle Br approdasse a Roma – sono due: Giulio Andreotti e Aldo Moro. Qualcuno ha proposto anche Amintore Fanfani, ma le sconfitte subite col referendum sul divorzio e con l'avvento della segreteria Zaccagnini l'hanno tagliato fuori dalla partita politica. Almeno per il momento.

Le prime indagini su Andreotti Claudio le ha svolte quasi per caso, frequentando con Morucci e Faranda una trattoria del centro, a pochi passi dalla casa del leader democristiano, gestita da un compagno di un collettivo autonomo. Piú di una volta hanno mangiato accanto agli uomini della scorta del presidente del Consiglio, armati di tutto punto ma ignari di sedere vicino a brigatisti altrettanto armati che progettavano di farli fuori, se fosse stato necessario.

In quelle occasioni Claudio e i suoi compagni hanno potuto notare che l'auto di Andreotti viaggia preceduta e seguita da due macchine di scorta, e sono tutte blindate. Mezzi inattaccabili, per l'armamento di cui dispongono le Br.

L'unica arma in grado di perforare un vetro blindato sarebbe l'M1, un fucile d'assalto statunitense che Morucci è riuscito a rimediare e si porta dietro da molti anni. Tramite un militante che fa lo steward sui voli intercontinentali, il vecchio Pecos ha trovato pure il modo di far arrivare dagli Usa la scatola di scatto per trasformarlo da «tiro singolo» a «tiro a raffica». Claudio invece ha rimediato da un carrozziere i vetri dei finestrini delle macchine che, incollati insieme, producono l'effetto dei parabrezza blindati.

Nella villetta di Velletri affittata da Seghetti per conto dell'organizzazione hanno provato piú volte a sparare con l'M1 modificato su quei vetri. L'unica conseguenza è stata di scalfirli in qualche punto.

– Meglio lasciar perdere, – hanno concluso. E si sono concentrati su Moro.

Al presidente del consiglio nazionale della Democrazia cristiana le Br avevano pensato già prima di costituire la colonna romana. I due «regolari» sbarcati nella capitale col dirigente contattato da Morucci s'erano premurati di studiarne le mosse. Letto su qualche giornale che Moro si fermava ogni mattina nella chiesa di Santa Chiara, in piazza dei Giuochi delfici, avevano fatto alcuni sopralluoghi per verificare la notizia. Qualche volta Moro s'era fatto vedere, qualche altra no.

– Se ti capita, va' a dare un'occhiata anche tu, – dissero a Morucci dopo il suo reclutamento.

Morucci cominciò a frequentare la chiesa, poi l'organizzazione aveva deciso di fondare una struttura permanente in città e il «progetto Moro» era stato accantonato. Ora è giunto il momento di riprenderlo in mano. E gli dànno un nome, alla maniera dei militari: «Operazione Fritz», dalla frezza bianca che campeggia tra i capelli del leader democristiano.

Per intere settimane, i brigatisti si sistemano lungo il percorso compiuto dall'uomo politico, dalla casa alla Camilluccia fino in centro, verificando ogni strada e ogni incrocio. In un'occasione portano anche dei walkie-talkie, per comunicare in diretta, poi li abbandonano nel timore di poter essere intercettati.

Nuovi controlli vengono effettuati a Santa Chiara

e all'università, dove Moro si reca a tenere le sue lezioni nella facoltà di Scienze politiche.

Lo studio degli orari, dei percorsi e delle abitudini dell'obiettivo prescelto, insieme alle modalità d'intervento, procede di pari passo col dibattito politico. A settembre, il movimento del Settantasette si ritrova a Bologna per un convegno internazionale contro la repressione che sancisce la definitiva rottura tra la componente piú dura dell'Autonomia, ormai invisa anche agli «indiani metropolitani», e il resto dei gruppi. In alcune assemblee le divergenze politiche sono appianate a suon di botte. Seghetti non è lí ma a Roma, per preparare la «campagna di primavera» delle Br.

L'attacco punta alla Dc, e nell'analisi del giovane brigatista la strategia di Moro di stringere il Pci nell'«abbraccio mortale» con lo scudo crociato non è che un modo per resistere alla crisi di un partito sempre piú indebolito dagli scandali e dalla corruzione.

– Ecco perché Moro riesce a fare accettare ai suoi amici il governo di unità nazionale, – dice Claudio. – Per lui è l'unico modo di uscire dalla crisi di egemonia del partito, e dalle accuse che le piazze urlano contro la Dc. Moro non ha mai riconosciuto il compromesso storico come una strategia prima di adesso; ora gli è necessario usarla per recuperare consensi e legittimità nella società. Vuole spremere il Pci come un limone, per poi buttarlo via.

Il giudizio del brigatista non sarà piú tenero negli anni successivi: – Il Pci ne ha preso coscienza solo piú tardi, pagando un costo politico disastroso. Dopo la sua morte tutta la responsabilità è stata scaricata su Berlinguer, attaccato nel partito da destra perché ritenuto un giacobino, e da sinistra per non essere stato fino in fondo un «socialdemocratico».

La strategia berlingueriana, nella visione dei rivoluzionari che si attrezzano per sferrare l'attacco piú alto al cuore dello Stato, è stata definitivamente sepolta proprio dalla «spinta propulsiva» del Settantasette.

– Già al tempo della cacciata di Lama dall'università, – sostengono, – otto mesi dopo le elezioni politiche, s'è cominciata a percepire nelle fabbriche e nelle piazze la contrarietà alla solidarietà nazionale. E la scelta sciagurata che il segretario della Cgil ha imposto all'assemblea dell'Eur, senza ricevere in cambio alcuna contropartita, è stata contestata ad aprile, al teatro *Lirico* di Milano, dai mille delegati sindacali che ne hanno denunciato i costi sociali e politici.

Considerazioni che si ripetono nelle discussioni che accompagnano la stesura dei documenti brigatisti.

– Noi non miriamo alla conquista del potere come se dovessimo prendere il Palazzo d'Inverno, – dicono, – ma a innescare dei meccanismi che possano cambiare il corso della storia nel Paese.

– Dobbiamo arrivare a essere riconosciuti come forza politica, – insistono. – Armata, ma politica. Come l'Olp, che ha costretto israeliani e americani a trattare.

– Del resto un risultato è stato già ottenuto: se le velleità di colpo di Stato della destra e di parte della Dc si sono fermate, è anche merito dell'opposizione armata e delle mobilitazioni di massa, che costituiscono un contropotere col quale fascisti e golpisti sono costretti a fare i conti.

– Avete sentito che cosa ha detto Moro in Parlamento? «Non ci faremo processare nelle piazze». Vuol dire che hanno paura, e che il processo in realtà è già cominciato. Siamo noi che dobbiamo portarlo a termine.

– Solo cosí, attraverso un attacco diretto al cuore del potere politico, possiamo passare dalle azioni dimostrative fatte finora a qualcosa che ci permetta di incidere sugli equilibri nazionali. E quindi di essere riconosciuti come soggetto politico.

E dopo? Dopo, anche se i documenti sono infarciti di «Stato imperialista delle multinazionali da disarticolare», «forze imperialiste da annientare» e di «dittatura del proletariato», si tratterà di calibrare quei principî con la situazione reale.

– Il nostro obiettivo dev'essere allargare la sfera d'influenza ad altri ambiti e settori della società.

– Se saremo in grado di modificare il quadro politico, vedrete che a noi si rivolgeranno nuovi livelli di rappresentanza politica e nuove professionalità, necessarie per una diversa egemonia e gestione del potere.

– Non vi siete accorti che già adesso, al di là dell'impiego militare, ci sono fasce di persone e categorie disposte a seguirci se solo riuscissimo ad affermarci come forza che impone il cambiamento?

Simili discussioni, condite da termini e avverbi sempre piú complessi, sono riportate e sintetizzate nella Risoluzione della Direzione strategica delle Br messa a punto nel febbraio del 1978:

> L'adozione di nuove tecniche di combattimento non significa che non esistono piú mediazioni adottabili, ma che esse vanno viste in rapporto dialettico con la necessità di incidere militarmente per poter incidere politicamente.

Il brigatista rosso Bruno Seghetti, classe 1950, nome di battaglia Claudio, è sempre piú convinto di questa possibilità mentre continua a preparare l'«attacco al cuore dello Stato» deciso dall'organizzazione.

A gennaio 1978 il capo del governo della «non sfiducia» Giulio Andreotti rassegna le dimissioni nelle mani del presidente della Repubblica Giovanni Leone. Cominciano le trattative per la formazione di un nuovo esecutivo, sempre a guida e composizione democristiana, che possa essere sostenuto dal Pci non piú attraverso l'astensione ma con un esplicito voto di fiducia.

Negli stessi giorni, nelle sale cinematografiche di Mosca si proietta il primo film western di produzione sovietica.

A febbraio, le Br uccidono a Roma il giudice Riccardo Palma, addetto alla direzione generale delle carceri.

Due giorni dopo, a Las Vegas, il campione del mondo dei pesi massimi di pugilato Cassius Clay perde il titolo battuto dal ventiquattrenne nero Leon Spinks.

A marzo, la Corte d'assise di Torino tenta di mettere insieme, tra mille difficoltà dovute ai rifiuti dei cittadini sorteggiati, la giuria popolare che dovrà celebrare il primo processo contro le Brigate rosse.

A Roma, le trattative per la formazione del nuovo governo procedono con l'apporto determinante di Aldo Moro. L'8 marzo Andreotti convoca l'ultimo vertice che sancisce la nascita di una coalizione di cui faranno parte la Dc, il Pci, il Psi, il Psdi e il Pri. I liberali passeranno all'opposizione.

Una sera dello stesso periodo, rientrando a casa a piedi, Claudio nota parcheggiato in piazza dell'Orologio, a poche decine di metri dall'abitazione di Andreotti, un furgoncino Fiat 850 bianco. È il modello che stava cercando da tempo, con le aperture su entrambi i lati.

Si guarda intorno, non c'è nessuno. In tasca ha lo «spadino» col quale ha aperto decine di macchine prima d'ora. Un mezzo di quel tipo non l'ha mai rubato, ma l'occasione è ghiotta. Decide di provarci. Comincia a maneggiare dentro la serratura del furgone, lo apre. Sale a bordo, controlla che non ci siano antifurti, scopre i fili dell'accensione, riesce a farlo partire.

Guida finché raggiunge un'altra zona della città, parcheggia il furgone con la targa rivolta verso un muro, in mondo che non si possa vedere. L'indomani qualcuno si occupa di sostituirla.

Sabato 11 marzo, uscito dal Quirinale dove s'è recato per comunicare al capo dello Stato di aver raggiunto l'accordo con la nuova maggioranza, il presidente del Consiglio Andreotti annuncia la formazione del suo quarto governo e legge la lista dei ministri, tutti democristiani.

Nel Pci sorgono malumori e mugugni, e i brigatisti commentano: «È un altro schiaffo al compromesso storico. Ormai la protesta nelle fabbriche, nei sindacati e perfino dentro il partito, è sempre piú estesa».

Il dibattito sulla fiducia alla Camera dei deputati è fissato per giovedí 16 marzo alle 9,30.

Dopo essersi assicurato il furgone, mentre cammina per una via del quartiere Prati, Claudio s'accorge di una Fiat 132 parcheggiata in seconda fila, senza nessuno dentro e con le chiavi attaccate al quadro. Si avvicina, entra, avvia il motore e se ne va.

Adesso il parco macchine è completo. Si può agire.

La notte del 15 marzo, Claudio e un compagno operaio sceso dal Nord per partecipare all'agguato vanno in via Brunetti, nel centro di Roma, per bucare le quattro gomme del furgoncino di un fioraio che solitamente lavora nel tratto di strada dove avverrà l'azione. Vogliono evitare che possa trovarsi in mezzo ai proiettili.

L'operazione Fritz è iniziata.

La mattina del 16 marzo 1978, in via Mario Fani, Bruno Seghetti è alla guida della 132. Dopo la strage dei cinque uomini di scorta uccisi a colpi di pistola e mitraglietta, due compagni spingono Aldo Moro all'interno dell'auto, che parte a tutta velocità.

Percorse alcune strade della zona, la 132 si ferma, Claudio scende e si mette alla guida di un'altra macchina dell'organizzazione, una Dyane. L'auto con Moro a bordo riparte, Claudio la segue fino a una piazza poco distante. Lí arriva il furgone rubato in piazza dell'Orologio, condotto da un altro brigatista.

Sotto il tiro delle armi, l'ostaggio è fatto scendere, caricato sul furgone e chiuso dentro una cassa di legno. Si riparte, il furgone davanti, la Dyane guidata da Claudio dietro, a fargli da scorta.

Arrivano al parcheggio sotterraneo di un supermercato, dall'altra parte della città, dove avviene un nuovo cambio di auto. La cassa con Moro è trasferita su un'Ami 8, per l'ultimo tratto fino alla «prigione del popolo». Il furgone ritorna in strada, scortato da Claudio a bordo della Dyane, e viene parcheggiato ai piedi del Gianicolo.

Il presidente del consiglio nazionale della Democrazia cristiana, che a quell'ora avrebbe dovuto essere a Montecitorio per discutere e votare la fiducia al nuovo governo considerato una sua creatura, è nelle mani delle Brigate rosse.

«Ce l'abbiamo fatta», pensa Seghetti mentre riparte dal garage con la sua macchina, e Moro è diretto verso l'ultima meta. «Una nuova fase politica s'è aperta, e ora dovranno fare i conti con noi».

Bruno Seghetti, arrestato nel 1980 e condannato all'ergastolo, è stato ammesso al lavoro esterno al carcere dopo quindici anni di detenzione, nell'aprile 1995. A ottobre del 1999 ha ottenuto il regime di semilibertà, continuando a lavorare nella cooperativa *32 dicembre*, che organizza fra l'altro corsi di formazione e specializzazione nel settore informatico. Nell'ottobre 2001 la semilibertà gli è stata revocata per supposte infrazioni al «trattamento», e da allora è di nuovo detenuto a tempo pieno.

4. «Gulliver»

– Lui è Maurizio, un dirigente nazionale dell'organizzazione, – gli disse Valerio.

– Salve, a me mi chiamano Gulliver, – rispose Germano.

Maurizio naturalmente non era il vero nome di quel signore dall'aria impiegatizia, baffi ben curati e valigetta ventiquattrore, ma poco importava. Valerio si fidava di lui e questa era la garanzia che serviva. Il resto erano dettagli, compresa la non bella impressione che Maurizio fece su Germano, col suo fare un po' troppo sbrigativo e l'aria saccente. D'altro canto, non tutti i capi guerriglieri devono sprizzare simpatia.

Valerio, compagno di tanti anni e di tante militanze, l'aveva portato all'appuntamento per sancire l'ingresso ufficiale non solo nelle Brigate rosse, ma anche nell'operazione che il gruppo aveva deciso di mettere a segno a Roma. La piú importante.

– Abbiamo appena comprato un appartamento, e bisogna farne una base, – spiegò Maurizio. – Dovresti occupartene tu. Occorrono dei lavori, e non possiamo rivolgerci a nessuno che non sia dei nostri.

– Ci penserò io, – rispose Germano, che come nome di battaglia s'era portato dietro, appunto, Gulliver, lo stesso con cui lo chiamavano i compagni del movimento.

Alle Brigate rosse Germano-Gulliver aveva già consegnato le sue armi, una cassa di pistole, mitragliette e bombe a mano nascosta sottoterra il giorno in cui decise di interrompere la rivoluzione, e ritirata fuori dopo la chiamata di Valerio. Dissotterrare il proprio arsenale, riattivarlo oliandone a dovere tutti i meccanismi, fare le modifiche necessarie e costruire nuovi silenziatori fu il primo lavoro svolto per le Br. Era l'inizio dell'estate del 1977. Adesso che si avvicinava l'autunno, cominciava il secondo.

Col dirigente nazionale si lasciarono senza altri convenevoli, Valerio gli avrebbe comunicato il prossimo appuntamento. All'incontro successivo Maurizio si presentò in compagnia di una donna, piccola e allegra.

– Lei è Camilla, – disse, – la compagna che ha comprato l'appartamento.

Germano quasi non credette ai suoi occhi. Ma quale Camilla: era Anna Laura, una ragazza che lui conosceva benissimo col diminutivo di Lalla, femminista della prima ora ma non delle piú arrabbiate, un tempo fidanzata di Bruno, l'amico del quartiere e di una vita che l'aveva tirato dentro questa storia. I due si abbracciarono e si baciarono, contenti di rivedersi e di condividere un'avventura della quale l'uno non sapeva che ne facesse parte anche l'altra, e viceversa.

– Camilla sarà l'inquilina della casa, tu dovrai fingerti il suo uomo in modo da non destare sospetti, – spiegò Maurizio. – Ricordatevi, quella che stiamo mettendo in piedi sarà la base piú importante dell'organizzazione. Non possiamo permetterci errori.

– Va bene, – rispose Germano.

Era l'inizio dell'avventura che avrebbe cambiato la sua vita, e insieme la storia d'Italia.

Quando entrò nell'appartamento che segnò tanti destini, Germano Maccari detto Gulliver aveva ventiquattro anni e mezzo. Tutto avvenne e si esaurí all'interno di quelle mura, consumandosi in pochi mesi. Poi cominciò un'altra esistenza, accidentata ma apparentemente lontana da una vicenda via via piú distante, che sembrava definitivamente archiviata insieme al mondo che l'aveva generata. Finché, dopo quindici anni, i fantasmi lasciati nell'appartamento riapparvero improvvisi.

Il romanzo di rivoluzione e di morte vissuto lí dentro si riprese il suo protagonista rimasto nell'ombra portandolo alla luce, cambiando ancora la vita di Germano. Come quando una malattia esplode al termine di una lunga incubazione, silenziosa e inesorabile, di cui non ti accorgi ma che non riesci a scrollarti di dosso.

Per Germano Maccari la guerra è sospesa da un pezzo, e forse finita per sempre, quando Bruno lo viene a cercare in quel 1977 violento e veloce.

Lui abita e vive a casa dei suoi nella periferia popolare di Centocelle. È iscritto all'università, facoltà di Lettere. Ogni tanto dà un esame, piú per ottenere il rinvio del servizio militare che per arrivare alla laurea. Lavora saltuariamente col padre, in una ditta di impianti di termosifoni. Un padre che gli ha insegnato la militanza politica, comunista e antifascista, e ha tentato di stargli dietro anche quando ha capito che il figlio stava prendendo strade un po' troppo rischiose, che lui non approvava. Facendo finta di non capire troppo, per evitare rotture che l'avrebbero allontanato dal suo ragazzo.

Come durante le notti che Germano, appena adolescente, trascorreva fuori casa per partecipare all'occupazione del liceo *Francesco d'Assisi*.

Era il periodo ancora caldo del dopo Sessantotto, anni di antifascismo duro e di assalti ai «covi», di attacchi e autodifese, di incontri e scontri coi picchiatori «neri» che si aggiravano nel quartiere e nelle zone limitrofe, quando la città era divisa come una scacchiera, coi quadrati riservati ai compagni e quelli presidiati dai fascisti. E guai a chi oltrepassava le linee.

L'autodifesa si organizzava con armamenti e munizioni presi dove capitava: spranghe, sampietrini, chiavi inglesi e qualche lama, anche dentro la scuola occupata. Perché oltre alla possibilità che la polizia arrivasse da un momento all'altro, c'era sempre il pericolo di un'aggressione dei «fasci».

Una sera l'allarme scattò per una macchina ferma, a fari spenti, vicino all'edificio.

Germano faceva parte del servizio d'ordine, e fu tra coloro che s'organizzarono per andare a controllare l'auto sospetta. Arrivarono pronti a dare una lezione, ma appena riuscí a scorgere gli occupanti dell'auto Germano disse ai compagni di fermarsi: dentro c'era suo padre, insieme a due zii e un amico operaio, armati di bastoni e un fiasco di vino.

– Papà, ma che stai facendo? – chiese stupito il ragazzo.

– Sono venuto a dirti che è meglio se torni a casa, – rispose l'uomo.

Poi parlò lo zio, con tono rassicurante: – Tranquilli, ragazzi, se vengono i fascisti ci siamo noi a difendervi.

Finí che Germano tornò dentro la scuola, un po' seccato ma anche orgoglioso di un padre che si preoccupava di proteggerlo pur non condividendo ciò che lui faceva.

L'occupazione durò sei giorni e sei notti, finché non irruppe la polizia a liberare l'edificio.

Dopo vennero gli anni di Potere operaio e di Lavoro illegale, il servizio d'ordine sempre piú vicino a una formazione armata e clandestina. Della militanza ventiquattr'ore su ventiquattro, delle occupazioni delle case, degli scontri con i celerini e i carabinieri.

Al Borghetto Prenestino si combatté la battaglia contro le camionette incolonnate lungo la via Casilina, che procedevano in assetto di guerra per andare a sgomberare un palazzone di appartamenti sfitti e abusivamente abitati da decine di famiglie. Germano e i compagni avevano organizzato la difesa scavando fossati e alzando dossi lungo le strade adiacenti, confezionando qualche centinaio di bottiglie molotov e sintonizzando un baracchino sulle frequenze radio della polizia per intercettare conversazioni e mosse delle forze dell'ordine.

Quando le camionette sbucarono da un angolo, i compagni ingaggiarono una battaglia che andò avanti fino all'alba. Fu allora che «le guardie» entrarono nel casermone occupato, dov'erano rimaste le donne impegnate a lanciare dai tetti tutto ciò che erano riuscite a rompere nelle case.

Correva l'anno 1971 e molta acqua è passata, da allora, sotto i ponti della politica e della militanza, anche violenta.

Ora Germano, rimasto a Centocelle, ha scelto di ritirarsi per un po' e vedere quel che accade. Ma il fuoco della rivoluzione, anche se ridotto a brace, è ancora acceso sotto la cenere di una vita quotidiana piú tranquilla rispetto a una volta.

Anche per Bruno, che ufficialmente lavora come argentiere nella bottega di famiglia, sembra finito il tempo delle manifestazioni di piazza e della militanza a viso scoperto. Ma a differenza di altri non s'è ritirato. Come molti dei compagni di un tempo, Germano immagina che il suo amico, sempre cosí risoluto e determinato, abbia saltato il fosso e sia entrato nelle Brigate rosse, l'organizzazione clandestina che, terminata l'esperienza dei vari gruppi armati e illegali cui avevano partecipato insieme, appariva l'unica in grado di procedere sulla strada della sovversione.

Lo immagina, ma quando lo incontra non glielo chiede. Non sono cose di cui si discute, queste. Al massimo si può stare a sentire un compagno che te ne vuole parlare, ed è proprio quanto accade quel giorno del 1977 in cui Bruno va a citofonare a casa sua.

Germano scende, i due vecchi amici cominciano a chiacchierare del piú e del meno. Poi si passa, immancabilmente, alla politica, l'antica sirena che non ha smesso di suonare. Bruno ha portato con sé un documento, tanti fogli ciclostilati e scritti con caratteri piccoli, difficili da digerire ma sempre interessanti per chi s'è nutrito di teoria, prassi e lotta di classe fin da quando aveva i calzoni corti. Si parla di «governo ombra» mondiale e di «Trilateral», di «Stato imperialista delle multinazionali» e di «attacco alle avanguardie di classe e alle organizzazioni combattenti».

– È la risoluzione strategica delle Brigate rosse, – dice Bruno, – leggila.

Germano replica che lo farà, ma a Bruno non basta. Si svela.

– Io sono entrato nelle Br, – dice, – e pure Valerio. Ti vorrebbe parlare.

Germano capisce l'antifona, ma si mostra deciso a restarne fuori: – No, Bru', non mi interessa.

– Guarda che non c'è nessun obbligo, tu puoi fare come ti pare, però prima di prendere una decisione parla con Valerio.

Germano tiene duro: – Bruno, io ti voglio bene e lo sai, ma ho molti dubbi sulla strada che avete scelto. Vi faccio tanti auguri, spero che abbiate ragione, ma io adesso non me la sento.

Bruno insiste, non ci sono piú l'avventurismo e il dilettantismo di una volta. Adesso la prospettiva di un partito-avanguardia che possa guidare le masse verso la rivoluzione è seria. Ma l'amico non si lascia convincere: – Lo so che ora è diverso, ma io ho troppe perplessità. Non mi va d'imbarcarmi.

Bruno lancia un ultimo amo: – Vabbe', fai quello che vuoi. Però prima parla con Valerio.

– Ci penso, – replica Germano.

Il tentativo si esaurisce cosí, ma nei giorni successivi Bruno torna alla carica. Ha già reclutato altri compagni del Co. Co. Ce., il Collettivo comunista di Centocelle degli anni passati, ma sa che Maccari sarebbe un acquisto importante per le Br a Roma. Si fa ancora sotto per organizzare l'incontro con Valerio. Che poi sarebbe Valerio Morucci, uno dei leader «militari» di Potere operaio nella capitale, grande passione per le armi e per l'azione. Con lui le Br hanno cominciato la costruzione della colonna romana.

Germano lo conosce bene, insieme ne hanno combinate di cotte e di crude. Come la volta che guidarono l'assalto alla centrale di smistamento della Sip in via Cristoforo Colombo.

Era il 1975, e dopo lo scioglimento di Potere operaio Morucci aveva fondato un gruppetto chiamato Lapp, Lotta armata per il potere proletario, una decina di persone tra cui la sua fidanzata, Adriana Faranda, Germano e Bruno. La sinistra extraparlamentare promuoveva le autoriduzioni delle tariffe telefoniche, e il Lapp decise di intervenire organizzando un attentato a una struttura della compagnia di Stato.

L'obiettivo prescelto era lungo la via che porta verso l'Eur, e il giorno stabilito si presentarono in tre: Morucci, Maccari e un altro compagno.

Dissero di essere tre poliziotti. Morucci vestito in borghese, da perfetto commissario, col cappotto blu e il borsalino in testa, gli altri due con delle divise acquistate in un negozio dell'usato e camuffate da uniformi della polizia di Stato.

– È arrivata una telefonata anonima che segnala una bomba, – dissero.

La guardia giurata li accompagnò al secondo piano, nella stanza dove c'era la centralina. I tre si chiusero dentro, lasciando fuori la guardia. Dalla borsa estrassero l'occorrente per tre cariche di nitrato d'ammonio collegate a una miccia molto lunga, detonante a lenta combustione. Sistemarono il tutto.

Germano e l'altro compagno uscirono all'improvviso gridando alla guardia: – La bomba c'è per davvero, bisogna sgombrare l'edificio.

Insieme perlustrarono di gran carriera il palazzo, controllando che negli uffici non rimanesse nessuno. Poi Maccari tornò da Morucci e diede il segnale: – Via libera, accendi.

Valerio diede fuoco alla miccia e si avviò lungo le scale. Sulla porta bloccarono la guardia giurata e gli dissero la verità.

– Siamo il gruppo Lotta armata per il potere proletario, tra poco il palazzo salterà in aria.

Gli sfilarono la pistola d'ordinanza e fuggirono.

Delle tre cariche ne esplose una sola, perché i cavi si erano intrecciati e il primo botto troncò la miccia detonante, ma l'azione ebbe ugualmente grande risonanza. Il Lapp la rivendicò con dei manifesti e un volantino, e ci fu soddisfazione per la riuscita di un attentato che aveva danneggiato una struttura senza provocare vittime.

Anche da quell'episodio è passato molto tempo, il Lapp s'è sciolto e cosí i gruppetti sedicenti rivoluzionari, piú o meno armati. Ma Morucci ha continuato, aggregandosi a chi mostra di voler fare sul serio. Adesso cerca reclute tra i compagni piú fidati. Germano è uno di questi, e alla fine accetta d'incontrarlo.

Nel colloquio Valerio rende piú esplicito il discorso avviato da Bruno: – Le cose sono cambiate. Le Br sono l'unica organizzazione in grado di portare avanti un programma chiaro e preciso di lotta armata. Hanno deciso di fondare una colonna romana, e si sono rivolte a noi.

Germano continua a non essere convinto: – Non me la sento, davvero.

– Ma se eri uno dei migliori... Perché vuoi tirarti indietro ora che c'è la possibilità di realizzare qualcosa di concreto?

Germano comincia a tentennare, ma ancora resiste: – Stammi a sentire, qualunque cosa vi serve potrete contare su di me. Vi posso aiutare a trovare dei finanziamenti, se ne avete bisogno vi dò pure le armi che ho conservato...

– Che vuoi dire?

– Che vi posso aiutare dall'esterno, se volete, – spiega Germano, – ma senza impegnarmi direttamente, senza entrare in clandestinità.

Valerio scuote la testa: – No, non si può. Questa è un'organizzazione ben strutturata, non possiamo rischiare. Con questi o stai dentro o stai fuori, e se stai fuori non si può avere nessun tipo di rapporto. Ci sono regole precise, che non possiamo trasgredire.

È il momento di affondare. Valerio sa che il suo amico e compagno di tante avventure subisce il fascino della lotta rivoluzionaria. Decide di far leva anche su quel po' di vanità che ha imparato a conoscere in Germano:

– Le Brigate rosse hanno bisogno di uomini come te, perché non lo vuoi capire? Non ti fidi? Non ti fidi di me, di Bruno, di Adriana?

No, non è che non si fida, Gulliver. È che non lo convincono le teorie sui «rivoluzionari di professione» e sulla clandestinità come scelta di vita e di lotta.

Ha letto i libri sulla guerra partigiana e sui Gap di Giovanni Pesce, e s'è convinto che quel modo di vivere e di combattere è troppo duro e difficile da reggere per gente come lui. Meglio proseguire la propria esistenza regolarmente, in famiglia, e semmai condurre una seconda vita, all'oscuro degli altri.

Ma Valerio insiste: – Il problema non è la clandestinità, adesso. Ci sono militanti «regolari» che non devono sparire dalla circolazione, tu puoi essere uno di quelli. L'importante è che l'organizzazione possa contare realmente su di te, in ogni momento, senza riserve da parte tua.

E arriva la confidenza, il messaggio utile a piegare le ultime resistenze: – Abbiamo in preparazione una grossa azione su Roma, che farà fare al movimento rivoluzionario un salto di qualità che nemmeno t'immagini. Però i brigatisti sono tutti compagni del Nord, di questa città sanno poco o niente. Perciò hanno bisogno di noi, Germa'.

Ancora una volta, i discorsi di Valerio hanno fatto presa su Germano.

– Va bene, – dice, – adesso mi leggo quel documento, poi decido.

Maccari riprende in mano la risoluzione strategica che gli aveva portato Bruno, dove si proclama la nuova parola d'ordine:

> Attaccare, colpire liquidare disperdere definitivamente la Democrazia cristiana, asse portante della ristrutturazione dello Stato e della controrivoluzione imperialista.

Si convince e accetta di entrare nelle Brigate rosse. Dopodiché Valerio – che nelle Br ha come nome di battaglia Matteo, mentre i compagni del movimento l'avevano ribattezzato Pecos – gli presenta Maurizio, il dirigente nazionale dell'organizzazione. Dietro il nome di copertura si nasconde Mario Moretti, l'operaio della Sit-Siemens che ha aderito alle prime Br di Curcio e Franceschini, e che dopo il loro arresto ha preso in mano il comando delle operazioni. È già un clandestino, ricercato da investigatori e magistrati dell'Antiterrorismo.

Quando sente parlare della «base» di cui si deve occupare, un appartamento al piano rialzato di un palazzo in via Montalcini, dalle parti della Magliana, Germano Maccari non capisce subito a cosa servirà. Potrà essere utilizzato come deposito di armi, come rifugio per qualche latitante, o come sede per le riunioni dei clandestini.

Anna Laura, la compagna Camilla, ci abita già. Lui comincia a frequentare la casa e quando c'è da firmare un modulo dell'Acea per allacciare la luce lo fa Germano, scrivendo il nome inventato del futuro inquilino di via Montalcini 8, interno 1: ingegner Luigi Altobelli.

Solo al secondo o terzo incontro il compagno Maurizio rivela a Germano che l'appartamento sarà la prigione di un sequestro politico.

Piú tardi ancora, Gulliver viene messo a parte di altri dettagli, sempre per bocca di Moretti.

– Stiamo lavorando su due obiettivi da colpire contemporaneamente, – rivela. – A Roma prenderemo un uomo politico, un democristiano di livello nazionale, mentre al Nord toccherà a un famoso industriale.

Germano ascolta impassibile e affascinato. Adesso è sicuro che si fa sul serio.

– Con questi due uomini in mano potremo chiedere quello che vogliamo, – spiega Moretti, – il riconoscimento politico dell'organizzazione e la liberazione dei compagni detenuti nelle carceri speciali.

Germano s'infervora, vorrebbe saperne di piú, ma non chiede. È la regola, e un po' anche il suo carattere. Se servirà che lui sappia, saranno i compagni a rivelargli altri particolari sull'operazione romana. Del resto le alternative sull'uomo politico democristiano non sono molte. Sono in ballo tre o quattro nomi: Andreotti, Moro, Fanfani, forse Zaccagnini, i simboli del partito-Stato contro il quale le Br hanno deciso di sferrare il loro attacco. E se uno di loro sarà colpito insieme all'industriale del Nord, il potere costituito dovrà scendere a patti con le Br.

Germano ci crede, ed è soprattutto la prospettiva della liberazione dei compagni detenuti a dargli la carica per impegnarsi nei compiti a lui assegnati. E in quelli che s'è assegnato da solo: per esempio mettere le sbarre alle finestre dell'appartamento futura prigione.

È una casa con annesso un piccolo giardino, facilmente accessibile dalla strada, ed elementari norme di sicurezza prevedono che le finestre siano protette. Le rispettano tutte le famiglie normali, per paura dei ladri, e le Br non devono essere da meno visto che la finzione prevede che l'appartamento sia abitato da una coppia di giovani, normalissimi promessi sposi.

Gulliver s'incarica di girare per ferramenta, farsi fare preventivi, acquistare le sbarre e montarle. Conserva scontrini e ricevute per ottenere il rimborso delle spese sostenute. Nelle Br funziona cosí, le uscite vanno contenute e dimostrate al centesimo, non c'è spazio per arrotondamenti e approssimazioni. Fa parte dello stile di vita un po' francescano che Germano non apprezza, ma al quale deve adattarsi.

Ne ha già discusso a proposito di un altro argomento, per lui piú importante: le donne. Gulliver ne ha sempre avute, dentro e fuori il movimento, senza preoccuparsi delle tendenze politiche e se condividevano le sue idee rivoluzionarie. I brigatisti, invece, sostengono che si può stare solo con una ragazza che abbia fatto la stessa scelta. Sia per motivi ideologici che di sicurezza.

– Che cosa puoi trovare di meglio e di piú interessante di una compagna che condivide anche l'appartenenza all'organizzazione? – dicono.

– La donna che ho adesso, – replica Germano, che da qualche tempo è fidanzato con Adelaide, una giovane che gravitava ai margini dei gruppi politici ma senza sapere niente dei reclutamenti delle Br. E senza immaginare che il suo fidanzato è entrato nella banda armata piú agguerrita e pericolosa.

– Allora recluta anche lei, – insistono. – L'organizzazione ti può imporre delle situazioni che altrimenti non riusciresti a spiegare. Per esempio potresti dover cambiare città.

Ma Germano non cede: – Sentite, alle mie donne e alla mia vita sentimentale ci penso da solo. Voi ditemi che lavoro devo fare e io lo faccio, ma non con chi devo stare.

Prospero Gallinari, un compagno di Reggio Emilia un po' piú anziano di lui, già arrestato ed evaso dal carcere, trasferitosi a Roma per contribuire a organizzare il sequestro, è il piú intransigente.

– Le nostre compagne sono donne meravigliose alle quali possiamo confidare tutto, – dice.

– Io mi accoppio con la donna che amo, non con

quelle che mi assegna la rivoluzione, – ribatte Germano.

Solo piú tardi, quando abiterà stabilmente nella casa-prigione, scoprirà che Prospero e Anna Laura stanno insieme.

Adelaide invece continua a non sapere della doppia vita di Germano, anche se all'improvviso il tempo che lui le dedica diminuisce. Sempre piú spesso si allontana per giorni interi, senza dirle dove va e perché. Lui le ha fatto discorsi che vagheggiavano la lotta armata, ma delle Br non le ha rivelato nulla. Se capita il discorso, Germano dice di essere contrario, con la solita giustificazione che «rappresentano una fuga in avanti rispetto alle istanze del movimento».

Parole. Ma nel frattempo si accavallano i fatti.

La situazione politica del Paese è in ebollizione, mentre i fermenti eversivi si fanno sentire con maggiore insistenza. Il governo tutto democristiano guidato da Giulio Andreotti gode per la prima volta della «non sfiducia» del Pci, e nel luglio del 1977 i segretari dei partiti firmano un accordo per un programma comune, mentre a Roma cade in un conflitto a fuoco coi carabinieri il nappista Antonio Lo Muscio.

Ad agosto, il colonnello nazista Herbert Kappler scappa in tutta tranquillità dall'ospedale generale del Celio, a settembre Francesco Moser vince i mondiali di ciclismo su strada mentre i giovani del «movimento» si preparano a invadere Bologna, per il convegno nazionale «contro la repressione» istituzionalizzata dall'accordo Dc-Pci. Scontri tra autonomi, forze di polizia e servizi d'ordine del Pci sono diventati la norma, cosí come quelli coi fascisti: il 30 settembre, a Roma, viene ucciso il militante di Lotta continua Walter Rossi.

In Germania un commando della Raf, la Rote Armee Fraktion, rapisce il presidente degli industriali tedeschi Hans Martyn Schleyer. Chiedono la liberazione di alcuni militanti della banda Baader-Meinhof detenuti nel carcere di Stoccarda. Un mese e mezzo piú tardi, quegli stessi detenuti sono ritrovati cadaveri nelle loro celle, e il corpo senza vita di Schleyer è restituito dalla Raf nel bagagliaio di un'auto.

A Mosca, durante le celebrazioni per il sessantesimo anniversario della rivoluzione d'ottobre, al segretario del Partito comunista spagnolo e principale sostenitore del cosiddetto «eurocomunismo», Santiago Carrillo, viene impedito di parlare, mentre a Torino le Br feriscono in un agguato il vicedirettore della «Stampa» Carlo Casalegno. Morirà tredici giorni dopo. Suo figlio è stato un militante di Lotta continua, e delle Br dice: – Disprezzo totale per la vita umana, disprezzo totale per quello che pensa la gente. Mi fanno inorridire.

In uno strano incidente d'elicottero nei cieli della Calabria, alla fine di ottobre, muore il comandante generale dell'Arma dei carabinieri, generale Mino. Nel corso di tutto l'anno si verificheranno centonovantanove attentati politici, di cui centosessantacinque «diretti contro la proprietà pubblica e privata»; ventinove persone saranno ferite, cinque uccise. A rivendicare le azioni saranno ventitre sigle diverse.

A Roma, le Brigate rosse procedono nell'organizzazione del sequestro che hanno pianificato.

Sistemate le sbarre alle finestre, un giorno Gulliver arriva nell'appartamento e vede che in fondo al salone è stato alzato un muro con dei pannelli di gesso. Se ne sono occupati Maurizio e Prospero, che hanno ridotto la grande stanza di un paio di metri ricavando una specie di cunicolo senza finestre, lungo e stretto.

– Questa sarà la prigione del sequestrato, – gli spiegano. – Compito tuo è insonorizzarla e occultare la parete di gesso all'esterno.

Gulliver ha vaghe nozioni di tecniche di isolamento del rumore, essendosi già occupato di silenziare le armi, ma hanno poco a che vedere col nuovo lavoro da svolgere. Comincia a studiare cataloghi e a frequentare negozi specializzati, in cerca di informazioni e preventivi.

– Buongiorno, vorrei isolare una stanza per l'ascolto della musica, i vicini si lamentano... – spiega ai commercianti che gli illustrano metodi e ritrovati per abbattere suoni e vibrazioni. E lui ha sempre il problema di contenere i costi e presentare una lista dettagliata del materiale da acquistare e dei lavori da eseguire.

Alla fine diventa un esperto del settore. Sceglie di rivestire il cunicolo con due pannelli, uno morbido e uno rigido, destinati ad assorbire sia le alte frequenze che le basse. Per isolare anche il pavimento decide si costruire una pedana di legno.

Ottenuto il via libera dei «cassieri», acquista i pannelli e li trasporta uno alla volta in via Montalcini, per non dare nell'occhio. Li attacca alle pareti e al soffitto con una colla speciale. Per sicurezza, tra un pannello e l'altro sistema dei fogli di compensato lavorato, e a montaggio ultimato riveste il tutto con delle garze; sempre con la colla, perché i chiodi di ferro trasmettono il rumore.

All'ingresso del cunicolo Gulliver monta una porta, nella quale ricava uno spioncino come quello che in galera serve per controllare i detenuti, e l'«occhiolino magico» usato negli appartamenti per guardare sui pianerottoli. Anche la porta, all'interno, è resa fonoassorbente.

Dopo giorni e giorni di lavoro la cella è pronta. Due persone si chiudono dentro, parlano e battono le mani; dal salotto non si sente niente. La prova isolamento è superata, ma resta il problema del ricambio dell'aria.

La soluzione è una sorta di aspiratore attaccato a un tubo, che s'infila sotto la porta.

– Cosí dovrebbe andare, – si convincono i brigatisti.

Passano a organizzare l'arredamento della cella: una brandina per dormire, un tavolinetto per scrivere, una lampada, un Wc da campeggio dotato di solventi chimici. La parete di gesso viene coperta da una libreria.

Nella prima parte del periodo di preparazione Germano continua ad abitare con i propri genitori, ma da un certo giorno in poi, per cominciare a dar vita alla famigliola che abiterà in via Montalcini, si trasferisce in pianta stabile nell'appartamento-prigione.

Per il Natale del 1977 Camilla ha addobbato l'abete che sta nel giardino, con le luci che si accendono a intermittenza e le palle colorate. La notte di Capodanno la trascorre dentro quelle mura col suo finto fidanzato, Gulliver, che non fa nulla per nascondere il suo disappunto. Prospero non c'è, la serata non è delle piú allegre. Ma la rivoluzione e i preparativi per il «colpo grosso» impongono anche questo.

In famiglia Germano ha detto di aver trovato un lavoro fuori Roma, e la stessa bugia ha raccontato ad Adelaide, che però ci crede un po' meno. Con lei Gulliver ammette di collaborare a un progetto politico su scala nazionale, ma senza dire di piú. E soprattutto continuando a prendere le distanze dalle Br.

– In ogni caso, – le dice, – è bene che tu non sappia nulla, per motivi di sicurezza. Quando è possibile mi faccio vivo io.

Per gli appuntamenti, anche Adelaide si deve adattare alle regole seguite dai brigatisti, con delle rapide conversazioni in codice alle quali il suo ragazzo l'ha abituata. Se dice: ci vediamo davanti al cinema, significa che l'appuntamento è davanti al teatro. E se dice: al ristorante, intende riferirsi al bar. Inoltre la donna non deve mai avvicinarsi al luogo dell'incontro, bensí fermarsi a distanza e aspettare che arrivi lui, dopo essersi assicurato che la ragazza non è stata seguita.

Adelaide si adegua, per amore di Germano che – ai suoi occhi – ha ripreso a giocare alla rivoluzione, visto che non le racconta praticamente nulla di dove vive e cosa fa. Ma non è un gioco, e Gulliver lo sa bene.

Le regole di sicurezza valgono anche per lui, e ogni volta che deve andare in via Montalcini scatta il piano di «spedinamento». Con la macchina – una Mini Cooper rossa dal tettino nero, modello tutt'altro che discreto ma al quale è affezionato e non intende rinunciare – arriva fino alla Magliana, parcheggia e prosegue a piedi, stando attento a scoprire se per caso qualcuno lo sta seguendo. Una sosta davanti alle vetrine per guardarsi le spalle attraverso i riflessi, l'ingresso in un grande magazzino e l'uscita da una porta diversa, qualche giro intorno al palazzo prima di entrare.

Adesso Gulliver è un brigatista a tempo pieno, riceve uno stipendio di trecentomila lire al mese e gira sempre armato. Con sé ha una Smith & Wesson modello 59, calibro 9 parabellum, bifilare a quattordici colpi. Anche se nessuno dei suoi amici e dei suoi potenziali nemici mostra di sospettare nulla, Germano Maccari sa di essersi infilato in una storia che non esclude affatto scontri a fuoco. Anzi.

L'uso delle armi era cominciato ai tempi di Potere operaio e Lavoro illegale, primi anni Settanta. Si facevano le esercitazioni sui prati lungo la via Prenestina o a Ponte Galeria, sul greto del Tevere, sparando contro i barattoli e le carcasse di macchine abbandonate, in mezzo ai dirupi. All'inizio le pistole servivano per autodifesa o nelle piccole rapine di autofinanziamento, poi capitò di usarle pure negli attacchi alle persone. Ed era stato proprio Germano Maccari a tirare il grilletto.

Durante il «lavoro politico» svolto con gli operai della Fatme, una fabbrica sulla via Anagnina, era giunta l'informazione di un caporeparto sindacalista della Cisnal particolarmente attivo nel denunciare gli attivisti e le «avanguardie di lotta». Gli avevano già bruciato la macchina, seguendo l'esempio che a Milano e Torino stavano dando le Brigate rosse, ma evidentemente non gli era bastato. Si diceva che avesse preso a infastidire le operaie: «Tocca il culo a tutte, quel porco fascista!»

I compagni di Potere operaio decisero che bisognava colpirlo con maggiore durezza: – Lo azzoppiamo.

A svolgere una rapida inchiesta sui suoi movimenti fu Gulliver, che scoprí dove abitava dopo alcuni appostamenti. Una volta era con lui anche una compagna, e mentre stavano in macchina fingendosi una coppietta di innamorati, lo videro rientrare. Ma la sera dell'agguato Gulliver andò da solo, in motorino.

Aspettò il caporeparto sulla strada di casa, e quando arrivò e scese dalla macchina lo seguí per qualche passo. Lo chiamò, quello si girò. Gulliver sparò tre colpi della Beretta 7,65 silenziata, mirando piú in basso che poteva. Gli avevano spiegato che colpire alle cosce era pericoloso, c'era il rischio di morire dissanguati, e lui non voleva uccidere.

La vittima era a terra e gridava, il giustiziere del proletariato inforcò il motorino e scappò.

Tornato in sezione, Gulliver raccontò ai pochi compagni che sapevano dell'azione com'era andata. Rimasero perfino un po' ammirati di tanta freddezza, sia nell'esecuzione, sia per come ne parlava.

Germano in effetti si sentiva calmissimo, fiero e sicuro di aver fatto la cosa giusta: quell'uomo era un nemico degli operai, che ostentava i suoi metodi e il suo potere, e dunque andava punito.

– Ha avuto ciò che si meritava, – ripeteva il vendicatore a se stesso e ai compagni.

Del ferimento si discusse ancora, a volte con toni fin troppo esaltati, ma non da parte di chi l'aveva messo a segno. Gli operai, all'uscita dei turni, brindarono al bar, e questa fu la soddisfazione di Gulliver, che realmente si sentiva il loro braccio armato. Non aveva commesso un gesto isolato e «fuori contesto», ma realizzato ciò che gli oppressi della fabbrica chiedevano. E quando lesse sui giornali le cronache dell'episodio, ebbe la conferma che dal punto di vista operativo era andato tutto bene.

Fu distribuito un volantino di rivendicazione, ma senza sigle, e Germano Maccari poteva considerarsi parte di un'avanguardia che era realmente l'espressione della tanto celebrata «base».

Da allora Gulliver si sentí ancor piú autorizzato a girare armato, con la pistola nascosta in un doppiofondo della Mini Cooper. Finché una notte si trovò a usarla di nuovo, contro un altro fascista.

Stavolta era un picchiatore famoso in tutta Roma per via della mole gigantesca e l'atteggiamento spavaldo che lo portava a lanciarsi in qualunque rissa, anche da solo. La prima volta che Germano se lo ritrovò faccia a faccia fu dopo una sua aggressione a un gruppo di compagni che manifestava contro il carovita. Il fascista li affrontò con una mazza chiodata, poi si rifugiò dentro un bar.

I compagni chiamarono i rinforzi e arrivò pure Gulliver, il quale lo affrontò con una mossa delle arti marziali che conosceva al punto di aver organizzato, per i militanti di Potere operaio, dei corsi di karate e aikido. Il fascista cadde a terra, venne disarmato, subí la sua razione di legnate e si dileguò.

Qualche tempo dopo, mentre tornava a casa di notte in macchina, Germano lo rivide che staccava dei manifesti comunisti dai muri della via Prenestina. Era solo. Quale migliore occasione per colpirlo?

Gulliver parcheggiò la Mini a qualche decina di metri di distanza, tirò fuori la 7,65 dal doppiofondo, si avvicinò di soppiatto e quando lo ebbe a tiro scaricò tre colpi contro le gambe del fascista. Tornò alla macchina e fuggí via.

Un'altra missione di giustizia proletaria compiuta. Ma i compagni non la presero bene. Dissero che Germano era stato un incosciente ad affrontare un personaggio simile, che poteva a sua volta essere armato, senza appoggi e senza copertura. Il ragazzo di Centocelle, però, non si pentí affatto di ciò che gli altri consideravano un azzardo.

Le armi, insomma, facevano parte da tempo del suo «bagaglio politico», e quando sospese la rivoluzione aveva accumulato un piccolo arsenale. La riserva consisteva in un mitra di fabbricazione cecoslovacca, una pistola calibro 9 parabellum, un paio di Beretta silenziate, qualche fumogeno, due bombe a mano Srcm, un rotolo di miccia a lenta combustione, detonatori e munizioni. Chiuse tutto in una cassa di legno e andò a nasconderla sottoterra, in un campo sulla Prenestina, in attesa di tempi migliori.

In quel periodo non si pensava ancora all'omicidio politico. Adesso invece è cominciata un'altra storia, ci sono le Br e lui ha accettato di farne parte. Ha consegnato le armi, e ha accettato l'idea dell'uccisione dell'avversario politico messa in pratica dall'organizzazione alla quale ha aderito.

In mezzo c'è stato il fallimento dei gruppi extraparlamentari e delle formazioni armate che agivano in ordine sparso, il Settantasette e la violenza di massa, la piazza chiusa al movimento e le sparatorie in cui sono caduti i compagni, da Francesco Lo Russo a Giorgiana Masi. Per non parlare delle «stragi di Stato» di cui ancora si sente il carico di mistero e di reazione.

È il momento della guerra tra due eserciti contrapposti, quello dello Stato che non esita a uccidere per mantenere l'ordine costituito e quello dell'«avanguardia rivoluzionaria» che ha deciso di rispondere sul terreno imposto dal potere.

Un'avanguardia che la mattina del 14 febbraio del 1978, a Roma, uccide a raffiche di mitra il giudice Riccardo Palma, addetto alla direzione generale delle carceri, responsabile della gestione dei fondi per l'edilizia penitenziaria: le Br portano avanti cosí la loro campagna contro le carceri speciali.

«Non si risponde con la fionda ai colpi di bazooka», ripete a se stesso Germano, ora che è diventato un soldato del «partito armato». Non piú il vendicatore che spara ai fascisti, ma un militante dell'organizzazione che vuole colpire il cuore dello Stato. Anche attraverso il rapimento dell'importante uomo politico, che sarà ospitato nella prigione appena costruita da Gulliver. Una «prigione del popolo».

La mattina del 15 marzo, Gulliver viene avvisato:
– Domani siamo operativi.

Si esprimono con frasi che sembrano prese a prestito dai militari veri, i brigatisti, quando si riferiscono alle azioni. E questa è l'azione piú importante, anche perché capiterà in un momento di svolta per l'Italia: dopo lunghe trattative, Andreotti e Moro sono riusciti a convincere la Dc ad accettare il sostegno esplicito del Pci a un nuovo governo guidato sempre da Andreotti. Un altro monocolore democristiano.

Giovedí 16 marzo i politici hanno fissato il dibattito alla Camera dei deputati sulla nascita del governo, mentre i rivoluzionari delle Br hanno fissato il rapimento dell'importante uomo politico democristiano.

Fuori è ancora buio quando, nell'appartamento di via Montalcini, Gallinari si alza dal letto, indossa una finta divisa da aviere ed esce. In casa restano Anna Laura e Germano. Aspettano. I primi radiogiornali scorrono senza novità.

Poco dopo le 9 il rumore degli elicotteri che si alzano su Roma sono il segnale che qualcosa è successo. Poi le radio interrompono i programmi e annunciano che c'è stato un agguato terroristico nella zona di Monte Mario, a Roma. Ci sono dei morti.

All'ora convenuta Germano esce in strada, per aspettare il ritorno dei compagni e sorvegliare la via nell'ultimo tratto. Passeggia su e giú cercando di non dare nell'occhio, quando all'improvviso vede spuntare l'Ami 8 con a bordo Prospero Gallinari e Mario Moretti.

Lo raggiungono, Germano sale a bordo e l'auto imbocca l'ingresso del garage. La macchina si ferma, i tre brigatisti scendono, aprono il bagagliaio. Dentro c'è la cassa che Germano ha fatto costruire da un falegname avendo cura di prendere le misure perché ci stesse dentro un uomo ed entrasse nell'Ami 8.

La cassa viene scaricata dai tre, ora c'è anche Camilla a controllare che nessuno veda quanto sta avvenendo. La cassa si rivela piú pesante del previsto, e con un po' di fatica la trascinano lungo le scale che portano all'appartamento. Il gruppo entra, la porta si richiude. La missione è compiuta.

I brigatisti s'infilano i passamontagna, aprono la cassa. In quel momento Germano vede spuntare la faccia stropicciata del presidente della Democrazia cristiana, Aldo Moro, con gli occhi ancora chiusi da una benda.

L'uomo si alza a fatica, aiutato da Moretti che gli chiede: – Presidente, ha capito chi siamo?

Moro risponde con un filo di voce: – Ho capito.

Germano pensa che lui e le Brigate rosse stanno vincendo. Hanno in mano il simbolo della Dc, il presidente del partito-Stato, l'uomo che piú di ogni altro incarna la rappresentazione del potere in Italia. Dunque era lui il prescelto. Il sostenitore piú acceso del dialogo e dell'accordo col Pci, sicuramente piú di Fanfani, forse anche piú di Andreotti.

Nella mente di Gulliver riaffiora una storiella che si racconta da sempre negli ambienti comunisti. Quella del padre in fin di vita al quale il figlio ripete sempre la stessa domanda senza mai avere risposta: «Papà, almeno adesso dimmelo, chi è che ha rovinato l'Italia?» E il padre, ormai rantolante: «Moro... Moro, ma non te lo dico!»

Adesso però non è il momento delle storielle. Moro è chiuso nella prigione dietro la libreria, dove ha trovato gli abiti nuovi da indossare. Quelli che portava vengono sezionati centimetro per centimetro, in cerca di improbabili microspie o segnalatori, cosí come le scarpe, le borse e tutto ciò che contengono.

Le edizioni speciali dei notiziari di radio e Tv si accavallano raccontando quanto è successo in via Mario Fani, dove Moro è stato rapito e dove sono stati uccisi i cinque uomini che lo scortavano. Il maresciallo dei carabinieri Oreste Leonardi, cinquantadue anni; l'appuntato Domenico Ricci, quarantaquattro anni; il brigadiere di polizia Francesco Zizzi, quaranta anni; gli agenti Raffaele Cozzino e Giulio Rivera, venticinque e ventiquattro anni. Tutti falciati dal piombo brigatista, senza che abbiano avuto il tempo di reagire.

Germano ascolta e sente la versione di Moretti e Gallinari, che c'erano. Lui non conosceva i dettagli del piano, immaginava che ci sarebbe stato un conflitto a fuoco e forse anche dei morti. Ma adesso che sa dei cinque cadaveri comincia a preoccuparsi.

I compagni ostentano sicurezza, lui molto meno:

– Con cinque morti sarà difficile cominciare una trattativa, e che lo Stato accetti lo scambio di prigionieri.

Chiede notizie su quando avverrà l'altro sequestro che avrebbe dovuto dare il colpo fatale al potere, quello dell'industriale del Nord. Gli dicono che è stato rinviato, e i suoi dubbi sulla forza contrattuale delle Br che hanno in mano Aldo Moro aumentano.

Dietro la libreria, l'ostaggio s'è infilato i vestiti acquistati da Camilla – ha provveduto anche al pigiama e alle pantofole –, mentre di là si discute sulle altre cose da fare subito: completare la stesura del comunicato numero 1, scattare la foto del prigioniero con dietro lo stendardo delle Br, organizzare un piano di difesa militare dell'appartamento-prigione, i turni di guardia notturni per sorvegliare Moro.

Guardando dallo spioncino Prospero s'accorge che il prigioniero respira a fatica. Ha chiesto delle medicine che dovrebbero stare in una delle borse, ma non ci sono. Camilla andrà a comprarle in farmacia.

Il sistema di aerazione funziona male, meglio tenere la porta della cella aperta. Tanto Moro ha mostrato di voler obbedire agli ordini, non dovrebbe fare pazzie. E non le fa.

L'operazione Fritz sta già scuotendo l'Italia.

Le trattative cominciano subito. Delle Br con lo Stato attraverso i comunicati, delle Br con Moro attraverso gli interrogatori, di Moro con lo Stato attraverso le lettere.

Nell'appartamento-prigione la vita scorre secondo ruoli e ritmi ben definiti. Anna Laura continua la sua esistenza di sempre, la mattina esce per andare in ufficio, il pomeriggio rientra con la spesa e i giornali, cucina e accudisce gli uomini. Moretti arriva per interrogare il prigioniero, prendere in consegna le sue lettere, informare i compagni sull'andamento dei fatti fuori da quel microcosmo dove si stanno giocando i destini di alcune persone e dell'intero Paese. Gallinari e Maccari non escono mai, dividendosi nei turni di guardia, costretti a una convivenza che non piace a nessuno dei due: troppo diversi caratterialmente, e forse anche politicamente. Comunque, in nome della rivoluzione, tutto procede senza intoppi. Tranne le volte in cui Gulliver insiste per lasciare il covo e incontrare la sua fidanzata.

– Tu sei pazzo, è troppo rischioso, – lo ammonisce Prospero.

– È esattamente il contrario, – ribatte Gulliver. – Il rischio c'è se io non mi faccio piú vedere né sentire, perché quella si insospettisce.

Ma il brigatista piú anziano non sente ragioni. Tuttavia, per quattro o cinque volte in quasi due mesi, Germano esce da via Montalcini con qualche scusa e s'incontra con Adelaide. All'insaputa degli altri brigatisti.

In un'occasione si spinge fino all'università. Davanti alla cancellata del piazzale che ancora si chiama «delle Scienze» ma di lí a qualche anno si chiamerà «Aldo Moro», incontra alcuni compagni del movimento, coi quali commenta l'andamento del sequestro. Germano ne parla – al pari degli altri – come fosse qualcosa di misterioso e affascinante insieme, di rischioso e di attraente, stando attento piú ad ascoltare e a captare le reazioni dei compagni che a esprimere le proprie opinioni.

C'è chi è entusiasta e chi è spaventato, chi è favorevole e chi è perplesso. Quasi tutti esprimono comunque ammirazione per «un'azione di guerriglia esemplare», e per il fatto che un manipolo di compagni abbia trovato il coraggio e la capacità di compiere un gesto che sta tenendo in scacco lo Stato e minando alla base l'accordo Dc-Pci, col quale i due maggiori partiti vogliono governare l'Italia.

Senza darlo a vedere, con l'aria ombrosa e schiva di sempre, Gulliver s'inorgoglisce di partecipare all'evento. Finita la discussione, gli altri tornano alle loro case continuando a interrogarsi su dove sarà Aldo Moro e su come finirà questa storia, mentre lui rientra nella «prigione del popolo» per fare il turno di guardia. Con gli stessi interrogativi sull'esito finale dell'avventura cominciata il 16 marzo.

All'inizio gli interrogatori del compagno Maurizio a Moro sono registrati su un magnetofono Philips comprato appositamente. A Camilla e Gulliver è affidato il compito di sbobinare i colloqui. Ascoltano la prima cassetta e cominciano a trascriverne a mano il contenuto. Riempiono sei o sette pagine, ma subito si rendono conto che è un'impresa improba, lunghissima e tutto sommato non cosí utile. L'idea viene abbandonata, i fogli vergati a mano dai brigatisti distrutti per non lasciare tracce della loro calligrafia. D'ora in poi sarà Moro stesso a scrivere le sue risposte ai quesiti posti da Moretti sul funzionamento dello Stato, gli scandali del regime democristiano, le stragi, gli accordi con gli americani e via di seguito.

Di tanto in tanto Gulliver apre lo spioncino della cella e scruta l'uomo chinato a riempire pagine su pagine: il memoriale, le lettere agli uomini di Stato e ai suoi colleghi di partito, a improvvisati mediatori, ai suoi familiari. Un uomo che un po' per necessità e un po' per abitudine si accontenta di pasti frugali e pochi comfort. Per sé ha chiesto solo una Bibbia e la registrazione della messa domenicale.

Dall'altra parte della libreria i suoi carcerieri ingaggiano serrate discussioni, intossicate dal fumo delle sigarette, sull'andamento della trattativa e sulle prospettive della rivoluzione. Del futuro in realtà si parla poco o niente. L'eccitazione di tenere in mano l'ostaggio piú importante e piú ingombrante non porta i brigatisti a fantasticare su come organizzeranno il loro Stato. Adesso l'obiettivo è costruire l'avanguardia, il partito armato, le fondamenta del palazzo: alle maioliche e all'arredamento ci si penserà dopo.

Ma di tanto in tanto proprio Germano avanza delle perplessità. Dentro di lui persistono i dubbi sulla figura del «rivoluzionario di professione», anche perché giorno dopo giorno si scopre sempre piú diverso da compagni come Gallinari e Moretti, che hanno abbandonato le famiglie (Moretti addirittura una moglie e un figlio) per combattere la loro guerra, rinunciando a tutto. Germano è cresciuto a un'altra scuola, non riesce a varcare definitivamente la soglia della dedizione totale alla causa. Quando ne parla – soprattutto con Prospero – cerca di trovare delle giustificazioni teoriche ai suoi dubbi.

– La rivoluzione significa anche costruire un uomo nuovo, – dice, – e mi chiedo che uomo stiamo costruendo se lo costringiamo a regole cosí dure, quasi spietate.

– L'importante è vincere, – tagliano corto gli altri, – il resto viene dopo. E per vincere bisogna comportarsi cosí. Con queste regole e accettandone i sacrifici. In futuro si vedrà.

Su simili presupposti, la discussione dura poco. L'unico col quale potrebbe proseguirla è Valerio Morucci, il compagno che meglio lo conosce e potrebbe capirlo. In questi giorni di compartimentazione piú rigida del solito, però, è impossibile incontrarlo.

Quando non discute coi compagni, Gulliver se ne sta per conto suo a guardare la Tv o a leggere libri. Storie di spionaggio e di Servizi segreti, scritte da Le Carré, Ludlum, Forsyth. Camilla preferisce i romanzi di Urania. Ma nessuno, nella casa-prigione, riesce realmente a distrarsi e a non pensare al destino che si sta consumando tra quelle mura.

Nel cunicolo insonorizzato da Germano, anche Aldo Moro cerca di decifrare il proprio destino. Scrive in continuazione. Nel memoriale racconta i retroscena dello Stato che il suo partito e lui in prima persona governano da trent'anni, ma senza soddisfare le vere curiosità dei brigatisti. Senza svelare i segreti inconfessabili che i suoi carcerieri s'aspettano. Nelle lettere cerca di sostenere la necessità della trattativa, della ragione della vita umana contro la ragione di Stato, dell'opportunità anche politica che altro sangue non sia versato.

Fuori dalla «prigione del popolo», i suoi colleghi che siedono a palazzo Chigi e in Parlamento tengono salda la «linea della fermezza». Proclamano che non si scende a patti coi terroristi. Un atteggiamento che, per quanti sforzi faccia, Moro non riesce a far mutare.

Germano lo vede scrivere, e sui giornali legge il contenuto delle lettere che i «postini» delle Br recapitano ai destinatari e diventano quasi sempre pubbliche. Anche quella che Moro s'era raccomandato di mantenere riservata, indirizzata al ministro dell'Interno Francesco Cossiga, un suo allievo che adesso è tra i piú strenui sostenitori della «fermezza», peraltro spalleggiato dal Pci.

Quando la legge sul giornale Moro s'inquieta, Gulliver capisce che una sua richiesta è stata disattesa. Ne chiede conto al compagno Maurizio, che continua a essere il capo e il regista dell'operazione Fritz. Moretti è inflessibile: – Niente di questa vicenda dev'essere nascosto al popolo. E non esiste che noi facciamo quello che ci chiede l'ostaggio.

La sera Maccari ne discute con Camilla mentre stanno lavando i piatti, un'occupazione che non gli piace ma alla quale si sottomette con disciplina, rispettando i turni. Le spiega che la trattativa, adesso, è ancora piú difficile. Lei domanda se per caso anche lui fosse arrabbiato con Moretti, come Moro, e Gulliver le confida: – No, ma penso che sia tutto molto complicato dal primo giorno, per via dei cinque morti iniziali. E mi pare che vada sempre peggio.

A Roma e in altre città, durante il sequestro, i nuclei e le colonne delle Br continuano a ferire e uccidere in nome della rivoluzione. Gli apparati di sicurezza dello Stato appaiono imbelli di fronte all'offensiva brigatista. Anche la scoperta di un covo che si rivela subito importante, sembra piú casuale che cercata.

Ufficialmente a causa di un reclamo dei vicini allarmati da un'infiltrazione d'acqua, la polizia s'imbatte in un appartamento in via Gradoli, sulla Cassia, abitato fino a pochissimo tempo prima da almeno due brigatisti. È la «base» in cui dormiva Moretti, che si preoccupa subito di tranquillizzare i compagni: – Non ci sono elementi che possano collegare quell'appartamento a via Montalcini.

Nelle stesse ore viene diffuso un falso comunicato delle Br, il numero 7, che annuncia l'avvenuta esecuzione di Moro, con l'indicazione che il cadavere è stato gettato nel lago della Duchessa, in mezzo alle montagne della provincia di Rieti. Non è vero, ma per alcune ore l'Italia pensa che l'ostaggio sia stato ucciso.

I brigatisti s'interrogano su chi abbia compiuto una mossa simile, e si rispondono che lo Stato ha voluto fare le prove generali di quando Moro sarà ucciso veramente.

– Sono loro stessi che lo vogliono, stanno preparando l'opinione pubblica ad accettare questa realtà, – commenta Moretti.

Gulliver si convince che è una manovra dei Servizi segreti, e viene preso dallo sconforto: – Non abbiamo contro solo poliziotti e carabinieri, ma il mondo intero. Una specie di Spectre, che s'inventa pure 'ste cose.

La risposta delle Br è una nuova foto di Aldo Moro con un quotidiano del giorno in mano, la prova che l'ostaggio è ancora vivo. Ma intanto prende corpo, a oltre un mese dal rapimento, l'idea che davvero si debba arrivare all'esecuzione.

Germano Maccari è contrario, vorrebbe arrivare a una soluzione che faccia ottenere alle Br il riconoscimento politico che chiedono e all'uomo rinchiuso dietro la libreria la sua libertà. Anche sullo scambio di prigionieri chiesto inizialmente dai brigatisti, tredici detenuti politici contro uno, si può trattare. Il numero da cui si è partiti non è tassativo, i carcerieri l'hanno detto pure a Moro che in questo modo ha ripreso a sperare. Da parte dello Stato, però, non giungono segnali concreti. Moretti comincia a paventare l'ipotesi dell'uccisione del prigioniero.

Anche la lettera di papa Paolo VI agli «uomini delle Brigate rosse» non induce all'ottimismo: la richiesta di rilasciare Moro «senza condizioni» è un ulteriore indizio che dall'altra parte non cederanno.

– Ma se continuano cosí che facciamo? Mica vorremo ucciderlo veramente... – prova a dire una sera Germano.

– La rivoluzione non è un pranzo di gala, – è la risposta, secca e decisa. Sempre il solito ritornello.

Germano insiste: – Ma un'organizzazione comunista non può comportarsi come fa lo Stato, uccidendo i prigionieri.

Quattro anni prima, proprio le Br hanno rilasciato il giudice Mario Sossi. Moretti però è categorico: – Non possiamo comportarci come con Sossi, perché non saremmo piú credibili. In quattro anni la guerriglia è cresciuta, e dobbiamo dimostrarlo.

Germano, che non si vuole arrendere all'idea di uccidere l'ostaggio, prova a insistere: – Ma la situazione non sarebbe comunque la stessa, qualcosa in realtà abbiamo ottenuto. Non fosse che a livello di immagine e di seguito tra i compagni...

– Non è sufficiente, – taglia corto Moretti.

Nell'appartamento-prigione Gallinari sembra d'accordo con lui, mentre Camilla è piú incline alle ragioni di Gulliver. Ma il seguito delle discussioni convince anche lei che se la situazione non si sblocca da parte dello Stato, non c'è alternativa.

Ogni giorno che passa fa aumentare la tensione. Per la situazione di stallo e per il timore che le forze dell'ordine possano arrivare in via Montalcini. Nel covo, a parte le pistole che ogni militante ha in dotazione personale, ci sono un fucile Winchester a ripetizione e un mitra, pronti all'uso in caso si debba sostenere un conflitto a fuoco.

Una sera li tirano fuori in tutta fretta dall'armadio dove sono custoditi. Gulliver e Gallinari sono soli in casa, e da una finestra uno dei due ha intravisto qualcosa che potrebbe essere un lampeggiante blu.

– È la polizia, – dice Gulliver, e corre a prendere fucile e mitra.

Gallinari si mette all'ingresso della prigione di Moro, con la pistola in mano, mentre Gulliver si piazza davanti alla finestra del salone, il mitra pronto a sparare e il fucile accanto. Rimangono immobili e muti per almeno dieci minuti, poi Gulliver decide di avventurarsi in giardino a controllare la situazione. Esce lentamente, ma non c'è nulla. Forse quella luce blu era di passaggio, forse era stata solo un'impressione. L'allarme è rientrato.

In un'altra occasione Gallinari imbraccia il mitra sistemandosi davanti alla cella, quando una vicina bussa alla porta e Gulliver va ad aprire. È la signora del piano di sopra, con la quale Camilla ha scambiato in passato qualche parola di cortesia, e che proprio oggi che lei non c'è ha pensato bene di portarle in dono dei limoni colti in campagna. Gulliver fa rimanere la signora sulla porta spiegando che la sua ragazza è fuori, prende i limoni e saluta. Richiuso l'uscio, avverte Gallinari che tutto è a posto. Quello quasi se la prende con lui perché non l'ha fatta entrare: – Dovevi mostrarti piú gentile, come un normale vicino.

Gulliver nemmeno lo sta a sentire. Sta già ripensando al muro contro muro tra lo Stato e le Br che non promette nulla di buono per l'esito del sequestro.

Anche l'ultima telefonata fatta personalmente da Moretti alla moglie di Moro non ha sortito effetti significativi. Nel frattempo s'è conclusa la consultazione tra i militanti sull'esito del sequestro. A grande maggioranza s'è deciso di accettare la proposta del Comitato esecutivo: uccidere l'ostaggio.

Germano ha votato contro, come Valerio Morucci e Adriana Faranda con i quali ha tentato inutilmente di mettersi in contatto. Ma gli altri hanno detto sí. La sera di lunedí 8 maggio Moretti arriva in via Montalcini, e comunica che l'indomani si procederà all'esecuzione della sentenza di morte pronunciata dal tribunale brigatista. Gulliver non ha piú la forza di opporsi, ma rimane ad ascoltare le istruzioni su ciò che avverrà.

L'ostaggio sarà portato nella macchina sistemata nel garage di via Montalcini. Non piú dentro il baule di legno che s'è rivelato troppo pesante ed è già stato distrutto, ma all'interno di una cesta che ha procurato lo stesso Gulliver.

A occuparsi dell'esecuzione sarà Moretti, e Gulliver lo assisterà.

– Perché proprio io? – domanda nel tentativo di essere sollevato dal compito.

– Perché poi dobbiamo uscire con l'auto e trasportare il corpo del presidente fino in centro. Gallinari è latitante, non può farsi vedere in giro, – risponde Moretti, che si ferma a dormire nell'appartamento-prigione.

Dietro la libreria, Moro consuma l'ultimo pasto che gli ha preparato Anna Laura, la compagna Camilla.

La notte trascorre senza che Germano chiuda occhio, il pensiero fisso a ciò che sta per accadere. Lui non vorrebbe che accadesse, cerca invano una via d'uscita che non trova. Potrebbe imboccare la porta e andarsene, certo, ma sarebbe un gesto da vigliacchi che non cambierebbe le sorti dell'ostaggio. A meno che non andasse alla polizia, ma nemmeno questo servirebbe a salvare Moro: in caso di irruzione nel covo, il primo a morire sarebbe proprio lui. Poi Germano vuole la liberazione del prigioniero, ma non l'arresto o l'uccisione dei suoi compagni.

Non restano che le riflessioni sul futuro. La morte di Aldo Moro, pensa Germano, segnerà per sempre la sorte del movimento rivoluzionario e quella di chi la determina. Compreso lui, naturalmente; il fatto di essere contrari non cambia nulla.

Tra sé e sé decide che, concluso il sequestro ed esaurite le formalità per far sparire le tracce della prigione, lascerà le Brigate rosse. Valuta che sia stato un errore entrarci dieci mesi fa, e ora non c'è altro da fare che uscirne. Anche se porterà sempre con sé il fardello di ciò che è successo e sta per succedere.

Non c'è condivisione con i compagni che possa alleggerire la gravità e la responsabilità di quanto avvenuto e avverrà di lí a poche ore. Anche per questo Gulliver preferisce non parlare con gli altri carcerieri di ciò che ha deciso. Bisogna solo aspettare che tutto si compia.

All'alba del 9 maggio 1978 la casa-prigione si rianima, ma non c'è tempo per pensieri che non siano operativi, perché ogni cosa vada secondo i piani stabiliti. Aldo Moro è informato dai suoi carcerieri che bisogna andarsene da lí.

L'ostaggio si veste, viene accompagnato nel garage dov'è parcheggiata l'auto procurata per il trasporto, una Renault rossa. Lo sistemano nel bagagliaio, lo coprono con una coperta.

Nel garage ci sono Mario Moretti e Germano Maccari, Maurizio e Gulliver. Moretti fa fuoco sul presidente della Dc con una Walter Ppk silenziata, che però s'inceppa. Anche a via Fani qualche arma s'era bloccata, e furono attimi di panico. Come adesso. Moretti si gira e Maccari gli passa la mitraglietta Skorpion: due raffiche e tutto è finito.

I due brigatisti salgono a bordo della Renault, Camilla controlla all'esterno e fa un cenno di via libera. L'auto esce dal garage e procede verso il centro di Roma, dove il corpo di Moro sarà depositato in via Michelangelo Caetani, tra piazza del Gesú e via delle Botteghe oscure, dove sono le sedi della Dc e del Pci.

Sembra che manchi l'aria nell'appartamento che non è piú prigione, quando Germano torna per smontare insieme a Gallinari la cella che ha ospitato l'ostaggio e la vittima piú illustre della storia del terrorismo italiano, e distruggerne i resti. Non solo perché si sente ancora l'odore di solvente chimico che Gulliver ha incamerato dal primo giorno del sequestro e che non l'ha mai abbandonato, ma anche perché lui ha una gran fretta.

Vuole finire il lavoro e andarsene. Da via Montalcini, dalle Brigate rosse, dalla lotta armata.

Ne parla con Prospero, ritornando sulla sua difficoltà ad accettare le rigide regole di vita quotidiana imposte dalle Br mentre fanno a pezzi il muro divisorio che avevano costruito, i pannelli insonorizzanti e tutto il resto, cercando di provocare meno rumore possibile.

Prospero gli propone di cambiare gruppo: – Potresti andare con Prima linea. Loro sono meno rigorosi, magari ti trovi meglio.

Ma Germano non vuole andare con nessuno. Riempie buste intere di calcinacci da gettare nella discarica piú vicina, e pensa che vuole tornare a casa. Tra l'altro, in una telefonata fatta ai genitori durante i cinquantacinque giorni del sequestro, ha saputo che gli è arrivata la cartolina militare. Deve partire a luglio.

– Ma che ci vai a fare? – gli ha detto Gallinari. – Entra in clandestinità. Ti faranno un mandato di cattura per renitenza alla leva, cosa vuoi che sia?

È una soluzione alla quale Germano non pensa minimamente: – Non ha senso, io sono pulito, perché devo denunciarmi allo Stato? O parto oppure trovo un sistema per farmi riformare, ma renitente no.

Gallinari e Camilla cercano di convincerlo a non prendere decisioni affrettate: – Siamo tutti stanchi e scossi da quello che è successo, prenditi un periodo di riposo e di riflessione, poi si vedrà.

Germano risponde che comunque sarà difficile tornare indietro dalla decisione che ha preso, ma che vorrebbe parlarne con Morucci.

Dopo tre giorni di lavoro e di discussioni, della prigione di Aldo Moro non c'è piú traccia. L'appartamento di via Montalcini è tornato a essere quello che era un tempo, prima di cominciare l'avventura: una base brigatista con la copertura dei due promessi sposi, Anna Laura e Germano. Solo qualche segno rimasto sul parquet, nel punto in cui era stato costruito il muro divisorio, ricorda l'uso che ne è stato fatto in quei drammatici cinquantacinque giorni. Ma a partire dal 12 maggio, completato il lavoro, Germano non ci mette piú piede. Ai vicini che chiederanno notizie del ragazzo, Anna Laura dirà che è dovuto partire per l'estero, motivi di lavoro.

Germano invece è tornato nel suo habitat naturale, a Centocelle. Dai genitori, dalla fidanzata, dagli amici e i compagni di un tempo. Dalle persone e dai luoghi di cui ha sentito la mancanza prima e durante l'operazione Fritz. Segnato però dal marchio indelebile di una vicenda che lo fa sentire improvvisamente adulto.

Il modo per farsi riformare al servizio militare non s'è trovato e a luglio perfino la partenza per la naja, destinazione Barletta, sembra un momento di liberazione. A salutare Germano Maccari che diventa soldato dell'Esercito italiano, alla stazione Termini, ci sono una decina di compagni mezzi ubriachi che fischiano e urlano per salutare l'amico che se ne va a servire lo Stato, dopo aver servito le Br nel momento di massimo assalto allo Stato. Ma questo è un segreto tutto suo, nessuno di coloro che rimangono sotto la pensilina sa che quella recluta è stato il carceriere di Aldo Moro.

Finire a Barletta è un privilegio ottenuto pagando il conoscente di un amico di famiglia, e grazie al cambio in corsa Maccari entra in una «compagnia atleti» insieme a calciatori famosi come Pietro Paolo Virdis e Marco Tardelli. Nemmeno loro sanno di essere commilitoni di un brigatista che ha partecipato al sequestro Moro, cosí come non lo immagina il militare che, terminato il Car, lo assegna alla caserma Rossetti di Roma. Qui il soldato Maccari comincia a fingersi malato, e tra convalescenze e permessi completa il servizio militare essendo rimasto tra i graduati per qualche mese appena.

Con le Br, i contatti sono definitivamente interrotti. Prima di partire per Barletta Maccari s'è visto due o tre volte con Morucci, al quale ha confidato le sue riserve sulla conclusione dell'operazione Moro e sulla militanza nel «partito armato». Anche Valerio era contrario all'uccisione di Moro. Insieme ad Adriana Faranda sta tentando di organizzare una fronda dentro le Br, ma intuendo che Germano non ne avrebbe comunque fatto parte, non gli ha confidato dissensi né progetti.

La proposta è stata un'altra: – Entra in una «brigata» di periferia, per esempio quella di Torre Spaccata, e vedi come va.

Germano ha risposto di no. Per Morucci, l'uscita di Maccari dalle Br sarebbe stata comunque una sconfitta. Se la scissione fosse andata in porto avrebbe avuto un militante in meno sul quale contare, e ha tentato l'ultima carta consigliandogli di parlarne con una compagna importante, che lui conosce e stima. Gli ha fissato un appuntamento al quale Germano non s'è presentato. Dopo tre giorni è andato a cercarlo Bruno, l'amico che è rimasto nelle Br. Ha citofonato a casa sua, come aveva fatto un anno prima, quando gli propose di entrare nell'organizzazione. Come allora Germano è sceso a parlargli, ma stavolta l'esito è diverso.

A Bruno, che lo rimproverava di aver saltato l'appuntamento con la compagna, Germano ha risposto:

– Non ho piú bisogno di parlare con nessuno. Ho deciso di lasciare l'organizzazione, anzi l'ho già fatto. Vi auguro tutte le fortune, ma ognuno va per la sua strada. In bocca al lupo.

Di lotta armata e di Br, però, si dibatte ancora tra i compagni che Germano continua a frequentare. Perché le Br, dopo l'omicidio Moro, non si sono certo fermate. Sono andate avanti nella loro sfida allo Stato, continuando a sparare, ferire, uccidere.

Come sempre Germano si limita a discorsi generici, senza mai accennare alla sua esperienza brigatista. Dice che il grado di scontro è stato portato troppo in alto, che il movimento rivoluzionario non è in grado di sostenere certi livelli di guerra guerreggiata, che sarebbe opportuno fare non uno, ma due o tre passi indietro in attesa di tempi migliori.

Una sorta di ritirata strategica teorizzata da chi ha partecipato all'azione piú importante delle Br in mezzo a gente che, al contrario, sostiene la necessità di proseguire sulla strada imboccata col rapimento e l'uccisione di Moro. E magari cerca i contatti giusti per essere reclutata. Lui che invece c'era dentro è voluto uscirne, ma non si prodiga piú di tanto per impedire che altri entrino. Ognuno è padrone della sua vita e libero di fare le proprie scelte, e chissà chi ha davvero ragione.

In attesa di scoprirlo, Germano torna alla vita di un tempo. Dà una mano all'impresa in cui lavora il padre, legge i giornali e segue ciò che accade, azioni di guerriglia comprese. Senza riuscire a liberarsi dell'odore acre di solvente chimico che lo riporta all'appartamento-prigione, al sequestro di Aldo Moro, all'idea che prima o poi qualcuno possa venire a chiedergliene conto.

I poliziotti bussarono alla casa di via Anagni il 3 marzo del 1982, a pochi giorni dal quarto anniversario della strage di via Fani. In mano avevano un mandato di cattura contro Maccari Germano, nato a Roma il 16 aprile 1953, ivi residente eccetera.

Germano andò subito a leggere i capi d'imputazione: associazione sovversiva, banda armata, danneggiamento, lesioni... No, il sequestro e l'omicidio non c'erano. Non si parlava nemmeno di Brigate rosse, ma delle varie formazioni romane che avevano preceduto l'ingresso nel partito armato vero e proprio.

Era stato un pentito della colonna romana a fare il suo nome, anche riferendo discorsi altrui, insieme a «collaboratori» che avevano frequentato gli ambienti sovversivi di Centocelle. I fatti raccontati sul conto di Gulliver arrivavano fino al 1976; alcuni li aveva realmente commessi, come l'attentato alla Sip, altri no.

In ogni caso mancava l'accusa piú grave, ma questo non era bastato a evitargli il carcere speciale. E sí che negli ultimi mesi Germano aveva riflettuto a lungo sul da farsi. I pentiti avevano cominciato a «cantare», molti compagni erano finiti dietro le sbarre, fra cui quasi tutti i protagonisti del caso Moro: Morucci, Faranda, Gallinari, Moretti, Braghetti, Seghetti. Qualcuno aveva preso la strada della latitanza all'estero, e Germano s'era interrogato a lungo se fare lo stesso. Ma alla fine aveva deciso di rimanere. Per pigrizia, per un carattere che non è adatto alla fuga, per fiducia nei compagni: nessuno di coloro che sapevano del suo coinvolgimento nel sequestro avrebbe parlato.

Parlò, invece, uno che evidentemente non sapeva della sua presenza nella «prigione del popolo». Si pentí a pochi giorni dall'arresto, anche se i compagni lo consideravano uno che avrebbe tenuto. Non tenne, e mandò in galera un sacco di gente. Compreso Germano, che adesso si ritrova nel penitenziario di Trani, uno dei «kampi» dove sono rinchiusi i terroristi.

Anche qui Germano si guarda bene dal rivelare la sua passata identità brigatista. Non l'ha confessata a nessuno nei quattro anni di vita normale trascorsi dopo il maggio 1978. Non alla famiglia, non ad Adelaide, non agli amici. E visto che per la giustizia non è un brigatista, non c'è motivo di scoprirsi adesso. Meglio, molto meglio, difendersi tecnicamente dai «piccoli fuochi» di cui è accusato, scontare quello che c'è da scontare e uscire prima possibile da questo inferno.

Che sia un inferno, Germano l'ha capito subito. Non solo per le regole al limite della sopportabilità imposte dallo Stato, come le restrizioni previste dall'articolo 90 dell'ordinamento carcerario – colloqui ridotti al minimo e attraverso vetri blindati, perquisizioni continue, luci accese anche di notte, divieto di tenere con sé qualunque oggetto – introdotto per i terroristi. Ci sono pure i brigatisti a complicare la vita.

In carcere la rivoluzione non si ferma, e se il Partito comunista combattente di fronte al fenomeno del pentitismo teorizza la necessità della ritirata strategica, il neonato Partito guerriglia predica il terrore. «Colpiscine uno per educarne cento» è la regola che si applica non solo ai collaboratori di giustizia, ma pure alle altre categorie di detenuti non irriducibili: i dissociati, gli ammittenti, gli arresi.

Contro costoro, considerati «infami» senza troppe distinzioni, si scatena la «pulizia rossa» fatta di invettive, ferimenti e omicidi consumati dietro le sbarre, a prosecuzione di una campagna cominciata fuori dalle carceri. Un anno prima, nell'estate del 1981, il fratello del pentito Patrizio Peci, Roberto, è stato sequestrato, tenuto in ostaggio per quasi due mesi e infine ucciso in un casolare abbandonato alla periferia di Roma, sotto un cartello dov'era scritto «Morte ai traditori».

Nella classificazione brigatista, Germano è considerato un «arreso», anche se lui non si ritiene tale. Vorrebbe essere semplicemente uno che si difende negando gli addebiti, e cerca di evitare contrasti e discussioni coi compagni piú intransigenti. Vede cose che non gli piacciono, tenta di rimanerne fuori, ma se c'è da difendere qualcuno non si tira indietro.

Nella sua cella, per esempio, ha accettato un compagno sospettato di cedimenti, che però ancora non s'era «buttato alle celle», come si dice di quelli che chiamano le guardie e si fanno portare, appunto, «alle celle» per chiedere protezione in cambio della collaborazione. Nessuno lo voleva come coinquilino, perché si temeva che prima o poi gli avrebbero fatto pagare le tentazioni di saltare il fosso. Germano, invece, l'ha preso con sé, ma non è bastato a salvarlo dai sospetti.

Una mattina un irriducibile è passato davanti alla cella e l'ha apostrofato: – Ciao, infamello, ci vediamo domani all'aria.

Germano ha tentato di tranquillizzarlo, ma nel giro di due ore quello ha chiamato una guardia e ha detto la frase fatidica: – Portatemi alle celle.

Ennio Di Rocco, invece, non s'è salvato. O forse non s'è voluto salvare. Era un brigatista di Roma tra i piú duri, passato nelle file del Partito guerriglia. Dopo l'arresto non ha resistito alle torture denunciate dai suoi avvocati finendo per fare delle ammissioni su un covo. Anche se ha parlato a distanza dalla sua cattura, dando il tempo ai compagni di fuggire, il Partito guerriglia s'era pronunciato per la condanna a morte. Di Rocco l'ha capito e non s'è sottratto al verdetto.

Germano conosceva Ennio, detto «Moricone», dai primi anni Settanta, e ha ancora stampato in mente il volto pallido dell'ultima volta che l'ha visto nel cortile del carcere, all'ora d'aria. La vittima conosceva la decisione dei suoi carnefici e aspettava inerme il momento dell'esecuzione. Convinto magari che fosse giusta. Il giorno in cui Di Rocco è morto, il 27 luglio 1982, Germano era in un altro cortile. Ha sentito le urla, ha capito cosa stava succedendo e dentro di sé è aumentato l'orrore.

Anche per questo, appena da Roma arrivano notizie che nel carcere di Rebibbia si sta organizzando l'«area omogenea» di coloro che tentano di sfuggire a quello che per lui è un impazzimento generale, la metafora di un esercito sconfitto che si abbandona ai saccheggi e alle distruzioni indiscriminate, Maccari comincia a pensare di farsi trasferire. Ma deve fare attenzione, affinché il suo eventuale spostamento non odori di collaborazione. Nel clima che si respira, anche un cambio di cella desta sospetti. Figurarsi la fuga da un «kampo».

L'istanza inviata al ministero della Giustizia parla

di motivi di studio e di avvicinamento alla famiglia, e nel maggio 1993, dopo piú di un anno trascorso a Trani, Germano approda a Rebibbia.

Qui incontra Valerio Morucci, e rivedere il vecchio Pecos, anche se dietro le sbarre, gli dà grande sollievo. Con lui si può parlare, c'è confidenza e fiducia. Ma a Moro non accennano mai. Discutono invece delle prospettive della dissociazione, di cui Morucci sta diventando un convinto assertore. Dice che andrà a Paliano, nel carcere dove tengono i pentiti. Germano si stupisce, e si preoccupa anche. Valerio lo tranquillizza: – Non rischi nulla.

Senza mai dirlo esplicitamente, entrambi pensano al sequestro e a via Montalcini, il vero cruccio di Maccari. Stare in carcere per le accuse che gli hanno rivolto non è nulla in confronto a ciò che succederebbe se qualcuno svelasse il suo ruolo nel caso Moro. Lo sa Germano e lo sa pure Valerio.

– Stai tranquillo, – ripete l'amico e compagno di un tempo. Del resto, Maccari non ha alternative.

I mesi passano, le accuse non cambiano e alla fine del 1985 – compiuti tre anni e mezzo di galera – Germano esce per scadenza dei termini di carcerazione preventiva. Il processo comincia l'anno successivo, finisce con una condanna a quattro anni di detenzione, quasi tutti scontati. Quando arriva la legge che riconosce gli sconti di pena per i dissociati, ai quali Maccari s'è unito, la condanna viene ridotta a due anni e otto mesi.

Ora è nuovamente un uomo libero, addirittura in credito con lo Stato che gli ha fatto fare piú galera di quella inflitta dai giudici, ma lui e pochi altri sanno che il conto non è chiuso. Di tanto in tanto, il «quarto uomo» della prigione di via Montalcini affiora nelle ricostruzioni storiche e giornalistiche, nelle inchieste giudiziarie sempre aperte. Si sa che c'era, non si sa chi è.

Ogni volta che sui giornali o in televisione si parla del caso Moro, Germano Maccari ha un sussulto. Dopo il carcere ha ricominciato una terza vita, nella vecchia casa di Centocelle, tenendo per sé un segreto che può sgretolarsi da un momento all'altro e interrompere la nuova esistenza.

I misteri sui cinquantacinque giorni che hanno sconvolto l'Italia riemergono ciclicamente, come un fiume carsico che ogni tanto appare in superficie, poi scompare. Uno è l'identità del quarto uomo. Lo stesso Germano è convinto che non potrà durare per sempre. Anche per questo la sua vita quotidiana scorre senza progetti, a differenza di quella di tutti i ragazzi che, diventati uomini, cercano di costruirsi un futuro.

Germano no, vive alla giornata. Continua a lavorare col padre, vede gli amici di sempre. Con Adelaide, la donna per la quale aveva resistito alle pressioni dei compagni, la storia è finita durante la detenzione a Trani. Dopo di lei ne è venuta un'altra, che però voleva sposarsi e avere dei figli. Gulliver ha detto di no. S'è inventato delle scuse, ma il vero motivo è quel virus che sa di avere dentro e che non lo lascia tranquillo: che famiglia può costruire una persona che pensa di poter tornare in galera all'improvviso con un'accusa da ergastolo, per aver partecipato a uno dei crimini piú gravi della storia repubblicana?

È un fardello che Germano può nascondere a tutti, anche ai genitori, al fratello e alla sorella ai quali è rimasto molto legato, ma non alla donna che gli darà un figlio. E adesso, piuttosto che svelare quel segreto, preferisce rinunciare alla donna e al figlio.

Ancora una volta s'affaccia la possibilità di scappare in Francia, dove tanti compagni hanno trovato un rifugio che li tiene al riparo dal carcere a vita, ma Germano non riesce a immaginare nemmeno un futuro da fuggiasco.

C'è forse un senso di colpa e un po' di fatalismo che lo porta ad accettare l'idea di dover pagare il prezzo di ciò che ha fatto. Ma c'è anche la speranza che prima o poi arrivi quella «soluzione politica» di cui ciclicamente si discute – come accade per i misteri del caso Moro – e che potrebbe rappresentare una via d'uscita per le migliaia di soldati del «partito armato» passati dalle patrie galere. Compreso lui.

Il tempo trasforma tutto, e pure il «regime democristiano» combattuto dalle Br non sembra piú indistruttibile come appariva nei violenti anni Settanta e negli arrendevoli anni Ottanta. I Novanta portano un vento di cambiamento che d'un colpo abbatte il vecchio sistema, che si scopre «corrotto almeno quanto lo dipingevamo noi», pensa l'ex militante delle Brigate rosse.

Nel frattempo qualche conto con la giustizia si chiude, e a parte i pentiti che di carcere ne hanno fatto davvero poco, pure i dissociati e alcuni irriducibili condannati per il sequestro e l'omicidio di Moro cominciano a mettere il naso fuori dalle prigioni. Germano segue ciò che accade, e aspetta.

Una vita sospesa, nella quale s'inserisce la malattia del padre che entra ed esce di continuo dall'ospedale. Proprio mentre torna a casa da una visita fatta al San Camillo, nell'autunno del 1993, Maccari si accorge di una macchina e di una moto che aveva già notato in precedenza. L'istinto di chi una volta si muoveva studiando ogni minima mossa intorno a lui, si riaccende. Forse lo stanno seguendo.

Rientrato a casa si affaccia alla finestra e cerca di captare altri movimenti, scrutare altri volti. Ci sono facce nuove, in strada. Potrebbero essere sbirri. Ma la zona pullula di ladri e spacciatori, non è detto che

– se davvero sono sbirri – stiano lí per lui, il «quarto uomo».

Il dubbio riaffiora: scappare o restare in attesa? Ancora una volta Germano sceglie la seconda alternativa. Per stanchezza, per pigrizia, per non sfidare l'ineluttabilità del destino. Forse per il desiderio di riprendersi la propria vita, annientata dal segreto che si porta dentro.

La mattina del 13 ottobre 1993 gli agenti della Digos bussano alla porta. Hanno in mano un mandato di cattura, e stavolta si parla di concorso in sequestro di persona e omicidio aggravato commesso per finalità di terrorismo e di eversione dell'ordine costituzionale, in danno dell'onorevole Aldo Moro e degli agenti addetti alla scorta.

In casa ci sono soltanto Germano e sua madre. Lui finge di cadere dalle nuvole, viene accompagnato in carcere e nega ogni addebito. A suo carico ci sono le dichiarazioni di Adriana Faranda – che di fronte ai magistrati che le facevano il nome di Maccari ha finito per ammettere che c'era anche lui in via Montalcini – e le ambigue risposte di Valerio Morucci, il quale non conferma e non smentisce. Ma Germano continua a proclamarsi innocente: – Non sono io l'uomo che cercate, non c'entro con le Br né con il sequestro Moro.

Secondo la Faranda, che riporta presunti racconti di Gallinari, fu proprio Maccari a sparare al presidente della Dc, il 9 maggio. E lui nega. Con i suoi avvocati, con i familiari, coi poliziotti e coi giudici: – Non sono io, è uno sbaglio.

Nemmeno adesso che l'hanno arrestato per i reati piú gravi si abbandona alla confessione. Sceglie la via della difesa tecnica: – Dimostratemi voi che sono colpevole, non devo essere io a provare la mia innocenza.

Il Paese, come il resto del mondo, è tutt'altro da quello di quindici anni prima. L'Unione Sovietica è crollata insieme al muro di Berlino e a tutto l'impero comunista dell'Europa orientale. In Italia non solo non ci sono piú le Brigate rosse e la lotta armata, ma nemmeno i governi che combattevano. La scoperta di Tangentopoli e le stragi mafiose hanno cancellato un intero sistema politico. Uomini di Stato che furono protagonisti del caso Moro, come Bettino Craxi e Giulio Andreotti, sono stati scalzati e devono difendersi da accuse pesantissime, uno di corruzione e l'altro di associazione mafiosa. Il Pci non esiste piú, la Dc e il Psi stanno per scomparire come i partiti della cosiddetta «prima Repubblica», quella di Aldo Moro che era morto imprecando contro i politici che l'avevano lasciato in balia dei suoi rapitori e assassini: «Il mio sangue ricadrà sulle vostre teste».

Sembra un paradosso, ma proprio ora che quell'invettiva pare realizzarsi e il sistema attaccato dai brigatisti cade sotto i colpi di nuovi scandali, lo Stato si presenta a casa di un nemico di quindici anni prima per riportarlo in galera.

Forse anche per questo Germano Maccari non si arrende, e seguita a negare.

Il braccio di ferro con investigatori e magistrati va avanti per mesi, lui in carcere a gridare che non c'entra e loro fuori a confermare di aver svelato uno dei misteri del caso Moro. In favore di Germano si schierano i garantisti, che non vedono di buon occhio accuse arrivate con tre lustri di ritardo, e i dietrologi che immaginano un «quarto uomo» fatto di tutt'altra pasta: non certo un artigiano di Centocelle, ma un «grande vecchio» in contatto con chissà quali Servizi segreti dell'Est o dell'Ovest. Maccari ne approfitta per ripetere: – Non sono io.

Dopo due anni di carcere preventivo il processo non è ancora cominciato, e Germano torna libero. Potrebbe scappare, non lo fa. E mentre lui continua a negare, gli investigatori non smettono di cercare nuovi elementi. Finché dalle migliaia di carte sul delitto Moro depositate nei tribunali e nelle commissioni d'inchiesta salta fuori il contratto dell'Acea firmato nel 1977 dal sedicente ingegner Luigi Altobelli.

I magistrati ordinano una perizia calligrafica, la prova che potrebbe inchiodare Maccari.

Alla metà del 1996, davanti alla Corte d'assise di Roma s'è aperto il dibattimento chiamato *Moro quinquies*. Tra gli imputati alla sbarra c'è Maccari, il quale, dopo diciotto anni di segreti e di bugie raccontate anche a se stesso, decide che non può resistere oltre.

Suo padre è morto, col dubbio che il figlio di un vecchio comunista e sincero democratico come lui fosse davvero uno dei carcerieri di Aldo Moro. Germano parla con la madre, con la sorella, con la donna conosciuta dopo il nuovo arresto e che è diventata la sua compagna: – Hanno ragione loro, ho partecipato a quel sequestro. Ma non sono stato io a sparare.

È un colpo durissimo per tutti. Alla compagna con la quale vorrebbe costruire un futuro Germano aggiunge: – Adesso confesserò ai giudici, mi condanneranno e dovrò tornare in galera. Decidi tu cosa vuoi fare.

Lei ci pensa, e sceglie di rimanere al suo fianco.

La mattina del 19 giugno 1996, di fronte ai giudici togati e popolari, Germano Maccari ammette di essere stato uno degli inquilini di via Montalcini durante i cinquantacinque giorni. Precisa di essere stato contrario all'esecuzione e di non aver sparato al presidente della Dc. Dal punto di vista giudiziario cambia poco: scatterà comunque la condanna all'ergastolo, che nei gradi successivi sarà ridotta a trent'anni, poi a ventisei e infine a ventitre. Però ci tiene a dirlo.

Finita l'udienza della confessione, Germano è come svuotato. Sa che tornerà presto in carcere, ma adesso può cominciare un'altra vita. Senza piú segreti né spade di Damocle sulla testa. Può costruirsi una famiglia, progettare un avvenire.

Ai cronisti che gli si fanno intorno per avere ulteriori dettagli dice: – Ho commesso tanti errori, il piú grande aver partecipato al sequestro Moro. Ho ancora il rimpianto di non essere riuscito a fermare i miei compagni. Mi sento moralmente responsabile di tutte le morti che ci sono state. In questo momento il mio pensiero va alla vedova e ai familiari del presidente Moro. Vorrei chiedere il loro perdono, ma temo che cosí facendo proseguirei la grande offesa che ho provocato.

Germano Maccari, condannato con sentenza definitiva a ventitre anni di reclusione, dopo aver trascorso diversi periodi di detenzione agli arresti domiciliari, è tornato in prigione il 13 novembre 2000 per scontare il residuo di pena. Nel carcere romano di Rebibbia ha lavorato nella falegnameria, e aveva cominciato a scrivere racconti. La notte del 25 agosto 2001 è morto nella cella dov'era rinchiuso, a causa di un aneurisma cerebrale.

5. «Michele»

Da sotto il cappuccio sentí il rumore del cancello che si apriva. Una spinta e di nuovo quel rumore metallico, il cancello che si richiudeva alle sue spalle. Non vedeva niente, dal fondo del corridoio arrivavano le grida attutite dei carabinieri e di altri arrestati. Le mani erano ancora incatenate dietro la schiena.

Provò a muoversi, trovò la panca, si sedette appoggiandosi al muro e cominciò a pensare. Dopo pochi minuti si addormentò.

Dormí per quattro giorni di fila. Si svegliava per mangiare, e appena richiudeva gli occhi il sonno prendeva il sopravvento.

Poi lo portarono in un'altra caserma. Nel tragitto continuò a pensare, sempre incappucciato, alle torture fisiche e psicologiche che potevano riservargli. Si aspettava di tutto dopo che a Genova, in via Fracchia, i carabinieri avevano fatto fuori quattro compagni, nel sonno o quasi.

Al momento dell'arresto gli era andata bene, se l'era cavata con qualche calcio e qualche pugno. Anche nella prima caserma non era successo nulla, ma adesso? Volevano altri pentiti, e le avrebbero tentate tutte per convincerlo a parlare, a rivelare nuovi segreti delle Brigate rosse. Non solo con le buone. Si fece forza e iniziò a convincersi che non avrebbe ceduto: devi resistere, se ti mostri deciso finiranno per stancarsi prima loro di te, ce la puoi fare…

Giunti nella seconda caserma, cominciarono le proposte.

– Dicci quello che sai, ti conviene, – attaccò il carabiniere.

– Non so niente, – rispose lui.

– Non è vero, sei uno dei capi.

– Sono un prigioniero politico, non ho niente da dichiarare.

La solita trafila, il tira e molla di sempre. Ma negli ultimi mesi piú d'uno era crollato, e ne erano scaturiti fior di arresti. Compreso quello di Francesco Piccioni, ventinove anni, uno dei principali esponenti della colonna romana delle Br ancora in attività. Che adesso era lí, ad ascoltare il suggerimento di rito a passare dall'altra parte della barricata. Senza piú cappuccio in testa e con le mani slegate.

– Guarda che noi ti offriamo un sacco di possibilità, – riprovò il carabiniere.

– Non mi interessano, – tenne duro Piccioni.

– Se collabori potrai cavartela con poco carcere, quasi niente.

– Non mi interessa.

– Ti daremo una nuova identità, potrai rifarti una vita.

– Non mi interessa.

– Anche per i soldi non c'è problema.

– Non mi interessa.

Un osso duro, questo Francesco Piccioni, Franco per gli amici e «Francone» per i compagni del movimento, a causa del fisico da lottatore che l'ha sempre visto in prima fila negli scontri, sia coi fascisti che con la polizia. Anche adesso che era in gabbia, nel senso letterale del termine, non mostrava alcun cedimento, nessuno spiraglio che facesse ipotizzare una collaborazione.

– Se non ti fai aiutare dal carcere non esci piú, finirai per creparci, – insisté il carabiniere, ma lui niente: – Non mi interessa.

Lo riportarono dietro le sbarre, le mani di nuovo incatenate.

L'indomani si presentarono i magistrati dell'Antiterrorismo, i piú famosi. Fu scena muta anche con loro, a parte le formalità.

«Avanti a noi, pubblico ministero Domenico Sica e giudice istruttore Ferdinando Imposimato, è comparso Piccioni Francesco, nato a Napoli eccetera eccetera...» Alla prima domanda il verbale si chiuse con un'unica risposta: «Mi dichiaro prigioniero politico, mi avvalgo della facoltà di non rispondere».

Subito dopo lo trasferirono ancora, ma stavolta in prigione: supercarcere dell'Asinara, lembo estremo della Sardegna, piccola isola con fortezza inespugnabile riservata ai detenuti piú pericolosi.

Finí di nuovo in isolamento, nel reparto chiamato bunker, e dopo una settimana nella sezione Fornelli, dove si trovavano gli altri brigatisti: finalmente le facce amiche di qualche compagno, dopo due settimane di carabinieri e guardie.

Il tempo di pensare e adattarsi alla nuova realtà ormai c'era stato. In fondo era andata bene. Tra le alternative che aveva davanti, morire in un conflitto a fuoco o finire in cella, s'era avverata la seconda. Per come si stavano mettendo le cose fuori, altre possibilità non c'erano. Adesso, salvata la pelle, bisognava trovare il modo di continuare a combattere. Attraverso le brigate di «kampo», i comitati di lotta dei detenuti, ma non solo. La guerra si sarebbe vinta fuori, e fuori si doveva tornare.

Per le Brigate rosse Francesco Piccioni non era né Franco né Francone, ma «Michele», il nome di battaglia che s'era dato in onore del Miche' cantato da Fabrizio De André nella sua ballata. Gli piaceva la storia di quell'uomo che aveva sfidato la legge per amore e aveva preferito morire piuttosto che restare vent'anni in prigione. Neanche lui voleva passare tanto tempo in galera, ma non pensava di «appendersi a un chiodo» come Miche'. C'era una sola alternativa: «Devo andarmene da qui».

La lunga corsa del brigatista Michele comincia subito dopo la conclusione del sequestro Moro. Francesco Piccioni diventa latitante volontario, scappa prima ancora di essere ricercato. S'immerge nella clandestinità per combattere la guerra contro lo Stato e sparisce dalla circolazione per familiari, amici e compagni d'un tempo.

A Roma, i militanti della sinistra extraparlamentare ricordano bene il ragazzone che frequentava le palestre di lotta, correva i cento metri in undici secondi netti ed era in grado, da solo o quasi, di assaltare e distruggere un covo missino. Nel suo quartiere, l'Alberone, i fascisti cercavano di evitare d'incontrarlo a meno che non si trovassero in nutrita compagnia.

Da quando «Francone» non s'è visto piú in giro qualcuno ha cominciato a sospettare che abbia traslocato in qualche banda armata, ma le «guardie» ancora no. Carabinieri e poliziotti hanno già i loro grattacapi per correre dietro i brigatisti che conoscono con nomi e cognomi, latitanti ufficiali e apparentemente inafferrabili.

L'organizzazione non s'è fermata all'indomani dell'omicidio Moro. Anzi. La conclusione del sequestro non è stata la vittoria che qualcuno si aspettava, ma nemmeno la sconfitta paventata dallo Stato rimasto avvinghiato alla «fermezza», rifiutando il «riconoscimento politico» di chi ha imbracciato mitra e pistole. Che continuano a sparare.

Qualche successo investigativo arriva: la scoperta di una tipografia clandestina pochi giorni dopo l'uccisione di Moro; l'arresto di un terrorista noto come Corrado Alunni, a Milano, in settembre; l'irruzione, sempre a Milano, nella «base» di via Monte Nevoso, dalla quale saltano fuori soldi, armi e fotocopie del memoriale scritto da Aldo Moro nella «prigione del popolo». Lí cadono in trappola nove brigatisti, tra i quali due componenti del Comitato esecutivo che ha gestito il sequestro durante i cinquantacinque giorni.

A fronte degli arresti, però, decine e decine di giovani sono reclutati sull'onda dell'operazione Fritz. La guerra continua con attentati che si moltiplicano soprattutto a Torino, Milano e Roma, la città dove batte «il cuore dello Stato» e dove le Br, adesso, colpiscono con chirurgica precisione.

Alle 14,30 del 10 ottobre 1978 il giudice Girolamo Tartaglione, direttore generale degli Affari penali del ministero di Grazia e giustizia, è assassinato mentre rientra a casa dall'ufficio.

Il 29 marzo del 1979, il consigliere provinciale della Dc Italo Schettini, imprenditore e avvocato, è ferito a morte davanti alla porta del suo studio legale.

Il 3 maggio un gruppo di fuoco attacca la sede del comitato regionale della Dc in piazza Nicosia, in pieno centro storico. Una macchina della polizia arriva sul posto prima che l'azione sia conclusa: un vicebrigadiere rimane ucciso, un agente viene ferito e morirà in ospedale una settimana piú tardi.

Alle 8,30 del 13 luglio tocca al tenente colonnello dei carabinieri Antonio Varisco, comandante del Nucleo traduzioni del tribunale, assassinato sul lungotevere mentre si reca al lavoro.

Il 9 novembre, alle 14,20, è ucciso l'agente di polizia Michele Granato, in servizio al commissariato San Lorenzo.

Il 27 novembre è la volta di un altro poliziotto, il maresciallo Domenico Taverna del commissariato Appio nuovo, freddato mentre sta andando nel garage dov'è parcheggiata la sua Fiat 750.

Il 7 dicembre, poco dopo le 8 del mattino, è assassinato Mariano Romiti, comandante del Nucleo di polizia giudiziaria del commissariato di Ps a Centocelle.

Il 12 febbraio 1980, sulle scale dell'università La Sapienza, al termine della lezione di Diritto amministrativo tenuta nella facoltà di Scienze politiche, è ucciso il professor Vittorio Bachelet, vicepresidente del Consiglio superiore della magistratura.

Il 18 marzo, alle 9 del mattino, a bordo dell'autobus che lo porta in ufficio, muore assassinato il giudice Girolamo Minervini, capo della segreteria degli Istituti di prevenzione e pena al ministero di Grazia e giustizia.

Dieci morti in meno di due anni, tutti rivendicati con la stella a cinque punte chiusa nel cerchio, oltre ai feriti e a decine di attentati. Negli stessi mesi, altre vittime vengono mietute nel resto della Penisola, da Nord a Sud. È la stagione piú cruenta della guerriglia scatenata dalle Br e dalle organizzazioni armate. Un biennio rosso sangue nel quale il Paese continua a cambiare e assiste attonito a nuovi avvenimenti.

Un mese dopo l'omicidio Moro, il presidente della Repubblica Giovanni Leone si dimette in seguito alle accuse che lo vogliono coinvolto in frodi fiscali e attività speculative legate allo scandalo Lockheed. Al suo posto viene eletto il socialista Sandro Pertini, che nel primo discorso da capo dello Stato dichiara: – Al mio posto doveva esserci Aldo Moro.

Tra agosto e settembre muoiono due papi, Paolo VI

e Giovanni Paolo I, e al soglio pontificio sale il cardinale polacco Karol Wojtyla, arcivescovo di Cracovia, primo Papa non italiano dopo quattro secoli e mezzo.

Alla fine di settembre sparisce dal soggiorno obbligato l'ideologo «nero» Franco Freda, considerato uno dei responsabili della strage di piazza Fontana.

A dicembre il presidente del Consiglio Giulio Andreotti annuncia l'entrata dell'Italia nel Sistema monetario europeo, mentre in Iran milioni di persone scendono in piazza per cacciare dal trono lo scià Reza Pahlavi; la risposta sono i carri armati dell'Esercito che uccidono centinaia di persone. A gennaio lo scià fuggirà all'estero, e il Paese finirà nelle mani dell'ayatollah Khomeini, rientrato dall'esilio.

A Genova, il 24 gennaio 1979, le Br uccidono l'operaio dell'Italsider Guido Rossa, sindacalista della Cgil e iscritto al Pci, «colpevole» di aver denunciato un collega di fabbrica sospetto terrorista, Francesco Berardi. Un militante comunista al quale il presidente della Repubblica, l'ex partigiano Pertini, assegna la medaglia d'oro al valor civile alla memoria «perché è stato un cittadino che ha dimostrato di avere coraggio».

A Roma, la sera del 20 marzo, viene assassinato il direttore della rivista «O. P.», Mino Pecorelli, uomo legato a personaggi dei Servizi segreti e del sottobosco politico: non c'entrano né le Br né il terrorismo rosso.

Nelle stesse ore Giulio Andreotti forma il suo quinto governo, un «tripartito» Dc-Psdi-Pri che porterà l'Italia alle elezioni anticipate, mentre un magistrato romano notoriamente vicino alla destra e padre di un affiliato ai terroristi «neri» dei Nar che sarà ucciso in un conflitto a fuoco con la polizia, incrimina il governatore della Banca d'Italia e il suo vice per accuse alle quali risulteranno totalmente estranei.

Il 7 aprile la magistratura di Padova fa scattare un'operazione contro persone e gruppi legati all'Autonomia operaia. Finiscono in carcere Toni Negri, Oreste Scalzone, Emilio Vesce e tanti altri esponenti del Sessantotto e della sinistra extraparlamentare d'un tempo. Negri è accusato anche del rapimento e dell'assassinio di Moro.

A luglio, il giorno prima dell'omicidio Varisco, un killer sbarcato dall'America uccide a Milano l'avvocato Giorgio Ambrosoli, liquidatore della Banca Privata di Michele Sindona. La settimana successiva, a Palermo, il capo della Squadra mobile Boris Giuliano cade sotto i colpi del piombo mafioso.

Il 24 settembre viene arrestato il brigatista rosso Prospero Gallinari, uno dei carcerieri di Aldo Moro.

A ottobre la Fiat licenzia sessantuno dipendenti, tra i quali nessun delegato ma quattro esperti sindacali, accusati di «prestazioni di lavoro non rispondenti ai principî della diligenza, correttezza, buona fede». Non ci sono riferimenti specifici ad atti di violenza, ma i vertici aziendali colgono l'occasione per diffondere

> il bilancio di quattro anni di terrorismo contro la Fiat e i suoi uomini: tre dirigenti uccisi, altri diciannove aggrediti o feriti, decine di auto di capi e dirigenti incendiate, innumerevoli quasi quotidiani atti di intimidazione contro gli uomini che esprimono la struttura di fabbrica.

Cinque mesi prima, a un anno di distanza dal delitto Moro, le Br hanno dato prova di poter colpire con efficienza ancora maggiore di quella dimostrata nel rapimento del leader democristiano. Giovedí 3 maggio 1979, l'assalto alla sede del comitato regionale della Dc di piazza Nicosia, tra il lungotevere e piazza Navona, è stato realizzato da un commando di quindici militanti, uomini e donne armati di pistole, mitragliette e cariche esplosive fatte saltare all'interno dell'edificio.

I sorveglianti sono stati neutralizzati e immobilizzati, gli impiegati radunati e chiusi in un unico locale, tre bombe confezionate con polvere da mina sono scoppiate, le stanze perquisite e devastate.

Sui muri sono rimaste le scritte lasciate dagli assalitori, tra cui una sulle imminenti elezioni politiche: «Trasformare la truffa elettorale in guerra di classe». Fuori, in strada, i corpi degli agenti della prima pattuglia di polizia giunta sul posto, annientata dai brigatisti.

Erano le 9,35 del mattino quando la centrale operativa della Questura ha diramato a tutte le auto l'allarme per la segnalazione di alcuni colpi d'arma da fuoco esplosi in piazza Nicosia. La volante Delta 19, con a bordo il vicebrigadiere Antonio Mea, trentaquattro anni, e gli agenti Piero Ollanu e Vincenzo Ammirata, venticinque anni ciascuno, stava passando in via di Ripetta, a poche centinaia di metri. Sentito il messaggio, ha acceso la sirena e tre minuti piú tardi era sul posto.

I brigatisti non hanno dato ai poliziotti il tempo di capire cosa stava succedendo, pistole e mitragliette hanno sputato decine di proiettili. Mea è morto sul colpo, centrato mentre prendeva in mano il microfono per chiedere rinforzi; Ollanu è stato ferito gravemente, e all'ospedale hanno potuto soltanto constatare il coma irreversibile; Ammirata se l'è cavata con ferite piú lievi.

Quando i rinforzi sono giunti, i brigatisti se n'erano già andati.

Sui quotidiani del giorno dopo, insieme alle cronache dell'eccidio di piazza Nicosia, si parla della Gran Bretagna, dove la «lady di ferro» conservatrice Margaret Thatcher si appresta a vincere le elezioni, degli interrogatori degli arrestati del 7 aprile, del processo milanese per la morte dell'agente di pubblica sicurezza Antonino Custrà, avvenuta durante una delle tante manifestazioni armate del 1977, ma anche di quello a tre carabinieri rinviati a giudizio per la morte di Antonino Zibecchi, ucciso dalle cariche delle forze dell'ordine durante le manifestazioni del 1975.

Del gruppo di fuoco che, nel centro di Roma, ha compiuto l'azione di guerra piú eclatante firmata dalle Brigate rosse, faceva parte pure Francesco Piccioni. Il compagno Michele.

È passato un anno, da allora. Con altri morti, da entrambe le parti. Patrizio Peci, capo della colonna torinese, s'è pentito, e molti compagni sono finiti in galera. O al cimitero, come i quattro di via Fracchia morti in un conflitto a fuoco che forse non c'è mai stato, secondo la versione brigatista. La strage del 28 marzo 1980, a Genova: il maresciallo dei carabinieri Rinaldo Benà è stato ferito a un occhio, i brigatisti rossi Lorenzo Betassa, Riccardo Dura, Pietro Panciarelli e Annamaria Ludman sono morti trapassati dal fuoco dell'Arma.

È di nuovo maggio, e la guerra continua. Lunedí 19, a Napoli, un nucleo armato dell'organizzazione uccide l'assessore al Bilancio della Regione Campania Pino Amato, esponente della sinistra democristiana e amico personale del ministro per gli Affari comunitari Vincenzo Scotti. È stato proprio Scotti a prestare ad Amato l'auto ministeriale guidata da un ex poliziotto, dopo le ultime minacce ricevute; una precauzione inutile di fronte ai colpi sparati a bruciapelo da due uomini, poco dopo le 9 di mattina, in un vicolo alle spalle di Santa Lucia.

Amato muore subito, l'autista riesce a rispondere con la sua pistola e ferisce uno dei brigatisti in fuga. Ma qualcos'altro del piano va storto, devono recuperare una macchina e non ci riescono. Si muovono a piedi, le armi spianate, finché salgono su un'auto abbandonata da un passante impaurito e si fanno largo nel traffico. Sono intercettati da una volante della polizia, ne arrivano altre. Il commando è bloccato, le bombe a mano lanciate dai brigatisti non esplodono.

Partono i primi colpi dei poliziotti, e quando capiscono che non c'è piú scampo i terroristi si arrendono. – Siamo prigionieri politici, – urlano mentre gli agenti della Mobile li ammanettano.

È una delle regole dettate dall'organizzazione: in caso di arresto, in strada o altrove, bisogna fare il massimo del trambusto, gridare perché tutti si accorgano dell'accaduto. In questo modo la notizia comincia subito a circolare, e i compagni possono essere avvertiti attraverso radio, televisioni e giornali.

In un appartamento alla periferia nord di Roma, Michele guarda la Tv e riconosce tra i fermati Bruno Seghetti, il compagno della colonna romana che frequenta la «base» dove lui è nascosto. Decide di andarsene, abbandonare il rifugio prima che arrivi la polizia.

Michele comincia a prepararsi per la fuga, ma deve aspettare d'incontrare il compagno che ha fatto da prestanome per l'affitto della base. Quando l'ultima formalità è stata sbrigata si accorge che ormai è tardi, tanto vale attendere il giorno dopo.

Dalle immagini trasmesse dal telegiornale Bruno appariva cosciente e combattivo; non sembrava sul punto di cedere, non avrebbe «cantato». Per una notte si può rischiare.

Michele si addormenta, ma alle 4 del mattino suonano alla porta.

«Le guardie», pensa il brigatista impugnando la pistola poggiata sul comodino.

E quelli confermano: – Carabinieri! Aprite!

Bruno non c'entra, l'ha preso la polizia. Questi sono i «cugini» dell'Arma, che devono aver individuato il covo per altre vie.

Comincia la trattativa. Anche in questo caso l'organizzazione ha indicato regole precise: non aprire mai subito. Se è possibile bisogna prima parlare, far passare il tempo e abbassare il livello di adrenalina del nemico, per evitare gesti sconsiderati o eccessivi.

Altra regola: ingaggiare un conflitto a fuoco solo se bisogna avvertire i compagni che la «base» è caduta. Altrimenti quelli non dicono niente della cattura e aspettano l'arrivo dei complici. Se si spara, invece, finisce tutto sui giornali e i compagni sono avvisati.

In questo caso non serve. Il prestanome sa già che l'appartamento è da abbandonare, l'unico che sarebbe dovuto venire è Seghetti, arrestato da meno di ventiquattr'ore. Meglio evitare di far fischiare le pallottole.

La trattativa va avanti per una buona mezz'ora, attraverso una porta che può saltare da un momento all'altro. Michele lo sa. Quelli minacciano, e lui pure.

– Apri, sennò usiamo l'esplosivo ed è peggio per te.

– Di esplosivo ne ho quindici chili, rischia di saltare tutto il palazzo.

È vero, se no non lo direbbe. Non è una partita di poker, non si può bluffare.

Quando Michele si decide a socchiudere la porta gli saltano addosso in tre o quattro. Limitano calci e pugni al minimo indispensabile, finché non gli serrano le manette ai polsi.

In pochi munti l'appartamento viene messo sottosopra. Oltre all'esplosivo saltano fuori armi, volantini, documenti d'identità in bianco e l'attrezzatura per falsificarli, divise da ferroviere e da vigile urbano, parrucche, targhe di macchine, giubbotti antiproiettile, un tubo lanciarazzi.

Ci sarà molto lavoro per i periti, che dovranno comparare pistole, mitra e fucili con i reperti del terrore seminato dalle Br a Roma negli ultimi due anni.

– Mi dichiaro prigioniero politico, – si affretta a dire Michele.

È quanto i carabinieri si aspettavano.

– Sí, e adesso hai finito di correre per Roma, – gli risponde un sottufficiale.

Era piú di un mese che gli stavano dietro, e Michele spesso li seminava senza accorgersene.

In qualche occasione aveva notato delle facce strane, ma a un clandestino può capitare di sentirsi il fiato sul collo anche se non è vero. Se la verifica non conferma che ti stanno dietro vai avanti senza ulteriori precauzioni, e lui aveva fatto cosí.

Evidentemente erano stati bravi anche i carabinieri a non farsi scoprire quando Michele aveva sentito puzza di bruciato.

Adesso però la corsa è finita.

Per quattro giorni la notizia dell'arresto e della scoperta di un covo pieno di materiale viene tenuta segreta. Ma come Michele aveva previsto, nessun brigatista si presenta. Il comandante generale dell'Arma in persona si decide a dare l'annuncio ai giornalisti: – È la piú importante base delle Br mai scoperta in questa città.

Lo Stato, dopo il pentimento di Peci e altri militanti, ha avviato la sua riscossa, e ci tiene a farlo sapere.

Il ministero dell'Interno comunica che dall'inizio dell'anno sono stati presi circa duecento terroristi, di cui ottanta appartenenti alle Brigate rosse e cinquanta a Prima linea.

C'è stato un problema con alcuni verbali d'interrogatorio di Peci comparsi sulle pagine di un giornale romano. I quotidiani, proprio in quei giorni, pubblicano i resoconti del processo al cronista che li ha pubblicati e al funzionario dei Servizi segreti accusato di averglieli passati sottobanco.

Altri fatti alimentano le cronache del maggio 1980.

A Roma sono finiti in carcere un noto avvocato e un'impiegata della Procura, accusati di favoreggiamento nei confronti delle Br. A Milano la caserma dei carabinieri di via Moscova è attaccata con quattro razzi lanciati dal palazzo di fronte.

A Vicenza un nipote di Aldo Moro, minacciato da telefonate anonime che lo additano come responsabile di alcuni arresti avvenuti a Roma, appende fuori dalla porta di casa un cartello per dichiararsi estraneo a qualunque inchiesta sui terroristi.

– Magari si tratta di uno scherzo, – spiega, – ma se non lo è rischio di farmi ammazzare. Meglio evitare equivoci.

A Catanzaro sta per cominciare il processo d'appello per la strage di piazza Fontana contro i neofascisti Freda e Ventura, l'ex agente del Sid Giannettini (condannati in primo grado all'ergastolo) e l'anarchico Valpreda (assolto per insufficienza di prove). Nel frattempo a Potenza viene giudicato un generale accusato di aver coperto le protezioni dei politici in favore di Giannettini.

A Roma rimane ucciso il quarto dissidente libico in due mesi, a Milano sta per concludersi il processo disciplinare per società e giocatori coinvolti nello scandalo del calcio-scommesse.

In Vaticano alcuni vescovi giapponesi fanno recapitare al Papa una richiesta di minor rigore della dottrina cattolica sul controllo delle nascite, mentre un altro figlio famoso della nazione nipponica, il regista Akira Kurosawa, trionfa al Festival del cinema di Cannes con il film *Kagemusha*.

In Parlamento cominciano i lavori della commissione d'inchiesta sul rapimento e l'omicidio di Aldo Moro, e si scopre che la signora Moro aveva scritto a Paolo VI, il leader libico Gheddafi alla famiglia del rapito e il presidente iugoslavo Tito aveva provato a stabilire dei contatti con i terroristi attraverso non meglio identificati «Paesi non allineati».

A Roma, al processo d'appello per la morte del giovane missino greco Mikis Mantakas, ucciso nel febbraio del 1975, il pubblico ministero chiede la condanna a ventiquattro anni di galera per Alvaro Lojacono, un militante dell'estrema sinistra assolto in primo grado. Nelle stesse ore il presunto terrorista delle Formazioni comuniste combattenti, Paolo Ceriani Sebregondi, rampollo di una nobile famiglia di origini lombarde arrestato dai carabinieri del generale Dalla Chiesa, fugge dal carcere di Parma dopo aver segato le sbarre dell'infermeria.

– Allora? Com'è che il progetto di evasione non è andato in porto? – chiede uno dei compagni di piú antica detenzione.

– Perché non si poteva, – risponde Michele.

– Non si poteva o non si voleva? – ribatte l'altro, sospettoso.

È l'inizio di una discussione che andrà avanti per mesi e mesi, tra diverse componenti delle Brigate rosse. All'esterno dànno un'immagine di unione e solidità, ma in realtà sono attraversate da divisioni personali e politiche, divergenze sulla teoria e sulla prassi rivoluzionaria, differenze ideologiche e caratteriali. E forse comincia a serpeggiare pure qualche rancore.

Entrando in carcere, Michele deve fare i conti con una struttura-partito molto rigida, organizzata in «brigate di kampo» e comitati di lotta che hanno propri vertici e rapporti di forza ben definiti. Lui deve inserirsi in questi meccanismi senza provocare nuove tensioni, ma quando sente discorsi che non condivide tenta di far valere le proprie ragioni: – La situazione esterna è diversa da come la immaginate qui dentro.

L'evasione dall'Asinara era uno degli obiettivi da perseguire, ma i compagni del «nucleo storico» – Curcio, Franceschini e i caduti nelle prime retate – hanno atteso invano. E quando qualcuno da fuori li raggiunge chiedono conto del progetto svanito.

– Perché? – domandano.

– Perché non ci sono le condizioni, – rispondono i nuovi arrivati.

– Non è vero, le condizioni ci sono, – insistono quelli.

Alla fine la spuntano, instillando dubbi anche su chi non ne aveva prima di entrare in galera. Perché dietro le sbarre comandano loro, perché il carcere ha regole differenti, perché prevale il prestigio personale del «padre fondatore». Perché comunque è difficile sostenere delle posizioni da soli contro tutti, specialmente in carcere.

Ma con Michele è diverso. Lui sa che un progetto per l'Asinara c'era ed è stato studiato a lungo. Dunque è in grado di replicare.

Viene dalla colonna romana, solitamente malvista dai brigatisti del Nord che non hanno conosciuto personalmente i compagni arruolati per portare l'attacco «al cuore dello Stato». Ha partecipato alla gestione del dopo Moro, e conosce bene la situazione che s'è creata a seguito del pentimento di Peci e gli arresti di decine di militanti in pochi mesi.

– Non avete fatto abbastanza, – ripetono i reclusi della prima ora che si sentono traditi.

– Ma voi che ne sapete? – insorge Michele. E spiega ciò che sa lui: – Il progetto esiste, ma non è facile realizzarlo. Si tratta di occupare militarmente un pezzo di Sardegna. Noi ci siamo preoccupati delle macchine: ne servono tantissime, bisogna portarle sull'isola, cambiare targhe e libretti di circolazione. Vi pare una cosa semplice, con l'aria che tira?

Michele era in piazza Nicosia, quando le Br hanno messo in campo il massimo potenziale di fuoco con quindici persone; per assaltare l'Asinara ne servirebbero piú del doppio, e da quando sono cominciati gli arresti a catena per le Br si pone anche un problema di reclutamento.

– Sul piano militare non si bluffa, o sei pronto davvero o è meglio rinunciare, – ripete.

– Ma se uno non ci prova... – ribattono i suoi interlocutori.

– Provarci solo per farsi ammazzare o arrestare è inutile. Non serve ai prigionieri e non serve all'organizzazione.

Concetti non facili da accettare nel mondo chiuso e un po' autoreferenziale dei brigatisti detenuti. Loro ascoltano la radio e leggono i giornali che riportano i bollettini di una guerra civile, senza rendersi conto che la realtà è piú complicata di quanto appare.

Per chi vive dentro, i continui attentati sono la manifestazione di un incontenibile fermento sociale che non può non portare all'insurrezione generale. Per chi vive fuori, al contrario, sono azioni residuali di un movimento in chiara difficoltà, l'ultimo tratto di una fase ascendente destinata inesorabilmente a invertire direzione.

Michele è appena arrivato da fuori, e la pensa esattamente cosí.

Subito dopo il suo sbarco all'Asinara, a Milano una sedicente Brigata XXVIII marzo uccide il giornalista del «Corriere della Sera» Walter Tobagi. All'indomani dell'omicidio viene diffuso un volantino che riprende alcuni temi lanciati dai documenti scritti dai brigatisti in carcere. Per i prigionieri, è un nuovo segnale di crescita: – Avete visto? Questi hanno capito tutto!

Michele non è d'accordo: – Ma che dite? Sono completamente isolati!

– Ma nel documento c'è scritto che...

Michele li interrompe: – Nel documento c'è scritto quello che avete scritto voi, e copiare qualche frase non mi sembra un gran segnale di crescita!

Una situazione difficile da comprendere per chi subisce il carcere speciale da anni e tira avanti senza cedimenti in funzione di una realtà esterna percepita come fosse sull'orlo dell'esplosione finale. Esplosione tale da provocare lo sconvolgimento che piú lo interessa: la liberazione dei prigionieri politici. Adesso invece si presentano questi appena arrestati a dire che fuori le cose stanno in tutt'altro modo, che la rivoluzione non sta vincendo, anzi.

– No, non è cosí, – e il contrasto continua.

I compagni detenuti restano convinti che la direzione delle Brigate rosse abbia una linea troppo prudenziale: – Sono incapaci di raccogliere e incanalare le tensioni e le istanze rivoluzionarie esistenti nella società, e quindi incapaci di convogliare energie e potenzialità organizzative e militari che sarebbero in grado di liberare i prigionieri.

Michele sente ripetere le accuse come se fossero stampate su quei documenti lunghissimi e pieni di teoria partoriti dietro le sbarre. Si rende conto della distanza forse incolmabile tra i problemi in cui si dibattono le Br e la vulgata diffusa tra i detenuti, che si traduce in una contrapposizione politica che va al di là della questione evasione.

«Del resto, tutti i partiti comunisti della Storia hanno fatto i conti con queste differenze», si rassicura. E tenta di proporre una diversa visione del contrasto.

– Gli ultimi mesi sono stati durissimi, – dice, – e se arrestano quaranta persone in poche settimane non riesci a riprodurre la stessa quantità di quadri dall'oggi al domani.

Le Br sono sempre state piuttosto rigide e selettive nel reclutamento dei propri militanti, e fino al 1980 c'è stata grande richiesta da parte di gente che veniva dalla fabbrica o dal movimento degli studenti. Persone che avevano vissuto esperienze «di base e di massa», radicate in un contesto sociale ben preciso, che costituivano comunque una garanzia.

Ora non è piú cosí: la domanda c'è sempre, ma è cambiata la provenienza. Chi vuole entrare nelle Br non ha piú il «radicamento sociale» di chi li ha preceduti, perché è diverso il contesto che li esprime. Le lotte alla Fiat sono in fase di esaurimento e la «marcia dei quarantamila» sta per imporre la riapertura delle fabbriche occupate; la disponibilità di massa all'ipotesi armata non è piú quella di poco tempo prima.

– In queste condizioni organizzare un'azione militare come l'evasione è complicato, – insiste Michele.

Le discussioni proseguono anche quando, dopo circa un mese, lo trasferiscono dalla Sardegna alla Puglia. Durante la perquisizione nella cella di un detenuto le guardie hanno trovato un po' di esplosivo, e da Roma hanno deciso di separare alcuni brigatisti. Il detenuto Piccioni Francesco viene assegnato al supercarcere di Trani.

Si torna sul continente, dov'è piú facile riallacciare i contatti con la famiglia. Ora finalmente si può.

Dopo anni di clandestinità e di rapporti interrotti – a parte brevi telefonate dalle cabine pubbliche soprattutto per scoprire se la polizia s'era presentata a casa, ma senza chiederlo direttamente per non destare allarme – Francesco ha rivisto sua madre. Per la donna, ovviamente, è stato un brutto colpo scoprire che il figlio è accusato di tante malefatte, e che anziché lavorare all'estero, come le diceva, sparava contro gli uomini dello Stato. Poi però s'è convinta che comunque non è un delinquente di strada. Se ha commesso dei reati l'ha fatto per un ideale.

Il suo Francesco non è un ladro né un rapinatore. Forse è un assassino, ma non un criminale comune. L'hanno capito anche gli inquilini del palazzo dove il brigatista è cresciuto, che continuano a salutarla e a portarle rispetto.

Piccioni ha alle spalle un matrimonio ormai finito, e una nuova fidanzata portata in cella con l'accusa di favorire le Br. Ci resterà nove mesi, finché due pentiti non la scagioneranno. Nel frattempo Francesco ha scritto alla mamma della ragazza per tentare di spiegarle la situazione, e ha mandato sua madre in visita da lei. È un modo per riannodare i fili strappati dalla latitanza e sopportare meglio i rigori del carcere speciale. All'interno del quale continua la lotta di Michele.

Il fatto che fuori esista e continui a operare l'organizzazione, pur nelle difficoltà che lui ben conosce, dà al prigioniero la forza per pensare la propria giornata e la propria esistenza in chiave rivoluzionaria. Saranno anche indebolite, le Brigate rosse, ma ci sono.

La costruzione di un progetto politico non si arresta nemmeno dietro le sbarre, ed è costituita da due momenti essenziali: lo studio e il piano di evasione.

– È un modo per ricongiungersi mentalmente al luogo della lotta, – dice Michele a se stesso e ai compagni coi quali discute, – perché non siamo detenuti qualsiasi che aspettano supinamente il proprio fine pena, ma prigionieri politici che devono collaborare alla crescita dell'organizzazione.

Attraverso lo studio si può fornire un contributo di analisi politica, e dunque si leggono libri, giornali e riviste in modo da produrre una dialettica con ciò che scrivono e dicono i compagni dall'esterno. Attraverso i tentativi di fuga si cerca di tornare a combattere sul fronte, il prima possibile. Bisogna provarci da sé, perché, come ha tentato di spiegare a chi aspettava l'aiuto dall'organizzazione, per i militanti rimasti fuori è sempre piú difficile preoccuparsi di quelli che stanno dentro. Senza rassegnarsi.

Anche se non riescono a mettere in piedi l'evasione, i brigatisti in libertà proseguono la battaglia del «fronte carceri». Già alcuni omicidi, da Tartaglione a Minervini, s'inserivano in una campagna che a dicembre del 1980 riprende con il rapimento del giudice Giovanni D'Urso.

La notizia raggiunge Francesco Piccioni a Trani, dove ha ritrovato Bruno Seghetti, un altro romano che si contrappone alla linea dei prigionieri «storici» delle Br.

Il primo comunicato dei sequestratori viene diffuso il giorno dopo l'azione:

> Venerdí 12 dicembre un nucleo armato delle Brigate rosse ha catturato e rinchiuso in un carcere del popolo il boia, aguzzino di migliaia di proletari, Giovanni D'Urso, magistrato di Cassazione, direttore dell'ufficio III della direzione generale degli Istituti di prevenzione e pena del ministero di Grazia e giustizia. Ciò significa che questo porco è il massimo responsabile per tutto ciò che concerne il trattamento di tutti i proletari prigionieri sia nei carceri normali sia nei carceri speciali.

È solo l'inizio di un lunghissimo atto d'accusa contro la gestione del sistema penitenziario collegato alla «crisi del modo di produzione capitalistico» e alla nuova componente che s'è affiancata alla classe operaia, «vero centro motore e dirigente di tutto il processo rivoluzionario»: il «proletariato metropolitano».

Le Br esaltano alcuni tentativi di rivolta avvenuti

all'Asinara come a Volterra, Fossombrone e Firenze, che avrebbero

> dimostrato nei fatti la forza e l'unità dei prigionieri politici, e la possibilità di costruire il potere proletario armato anche nelle carceri.

E annunciano gli obiettivi della nuova campagna:

> Organizzare la liberazione dei proletari prigionieri; smantellare il circuito della differenziazione; costruire e rafforzare i comitati di lotta; chiudere immediatamente l'Asinara.

Comincia lo stillicidio dei comunicati e il braccio di ferro con il Governo, che non vuole aprire trattative ma accelera il già previsto svuotamento dell'isola-bunker. Accompagnato da un angoscioso dibattito sull'opportunità di rendere pubblici, attraverso giornali e televisioni, i proclami delle Br. I terroristi ne hanno fatto specifica richiesta, mettendo sull'altro piatto della bilancia la vita del giudice D'Urso.

Nella disputa provano a entrare anche i «prigionieri politici». A Trani Michele e qualche compagno avevano studiato un piano di evasione, che però era stato accantonato. Con le mosse preventivate a tavolino c'era la ragionevole ipotesi di arrivare fino all'ultimo cancello prima del portone del carcere, ma da quel punto in poi rimanevano troppe incognite. Ora che fuori è partita la «campagna D'Urso», si potrebbe convertire il tentativo di fuga in un progetto di rivolta.

Al loro ingresso nel supercarcere pugliese, Piccioni e Seghetti hanno trovato una «brigata di kampo» piuttosto malmessa, guidata da militanti giovani che non appaiono sufficientemente credibili agli occhi dei detenuti comuni. I quali non se la sentono di partecipare ad alcun atto di ribellione senza la garanzia di un'azione che abbia possibilità anche minime di produrre qualche effetto.

– Se non siete in grado di prendere nemmeno una guardia, com'è stato finora, ditecelo prima perché noi non ci stiamo. Non abbiamo intenzione di accollarci le mazzate in cambio di niente, – dicono i comuni.

Ma dopo i nuovi arrivi, i brigatisti assicurano: – Se si fa, stavolta si fa sul serio.

Tramite alcuni canali già collaudati, Michele manda a dire ai compagni di fuori che c'è questa idea. Sarebbe un'operazione da gestire anche dall'esterno, e serve il via libera di chi ha in mano D'Urso. Il via libera arriva.

Il gruppo dirigente delle Br a Trani – Piccioni, Seghetti e due compagni – decide di agire domenica 28 dicembre. Nello stesso giorno, le Brigate rosse diffondono il quinto comunicato della «campagna D'Urso», nel quale insistono per «la chiusura immediata e definitiva dell'Asinara».

Si agisce di domenica perché è giorno di festa anche in carcere, c'è meno personale e le guardie sembrano piú rilassate. È un'arma decisiva: la determinazione del rivoluzionario può vincere contro la mentalità burocratica del suo sorvegliante, che resta pur sempre un impiegato. In piú c'è l'effetto sorpresa.

Le guardie non si aspettano, per dirne una, che da un normale fornelletto a gas possano venir fuori dei coltelli in grado di uccidere. Invece è proprio cosí: le sbarrette di ferro sulle quali normalmente si appoggiano caffettiere e pentolini, appositamente piegate, lavorate e appuntite diventano un'arma con la quale si può immobilizzare chiunque. I brigatisti che guideranno la rivolta, tra cui Michele, ne tengono nascoste una ciascuno, poco dopo le 15 del 28 dicembre, al momento di rientrare dall'ora d'aria.

Il segreto è muoversi contemporaneamente per conquistare nello stesso momento la rotonda e uno dei due bracci che si aprono dietro i cancelli: un nucleo di due persone blocca le guardie che hanno le chiavi dei cancelli, l'altro aggredisce gli agenti che controllano il rientro nelle celle.

L'azione scatta simultanea. Michele è nella rotonda insieme a un compagno, altri due all'interno del braccio. Davanti ai ferri puntati alla gola, le guardie seguono il consiglio di non reagire: – State buoni e non succede niente. Noi siamo le Brigate rosse.

Una sigla terribile e rassicurante insieme, lo sanno anche le potenziali vittime. Se ubbidisci agli ordini puoi stare certo che non ci saranno conseguenze peggiori. Perfino i criminali comuni, fuori, hanno imparato a fare le rapine proclamandosi brigatisti. Serve a convincere tutti a stare fermi, come fanno ora le guardie.

In pochi minuti il braccio è conquistato: agli agenti vengono sfilate le chiavi, i cancelli si aprono. Diciannove guardie, disarmate come prescrive il regolamento carcerario, sono ostaggio dei rivoltosi ai quali si sono aggiunti i circa settanta detenuti del braccio. Un unico sorvegliante ha tentato di opporre resistenza, gettando le sue chiavi nel cesso alla turca di una cella. Un brigatista l'ha convinto a ficcarci dentro la mano e a ripescarle.

Dal braccio, grazie alle chiavi, si passa all'intero piano. A metà pomeriggio, la sezione «massima sicurezza» del supercarcere di Trani è in mano ai rivoltosi. Ci sono i politici delle Br, quelli del 7 aprile – il professor Negri e Emilio Vesce in testa –, altri «cani sciolti» dell'Autonomia operaia. E ci sono i comuni che hanno tutto da guadagnare e niente da perdere: l'azione è chiaramente politica, e se va male la pagheranno le Br, non loro.

Dal piano «liberato» arrivano urla e grida di vittoria. I brigatisti pensano alle prossime mosse e a come intavolare la trattativa, gli altri esultano. Le radioline a transistor trasmettono i risultati della dodicesima giornata del campionato di calcio: la Roma ha pareggiato 1 a 1 in casa del Perugia, l'Inter ha vinto 1 a 0 ad Ascoli, la Juventus ha pareggiato con l'Avellino. I giallorossi guidano la classifica con sedici punti, seguiti dall'Inter a quindici e dalla Juve a quattordici.

Al piano terra, il direttore e le guardie cominciano a organizzare le contromosse. Dal ministero della Giustizia arriva l'ordine di intervenire all'interno dell'istituto «con ogni mezzo a disposizione, quando le esigenze di sicurezza lo richiedono».

I rivoltosi si sono asserragliati sulla tromba delle scale, intimando di rinunciare a ogni tentativo di assalto, ma nella parte «non liberata» dell'edificio si continua a preparare l'attacco. Parte la prima esplosione, un ordigno confezionato dai carcerati con un barattolo carico di venti grammi di plastico arrivati chissà come fino in cella.

Il botto è fortissimo. Non ci sono feriti, ma la paura basta a sospendere l'irruzione. Inizia la trattativa col direttore del penitenziario, attraverso il telefono interno che sta nel gabbiotto delle guardie. Dalle prime battute si capisce che gli ordini impartiti sono di non cedere su nulla.

– C'è una guardia ferita, ve la consegniamo, – dicono i brigatisti.

– No, non la vogliamo, – è la risposta.

Come, non la vogliono? L'agente non è grave, ha preso un colpo superficiale dal rudimentale punteruolo che lo minacciava. Consegnarlo per farlo medicare è un gesto di buona volontà rifiutato dalla controparte. Significa che lo spazio per le mediazioni è ridottissimo.

La tensione sale, il telefono nel gabbiotto continua a squillare. All'ennesima chiamata risponde un leader del 7 aprile. Ascolta e dice all'interlocutore: – Un attimo, le passo un compagno.

Alla cornetta va Michele.

– Pronto?

– Pronto, sono il ministro Sarti.

È proprio lui, il guardasigilli Adolfo Sarti. Vuole parlare con un capo brigatista, uno dei generali dell'esercito che da anni tiene lo Stato sotto pressione anche all'interno delle carceri dove sono rinchiusi i suoi soldati. Francesco Piccioni, consapevole del ruolo, non si scompone nel sentire la voce dello Stato all'altro capo del filo.

– Buongiorno, mi dica.

– Volevo sapere com'è la situazione, – dice il ministro.

– La situazione è che abbiamo venti prigionieri.

– Come venti, non erano diciannove?

– Diciannove sono le guardie, il ventesimo è D'Urso, – risponde sicuro Michele.

– Perché, D'Urso è lí? – chiede Sarti.

– Ministro, sia serio, sta parlando con le Brigate rosse, – replica Michele, seccato e sconcertato insieme.

– Che cosa volete? – si riprende il ministro.

Michele ha con sé il testo del comunicato numero 1 predisposto dal Comitato di lotta dei proletari prigionieri di Trani, dove ci sono le stesse richieste avanzate dalle Br che tengono D'Urso in ostaggio. Una copia l'hanno consegnata al direttore del carcere, un'altra è già fuori dal penitenziario e sarà diffusa dalle Br insieme al sesto comunicato sul magistrato rapito.

– Chiediamo la chiusura immediata e definitiva del

campo di concentramento dell'Asinara, – comincia a leggere, – il trasferimento immediato di tutti i prigionieri detenuti nella sezione speciale, la non proroga del decreto legge sulle carceri speciali che scade il 31 dicembre, la modifica sostanziale del vigente regolamento carcerario, – e via di seguito.

Il ministro ascolta per un po', poi interrompe il brigatista: – Ci dobbiamo risentire, – e riattacca.

Scende la sera, il telefono diventa improvvisamente muto. La luce scarseggia, perché da fuori hanno staccato l'elettricità nei reparti occupati.

Non ci sono ulteriori contatti, ormai è chiaro che dall'esterno stanno mettendo a punto l'irruzione. I rivoltosi hanno insistito per consegnare la guardia ferita. L'hanno spinta al di là di un cancello, nella rotonda, ma nessuno è andato a prenderla.

Nella sezione «liberata» del supercarcere ci si prepara per la notte. I capi organizzano i turni per dormire, le guardie prigioniere vengono sistemate nelle celle e sono costrette a subire lo stesso trattamento che loro riservano normalmente ai reclusi, conta e battitura dei ferri ogni due ore comprese. Per cena i detenuti carcerieri preparano gli spaghetti col tonno.

L'indomani mattina si presenta un senatore locale, il socialista Gaetano Scamarcio, che scambia qualche battuta con i responsabili della rivolta attraverso la cancellata che divide le due zone. Sono Piccioni e Seghetti.

– Il primo era quello che parlava di piú, il secondo il piú duro, a volte perfino insultante, – dirà il deputato ai giornalisti in attesa fuori dal carcere.

– Vogliono riavere la luce, – riferisce, – nuove scorte di cibo, i giornali di oggi. Sostengono che la loro azione è legata al sequestro D'Urso, chiedono d'incontrare alcuni giornalisti e due politici: il senatore Giacomo Mancini e l'onorevole De Cataldo. Si lamentano perché finora la direzione ha risposto no a tutto.

È proprio cosí, no a tutto. Da Roma è arrivato l'ordine: non si tratta, se non si arrendono procedete con i reparti specializzati. Alle 16,15 di lunedí 29 dicembre, a oltre ventiquattr'ore dall'inizio della rivolta, tre elicotteri dei carabinieri scaricano sui tetti del penitenziario gli uomini incappucciati del Gis, il Gruppo di intervento speciale dell'Arma dei carabinieri.

All'interno della sezione occupata i detenuti hanno alzato le barricate, fatte di tavoli, brandine ammassate, sedie e ogni cosa che è stato possibile trasportare. Ma al momento dell'attacco, quando arrivano le prime esplosioni e i primi spari dai tetti e dai piani inferiori, si rendono conto che ogni resistenza sarà piegata. Le «teste di cuoio» vinceranno, ma i «proletari prigionieri» resisteranno finché potranno.

La battaglia va avanti per oltre due ore. I rivoltosi rispondono all'assalto con le bombette al plastico confezionate in cella, poca cosa rispetto alle armi dei Gis. I cancelli saltano con l'esplosivo e una volta entrati, gli uomini dal volto coperto sparano nel buio ad altezza d'uomo, urlando come forsennati l'ordine di gettarsi a terra.

I detenuti si rifugiano nelle celle, insieme agli ostaggi. Qualcuno è ferito, tra loro come tra le guardie.

Ormai la rivolta è domata.

Le «teste di cuoio» perlustrano ogni angolo del carcere, le guardie sono accompagnate fuori, i detenuti percossi per conoscere i loro nomi e cognomi. Cercano i capi della rivolta, i brigatisti che hanno ideato e organizzato il piano. Bisogna dar loro una lezione, per evitare che ci riprovino, qui o altrove. Ma agli ordini gridati di declinare nomi e cognomi, nessuno risponde.

Si passa a sistemi piú decisi. Alcuni detenuti vengono spinti nel gelo del terrazzo, sul tetto del carcere. Sono stesi a terra, le mani dietro la testa. Si ricomincia con la richiesta dei nomi, uno a uno, e i comuni cercano di chiamarsi fuori.

– Io sono catanese, non c'entro, – dice uno accusato di mafia.

E un altro: – Sono bergamasco.

– Perché sei qui? – chiede l'uomo incappucciato.

– Per furto.

– Come, per furto! Qui siamo in uno speciale! – urla quello, tirandogli un calcio.

– Be'... aggravato, – risponde la voce tremante del detenuto.

L'individuazione dei brigatisti, che dànno nomi falsi, non riesce nemmeno stavolta. Si torna al cortile del passeggio, dove le facce peste dei rivoltosi vengono illuminate da faretti e torce elettriche. Le guardie della prigione finalmente le riconoscono. È il momento della punizione.

Ogni detenuto è costretto a passare tra due ali di agenti penitenziari armati di manganelli, che menano a piú non posso. Se la prendono con tutti. Negri, Vesce e gli altri del 7 aprile per l'antipatia suscitata dall'aria da professori che non si sono tolti di dosso nemmeno in carcere; i brigatisti perché sono il vero nemico.

Quand'è il suo turno, Michele corre piú in fretta che può, le mani sopra la testa per ripararla da lesioni piú gravi. Si spezzeranno molte ossa, gli arti rimarranno gonfi e gli faranno male per oltre un anno. Riesce a non cadere fino al cancello che porta all'interno, che però è chiuso. Lí crolla a terra, il maresciallo apre e fa entrare il brigatista prima che nuove manganellate si abbattano su di lui.

Per una notte e un giorno i detenuti che hanno partecipato alla rivolta rimangono all'aria, senza coperte e senza soccorsi. Poi li ammassano nelle celle al piano terra, e la protesta continua con lo sciopero della spazzatura. Rifiuti ed escrementi vengono gettati nel cortile, i tramezzi sfondati per potersi parlare da una stanza all'altra. Ormai non c'è piú niente da perdere.

Arriva in visita una delegazione di parlamentari radicali, i rivoltosi avanzano nuove rivendicazioni. Stavolta è Seghetti a parlare per tutti, e annuncia: – L'intervento del Gis non è servito a nulla, è stato solo il primo atto contro i proletari prigionieri. La lotta continua anche dopo la battaglia di Trani.

L'obiettivo dei i brigatisti, adesso, è il trasferimento in altre carceri, per poter comunque sostenere di aver raggiunto il «risultato politico» della chiusura della sezione di massima sicurezza di un carcere speciale. Qualche giorno dopo cominciano le traduzioni.

Michele finisce nel penitenziario di Fossombrone.

In risposta al blitz che ha schiacciato la rivolta di Trani, alle 19,15 del 31 dicembre le Br uccidono a Roma, sul portone di casa, il generale dei carabinieri Enrico Galvaligi, responsabile dell'Ufficio coordinamento delle misure di sicurezza negli istituti di pena. Nel volantino di rivendicazione si legge:

> Avevamo detto che non avremmo accettato nessun tentativo di reprimere le legittime richieste dei comitati di lotta con la forza dei sicari dei Corpi speciali.

A Fossombrone, carcere speciale costruito nella campagna in provincia di Pesaro, il detenuto Piccioni si rimette in sesto e continua la sua battaglia. Studiando i testi della rivoluzione, elaborando contributi teorici, cercando di farsi venire l'idea buona per fuggire.

Ma all'improvviso, nell'aprile del 1981, gli scoppia tra le mani una pseudorivolta. Niente di politico, in origine, però a un brigatista tocca di dover gestire anche queste situazioni.

La campagna per la chiusura dei «kampi» e contro il sistema carcerario è ancora in corso. Il 14 gennaio le Br hanno rilasciato il giudice D'Urso, già «condannato a morte» dall'organizzazione. In un volantino hanno annunciato che, in virtú della «grande vittoria conseguita» e come «atto di magnanimità della giustizia proletaria», la sentenza è stata

> sospesa e il prigioniero rimesso in libertà. Ma la lotta contro l'annientamento carcerario continua fino al conseguimento dell'obiettivo finale: distruzione di tutte le carceri e liberazione di tutti i proletari imprigionati.

Cosí, quando la mattina del 27 aprile un detenuto comune dal cattivo carattere – considerato un attaccabrighe che s'era fatto troppi nemici dietro le sbarre – aggredisce un secondino, lo chiude in cella e gli prende le chiavi per aprire ai detenuti, Michele e un compagno brigatista cercano in qualche modo di pilotare l'episodio a loro vantaggio. O quantomeno di evitare che da un'iniziativa spontanea e non organizzata possano scaturire pestaggi indiscriminati o guai peggiori.

Le celle ormai sono aperte, il braccio è in mano ai detenuti urlanti. Non c'è nessun progetto, è un incidente e bisogna trovare il modo per uscirne. Perché comunque ci sono dei brigatisti coinvolti, anche se loro malgrado, e perché le regole dei carcerati non consentono di gettare la colpa su un singolo per salvaguardare i rapporti con le guardie.

Nel braccio ci sono alcuni terroristi e qualche camorrista di lungo corso. Saranno loro a condurre le trattative con il direttore. In quattro e quattr'otto riempiono la protesta di pochi, improvvisati contenuti: miglioramento delle condizioni di vita, vitto piú decente eccetera.

Una delegazione scende nella rotonda a parlare col direttore e l'inviato del ministero, giunto di gran carriera. Spiegano che si tratta di una rivolta spontanea, e che tutto può rientrare in fretta. Basta un po' di buona volontà. Ma nel frattempo, al piano di sopra, sta scorrendo il sangue.

Alle tredici guardie tenute in ostaggio non viene torto un capello, mentre un camorrista della fazione opposta ai cutoliani, Giovanni Chisena, è sgozzato nella sua cella. L'uomo sapeva di essere stato condannato a morte dal clan avverso, e negli ultimi tempi aveva notato facce che non gli piacevano nel cortile dell'istituto. Per questo non usciva mai all'aria, e pure durante la sommossa è rimasto sdraiato sulla sua branda. Ma i sicari, approfittando del trambusto, sono andati a cercarlo fin lí, l'hanno trovato e trafitto a morte. Sotto gli occhi inorriditi di alcune guardie.

Piú tardi uno dei secondini che hanno visto incrocia lo sguardo spiritato di uno degli assassini, con la camicia imbrattata di sangue. L'uomo si ferma, capisce che l'agente l'ha riconosciuto e dice: – E se facessi fuori anche te?

La guardia non ha la forza di rispondere, parla Michele, che ha assistito alla scena: – È meglio di no, lascia perdere.

Gli occhi dell'assassino restano puntati per qualche secondo su quelli della guardia, poi l'uomo accetta il consiglio e tira dritto per la sua strada.

La rivolta si chiude in fretta, con l'accoglimento dell'invito a rientrare nelle celle. Ci saranno gli strascichi penali per l'ammutinamento del detenuto che ha assalito la prima guardia e per l'omicidio Chisena. Solo che la giustizia della malavita è piú veloce di quella dei tribunali.

L'attaccabrighe responsabile della rivolta lo ammazzano durante un regolamento di conti in un altro penitenziario, cosí come l'assassino di Chisena che voleva far fuori anche la guardia, ucciso dagli amici della vittima.

A oltre quattro anni dai fatti, davanti a una Corte d'assise, insieme a Cutolo e ai suoi affiliati compare pure Piccioni, accusato di un delitto col quale non ha nulla a che fare. Da buon militante delle Brigate rosse rifiuta gli avvocati, ma chiede al presidente di poter fare lui stesso le domande ai testimoni, nel tentativo di essere scagionato. Ci riesce e viene assolto.

– Meno male, – commenta Michele dopo la sentenza. – Non tanto per l'ergastolo evitato, uno in piú o in meno conta poco... Ma essere condannato per un omicidio di camorra, francamente, sarebbe stato seccante.

Prima del verdetto, arrivato nel 1986, l'avevano trasferito a Torino, nel carcere delle Vallette, per il processo alla colonna torinese delle Brigate rosse. Tra gli imputati, divisi uno per cella, c'erano anche Piccioni e altri romani.

Michele, inseguendo l'idea fissa dell'evasione, aveva studiato la situazione del nuovo istituto, un cantiere aperto per via dei lavori di ristrutturazione. I brigatisti erano stati sistemati nell'unico braccio agibile, nel blocco già terminato. Per il resto, l'area all'interno dei muri di cinta era un continuo andirivieni di operai al lavoro.

Il piano era semplice: segare le sbarre della cella, calarsi nottetempo, acquattarsi da qualche parte in attesa del giorno, al mattino mescolarsi agli operai, magari caricandosi qualche sacco sulle spalle, e uscire. Non era sicuro che avrebbe funzionato, ma valeva la pena tentare.

Il seghetto ce l'aveva: era una «dotazione» delle Br, entrato attraverso i canali creati dai primi brigatisti e rimasto a disposizione dei militanti che ne avessero avuto bisogno. Solo che la cella che gli avevano assegnato dava sul lato esterno del carcere, illuminato dai riflettori anche di notte.

Chiese alla direzione di essere trasferito in un'altra cella, con la finestra sull'interno. Ce n'era una occupata da un detenuto di Prima linea, al quale Michele riuscí a proporre lo scambio.

– Perché ci vuoi andare? – domandò quello.

– Perché mi sono fidanzato con una compagna chiusa proprio lí sotto, e di sera potremmo parlarci.

Al piano inferiore in effetti c'era la sezione femminile, e i detenuti – soprattutto i militanti di Prima linea che stavano avviando la campagna per la dissociazione – avevano instaurato un buon rapporto con la direzione, ottenendo una certa disponibilità a chiudere un occhio sui colloqui «rubati» e sugli spostamenti.

Il prigioniero che doveva cedere la cella accettò il cambio, e Piccioni raggiunse il suo obiettivo grazie al finto fidanzamento con la compagna del piano di sotto. La finestra affacciava su un angolo abbastanza buio del cortile, e ogni pomeriggio, dal calar della sera finché non scendeva il silenzio della notte, sfoderava il seghetto e cominciava a lavorare sulle sbarre.

Doveva tirare via tre pezzi di ferro, e gli servivano sei tagli, tre sopra e tre sotto. Anche per segare le sbarre di una cella bisogna seguire regole precise: si lavora dall'esterno verso l'interno, in modo che ai controlli quotidiani non si veda nulla; e si devono lasciare sempre almeno due millimetri di attaccatura, affinché alla battitura il suono risulti comunque pieno.

Il lavoro andò avanti per settimane, fin quando il processo si chiuse e arrivò l'avviso che il giorno dopo tutti i brigatisti sarebbero stati nuovamente trasferiti. Per Michele era l'ultima possibilità: doveva provare a sgusciare fuori quella sera.

I sei tagli erano completati. Restava solo da segare i due millimetri lasciati alle estremità delle inferriate, staccare le sbarre e svignarsela.

Dopo la cena decise di agire. Cominciò a lavorare col seghetto sulla prima sbarra. Ci mise un po', ma andò bene. Poi attaccò la seconda. Sopra riuscí a tagliare, ma sotto si accorse che il taglio da fuori era venuto storto, e non arrivava a incrociarsi con quello fatto da dentro. Provò a scuotere la sbarra, a piegarla, ma non si muoveva.

Passò alla terza, e non trovò resistenze. Ma senza togliere la sbarra di mezzo non poteva uscire.

Ormai era sceso il silenzio della notte, e non c'era la possibilità di segare ancora: il suo piano era fallito.

Rimise tutto a posto, nascose il seghetto e si sdraiò sul letto. Non riuscí a dormire, pensando all'evasione sfumata per un errore di pochi millimetri.

«Andrà meglio la prossima volta», si disse aspettando che arrivassero le guardie per mettergli gli schiavettoni ai polsi e trasferirlo in un altro penitenziario.

Quando fuori l'organizzazione era forte, veniva piú facile progettare la fuga, perché potevi contare sull'appoggio esterno. Bisognava conquistare il carcere, poi sarebbe arrivato un «nucleo armato» a prelevarti. Ora le cose sono cambiate, e dall'esterno ti possono mandare al massimo i soldi per il biglietto del treno, oppure un seghetto se il «logistico» del carcere non ne ha. Per il resto devi arrangiarti da solo.

È ciò che i «capi storici» – gente abituata piú alla propaganda che alla guerra, con un'esperienza «militare» inferiore rispetto a chi li ha sostituiti sul «campo di battaglia» – non volevano ammettere. Ma forse adesso si sono convinti anche loro. Qualcuno ha deciso che non è piú tempo di combattere ed è passato coi dissociati, qualcun altro s'è adeguato alle scelte di chi dirige l'organizzazione.

Fuori, le cose si mettono peggio di giorno in giorno. I pentimenti sono proseguiti a grappoli, ogni mattina le radioline raccontano di nuovi arresti. Michele e i compagni cercano di capire chi ha tradito e cosa può aver detto.

Il mondo che hanno lasciato al momento dell'arresto si sta sfarinando poco a poco, ma c'è ancora chi è disposto a combattere. Per questo non bisogna smettere di «trovare la strada di casa», per portare rinforzi al «partito armato» che continua a sparare e produrre analisi politiche. Dopo tante sconfitte, un'evasione sarebbe una vittoria. Non solo militare, anche sul piano della propaganda.

– Dobbiamo uscire, raggiungere i compagni e vedere che fare, – insiste Michele. Il quale non perde occasione, nelle aule dove si celebrano i «processi borghesi», di prendere la parola ogni volta che i militanti in libertà ne offrono l'occasione.

Con le prime sentenze sono cominciati a fioccare gli ergastoli. A Roma, il 24 gennaio 1983, la Corte d'assise ne ha distribuiti trentadue per il sequestro e l'omicidio Moro e gli altri delitti commessi dalla colonna romana delle Br. Anche a Piccioni è toccata la condanna a vita, ma non è di quello che vuole parlare, quando chiede la parola. A lui interessa intervenire per rivendicare le azioni delle Brigate rosse. O per smentire che l'organizzazione c'entri qualcosa, se è il caso. Come accadde con l'omicidio Caccia.

Era il procuratore di Torino, Bruno Caccia, e l'avevano ammazzato sotto casa, mentre portava a passeggio il cane, la sera del 26 giugno 1983. Due killer gli avevano sparato diciassette colpi di pistola, poi erano saliti a bordo di una Fiat 128 e s'erano dileguati.

A qualche ora dal delitto arrivarono le prime telefonate alle redazioni dei giornali, rivendicandolo a nome delle Brigate rosse. Telefonate strane, con particolari che non tornavano. E comunque nessuna annunciava il volantino, che infatti non venne recapitato.

Gli inquirenti avevano imboccato subito la pista del terrorismo, e fin dalle prime ore le celle dei brigatisti rinchiusi alle Vallette per il processo in corso – compresa quella di Piccioni, che ogni sera segava le sbarre – erano state perquisite. Gli imputati, in aula, protestarono perché rivolevano indietro il materiale sequestrato. Attesero ancora per vedere se da fuori fossero giunti segnali che potessero effettivamente collegare l'omicidio al loro gruppo. Del progetto non sapevano nulla, però qualche compagno della vecchia colonna torinese era rimasto in circolazione. E un procuratore poteva essere un buon obiettivo.

Trascorse due settimane, la mattina dell'11 luglio Piccioni chiese la parola dalla sua gabbia. Parlò a nome delle Brigate rosse per la costruzione del partito comunista combattente, e disse: – Abbiamo dimostrato nel passato, in moltissime occasioni, di non avere alcun problema a rivendicare nelle aule azioni portate a termine dalla nostra organizzazione e dal movimento rivoluzionario. Lo abbiamo dimostrato proprio qui a Torino, rivendicando il ferimento di Gino Giugni. Ma all'omicidio del procuratore Caccia siamo purtroppo estranei.

L'attentato a Giugni, esponente socialista e «padre» dello statuto dei lavoratori, era avvenuto a Roma il 3 maggio, e il giorno dopo Bruno Seghetti l'aveva sottoscritto: – È il primo elemento della nuova strategia delle Br per rilanciare la lotta armata contro lo Stato.

Due anni piú tardi, sempre davanti a una Corte d'assise di Torino, è di nuovo Piccioni che alza la voce dalla gabbia. È il primo aprile 1985, l'economista e consulente della Cisl Ezio Tarantelli è stato ucciso cinque giorni prima in un cortile dell'università di Roma. Michele vuole leggere un documento di tre pagine per esaltare il delitto, ma il presidente gli toglie la parola:

– Qui si parla soltanto di fatti che riguardano il processo.

Intervengono i carabinieri per strappare il foglio dalle mani di Piccioni, che insieme a Seghetti e un compagno comincia a urlare slogan contro «la coalizione Craxi-Carniti-Confindustria».

Sono scampoli di una guerra che prosegue, nonostante l'organizzazione si stia sbriciolando e sia stata quasi completamente smantellata dal «nemico», cioè dallo Stato. I brigatisti rimasti in libertà sono pochi, l'aria che si respira intorno alle loro azioni, ridotte al ritmo tragico di un morto all'anno, è di isolamento pressoché totale. Le divisioni tra il Partito comunista combattente e il Partito guerriglia hanno monopolizzato il dibattito teorico intorno alla lotta armata, e altre scissioni si preannunciano all'interno delle diverse fazioni.

Nonostante ciò, chi sta in carcere continua ad avere un unico obiettivo: tornare a combattere la guerra al di là dalle sbarre. Si studia, si discute e si scrive per contribuire al dibattito teorico. Si cerca il modo di evadere per tornare ad affiancare, alla critica delle idee, quella delle armi.

Michele ci ha riprovato il 4 marzo 1985 a Roma, durante una traduzione dal carcere al tribunale.

L'avevano caricato sul furgone blindato dei carabinieri di prima mattina, insieme a tre detenuti: due calabresi e un napoletano. Loro erano diretti a piazzale Clodio, tribunale penale, per dei processi di 'ndrangheta e camorra, Michele doveva andare al civile, in viale Giulio Cesare, per la causa di divorzio.

Il piano l'aveva ideato pensando proprio a quel Palazzo di giustizia meno sorvegliato dei soliti che frequentava, senza sbarre alle finestre, con poche guardie in giro, sicuramente meno armi. A un certo momento si sarebbe trovato in una stanza insieme alla ex moglie, un giudice abituato a trattare le liti tra coniugi, un paio di avvocati, al massimo qualche sbirro certamente rilassato. E senza manette. Poteva provarci.

Durante il tragitto, coi polsi legati da una catena a quelli del napoletano, ha squadrato le facce dei carabinieri che erano venuti a prenderlo. Ragazzi che non mostravano di sapere chi fosse, sembravano tranquilli. Per loro era una mattinata di routine. I ferri li avevano stretti poco, dovevano essere brave persone. Se la fuga fosse riuscita avrebbero passato dei guai, ma non era affar suo.

Il percorso del blindato prevedeva la sosta al tribunale penale, poi al civile. Michele aspettava di rimanere solo per entrare in azione, ma arrivati a piazzale Clodio, quando s'è aperto il portellone posteriore, il napoletano gli ha lanciato un'occhiata improvvisa e complice. Anche lui era un carcerato di lungo corso, e aveva davanti a sé ancora ventiquattro anni di galera. Vedendo che gli schiavettoni erano abbastanza larghi, gli era venuta la stessa idea, e con lo sguardo ha chiesto a Piccioni: andiamo?

È stata una decisione di pochi attimi. Non poteva dire che lui avrebbe tentato piú tardi, né tradire le aspettative di un galeotto che stava proponendo la fuga. All'ingresso, dentro la garitta in cima alla rampa, aveva notato un poliziotto piuttosto anziano, che forse non avrebbe reagito con la prontezza necessaria. Con un po' di fortuna ce la poteva fare.

«Va bene, andiamo», ha fatto capire al napoletano. E mentre scendevano dal blindato, nel parcheggio sotterraneo del Palazzo di giustizia, hanno provato a riprendersi la libertà.

Sfilare le mani dalle catene è stata cosa semplice, cosí come travolgere con i ferri il carabiniere che si sono trovati davanti. È scattato subito l'allarme, e i due hanno cominciato a correre. Il napoletano ha sbagliato strada, praticamente è entrato dentro il tribunale e si è ritrovato davanti ai carabinieri con le armi spianate. Michele invece ha imboccato velocissimo la rampa d'uscita.

Sono partiti i primi colpi in aria, e il brigatista ha cercato di far credere a chi guardava la scena che lui non c'entrava.

– Aiuto, sparano! Sparano! – gridava mentre correva a piú non posso, ma gli agenti di scorta a un magistrato non ci sono cascati. Uno ha imbracciato la mitraglietta e ha fatto fuoco. Michele ha continuato a correre finché ha sentito le pallottole fischiare troppo vicino a lui, e si è fermato. Ha alzato le braccia e si è arreso.

Anche stavolta era andata male.

– Hai notato? Questa sezione è vicina a uno dei muri esterni.

– Sí, ma bisognerebbe fare almeno settanta metri allo scoperto.

– Al di là del muro c'è l'aula dove ci stanno facendo il processo, sarà sorvegliatissima anche di notte.

– C'è pure quell'elicottero dei carabinieri che ci gira sempre sulla testa.

Aggrappato alla finestra della cella, nel carcere di Rebibbia dove l'hanno portato per l'ennesimo processo alla colonna romana delle Brigate rosse, Michele discute con i compagni di militanza e di prigionia.

Nella sua cella ci sono Bruno Seghetti, un brigatista di nome Francesco, e Domenico, un nappista rinchiuso dal 1975.

– E queste fottute sbarre che non si possono segare, – impreca Michele cercando di scuotere l'inferriata.

– Però se cambiassimo il punto di vista... – dice un altro. – Finora abbiamo sempre ragionato su una fuga in superficie...

Sta guardando lungo il corridoio, dallo spioncino della porta, e chiede: – A cosa servono secondo voi quei tombini?

– Dovrebbero essere i pozzetti d'accesso alla fogna bianca, – risponde Michele.

– Cioè?

– Quella che raccoglie l'acqua piovana, – e adesso è lui che comincia a rimuginare. Si potrebbe tentare il lavoro che avevano fatto nel supercarcere di Palmi, lasciato a metà per l'improvviso trasferimento.

– Sono dei grossi tubi che passano sotto il centro della strada, – continua. – Scavando a partire da qui, dovrebbe essere accessibile. Raggiungiamo la fogna e ce ne andiamo, insalutati ospiti, – conclude con un sorriso.

D'un tratto gli sono tornate in mente le notti trascorse a scavare a Palmi, mentre tutti dormivano. Per mesi e mesi.

In cella s'erano costruiti una specie di fiamma ossidrica, sempre grazie ai fornelletti da campeggio: gettavano il gas contro la fiamma di un accendino, surriscaldavano il cemento che dopo un po' si ammorbidiva, e lo grattavano via col cucchiaio.

– È il metodo che usò Annibale per aprire il passo quando attraversò le Alpi, – aveva detto uno.

In cella erano in quattro e ogni notte nel bagno lavoravano in due, a turno, per scavare il cemento e staccare via il piano del cesso alla turca. C'erano volute settimane e settimane, ma alla fine ce l'avevano fatta.

Gli altri due stavano a letto, e quando le guardie aprivano lo spioncino avevano il compito di tirare i fili e far muovere i pupazzi piazzati nelle brande al posto dei compagni impegnati nello scavo.

Li avevano confezionati ben bene: sagome fatte di bottiglie vuote e stracci, complete di parrucche assemblate coi capelli veri, raccolti al momento del taglio. Da fuori, anche alla luce del neon, nessuno si sarebbe accorto che sotto le coperte c'erano solo dei pupazzi. E al momento del controllo, appunto, i due che fingevano di dormire animavano le sagome nei letti. La guardia spegneva la luce e se ne andava. Chi doveva occupare quei letti, nel frattempo, lavorava al tunnel.

Tolta la base del cesso, c'erano terra e cemento da aggredire. Un'impresa disperata per chiunque, tranne che per dei «guerriglieri» con l'idea fissa dell'evasione, votati alla causa ventiquattr'ore su ventiquattro. Di giorno lavoravano alle idee, studiando e scrivendo, e di notte andavano in miniera.

Bisognava fare un buco largo almeno sessanta centimetri, in modo che ci potesse passare il piú grosso di tutti: Michele. Si raschiava senza sosta, e dopo quattro ore di lavoro avevano tolto un pugno di cemento. Un po' poco, ma non c'era alternativa che insistere.

Con la terra andava meglio, veniva via molto prima, e quella rimossa la sparpagliavano nel locale delle fondamenta, in modo che non si notasse.

Per far respirare chi s'infilava dentro, l'ingegnosità dei carcerati aveva partorito un piccolo ventilatore a pile, le pale fatte coi cucchiaini di plastica tenuti insieme dal nastro adesivo, grazie al quale si poteva resistere fino a tre quarti d'ora. Dopo bisognava tornare indietro e respirare un po', prima di rituffarsi sottoterra.

Si andava avanti fino all'alba, quando tutto veniva rimesso a posto, e il cesso risistemato cospargendo i bordi di cera, in modo che nessuno potesse accorgersi che era solo appoggiato sul pavimento.

Il piano prevedeva di andarsene passando sotto i muri di cinta. Solo che il penitenziario era stato costruito rispettando i piú moderni sistemi antisismici, con le pareti piantate non nella terra, bensí su basi di cemento armato. Per cui bisognava comunque sfondare il muro della sezione, anche sotto il livello della strada.

Ci volle quasi un anno per aprire il buco necessario a passare, con ogni attrezzo suggerito dall'improvvisazione: cucchiai, ferri acuminati, e qualunque cosa potesse aiutare a grattare il muro. Con molta attenzione a non fare troppo rumore, perché di notte in carcere si riesce a sentire anche una mosca che vola. Quelli della cella accanto erano compagni che mai avrebbero parlato, ma di fronte c'erano detenuti di un'altra risma, e chissà che avrebbero detto se si fossero accorti di qualcosa.

Attraversato il muro, il tunnel passava nella terra, e si procedeva molto piú spediti. In un mese Michele e i tre compagni di cella s'erano avvicinati di parecchi metri al muro esterno. Ma improvvisamente era arrivato l'ordine di cambiare carcere. Nessun allarme particolare, solo l'inizio dello smantellamento degli «speciali» dovuto a pentimenti e dissociazioni.

Li avevano trasferiti in quattro e quattr'otto, costringendoli ad abbandonare la cella e il piano d'evasione costato tanta fatica e tante notti insonni. Nessuno s'era accorto del tunnel, e non avevano avuto nemmeno il tempo di lasciare un messaggio a chi, un giorno, avesse occupato la cella con una via di fuga quasi pronta.

Un anno piú tardi, a Rebibbia, nell'autunno del 1986, Michele ripensa al progetto e dice: – Riproviamoci. Ma stavolta dobbiamo imboccare la fogna: è una strada già aperta, si tratta di trovare la direzione giusta.

Alle udienze del processo vanno ogni tanto. Per movimentare un po' le giornate e incontrare qualche faccia amica attraverso le sbarre delle gabbie, non certo per ascoltare deposizioni e arringhe. Per il resto, il tran tran della vita carceraria è rotto unicamente dal dibattito intorno alla «battaglia di libertà» avviata da un gruppo di brigatisti della prima ora sull'ipotesi di una «soluzione politica» per i terroristi detenuti, alcuni dei quali hanno già compiuto il decimo anno di galera.

Il «capo storico» delle Br, Renato Curcio, pur senza cedimenti sulla linea della dissociazione né del pentitismo, non è piú l'irriducibile di un tempo e ha cominciato a intavolare colloqui coi nemici di una volta, come l'ex segretario della Dc Flaminio Piccoli. Michele e gli altri della cella lo leggono sui giornali, ma a loro il dialogo col potere non interessa granché. Pensano a scavare.

Intorno alla turca, all'inizio, lavora uno per sera. Di

notte non si può, in superficie il rumore si sentirebbe. Ma la piattaforma resiste meno del previsto, e dopo un mesetto viene via.

– Ragazzi, si è alzata, – esulta una sera Michele avvisando i compagni.

Quel che trovano sotto, però, smorza subito l'entusiasmo. C'è una base di cemento, si deve grattare ancora. Passano le settimane e compaiono le mattonelle. Sera dopo sera, a turno, i quattro guerriglieri reclusi insistono con lo scalpello improvvisato.

«Bisogna essere pazzi per pensare di sfondare un pavimento con questo arnese», dice tra sé Michele.

E quando riescono ad avere ragione dell'ultima mattonella, è preso dallo sconforto: – Oh no! Ancora cemento!

Ce n'è un altro strato, ma ormai non avrebbe senso fermarsi: prima o poi il vuoto deve arrivare. Con la forza che proviene dall'idea fissa continuano a scavare, finché a fine dicembre s'è formato un buco sufficiente per far passare il piú magro del gruppo.

È la seconda fase, quella in cui si può lavorare di notte. Si ritorna al vecchio trucco dei pupazzi da muovere come marionette, qualche corda legata insieme forma una scala con la quale scendere sottoterra.

– E la luce?

– Ci vuole una torcia elettrica.

– Intanto possiamo usare il fornello a gas.

Sempre lui, lo strumento piú prezioso, utile in ogni circostanza.

Di notte il magro scende di qualche metro, accende la fiammella e si guarda intorno: è un cubicolo chiuso, terra e detriti dappertutto. Nel frattempo la guardia ha fatto l'ultimo controllo, i pupazzi hanno funzionato, anche gli altri vanno a guardare.

Nei giorni successivi il buco sotto la turca viene allargato in modo che possano entrarci tutti. Bisogna riprendere a scavare una sorta di pozzo che consenta di passare sotto le fondamenta. Si lavora in due, come si faceva a Palmi, uno scava e l'altro sparge la terra rimossa. Fra i detriti saltano fuori arnesi da utilizzare nell'improvvisata miniera, come i tondini di ferro affilati alla bisogna.

La terra è umida o bagnata, si avanza nel fango, il materiale di risulta è stipato nei sacchi di plastica e tirato via con delle corde che a volte si strappano. Ma i brigatisti che hanno affidato le loro speranze di libertà alle proprie mani piuttosto che alle trattative coi politici restano convinti che prima o poi troveranno i tubi delle fognature. E non si fermano, anche se a ogni alba riemergono dal buio stremati, pieni di graffi e di terra da lavare via sotto la doccia gelata. In pieno inverno.

Finalmente, dopo un mese trascorso strisciando sottoterra, arrivano a una delle tubature che servono a far scorrere l'acqua piovana. Però è sbagliato l'angolo del tunnel scavato finora, per entrarci bisogna tornare un po' in superficie.

Adesso si gratta la terra dal basso verso l'alto. È piú complicato, ma anche questa operazione riesce: a febbraio del 1987 quattro militanti delle Brigate rosse chiusi a Rebibbia riescono a entrare in una specie di labirinto sotterraneo che si allarga per centinaia e centinaia di metri sotto il carcere romano. Muoversi per i corridoi bagnati che trasudano muffa è una sensazione di libertà che non provavano da quando li hanno arrestati.

È il loro segreto, e tale deve rimanere, ora che la speranza di trovare la strada di casa sembra rafforzarsi. Dentro, gli altri compagni non sanno niente e continuano la loro vita da reclusi. Fuori, la mattina del 14 febbraio, un nucleo armato assale un furgone postale in via Prati di Papa, a Roma, scortato da una volante della polizia. Gli agenti Rolando Lanari e Giuseppe Scravaglieri, ventisette e ventiquattro anni, vengono uccisi dalle raffiche di mitra; il capo equipaggio, brigadiere Pasquale Parente, rimane ferito gravemente. L'azione di autofinanziamento è portata a termine con una tecnica militare che ricorda quella di via Fani, a nove anni di distanza e con le Br che sembrano annaspare.

Il volantino firmato «Brigate rosse-Partito comunista combattente» assicura che la guerra non è finita. Per Michele e gli altri, ai quali le condizioni esterne appaiono sempre meno favorevoli all'insurrezione che sognavano quando a sparare erano loro, la notizia che fuori ci sono compagni in azione rappresenta un'iniezione di fiducia.

Perquisizioni e controlli in carcere si fanno piú frequenti e accurati, come accade all'indomani di ogni attentato. Ma nessuno s'accorge che nel bagno della cella numero 11, quella di Michele, la turca è diventata il coperchio di una botola e sotto c'è un tunnel che conduce a centinaia di metri di distanza. Né s'immagina che ogni sera qualcuno scende dalla botola e se ne va a passeggio per le fogne, cercando una via d'uscita.

La regola è seguire sempre il tubo, e quando si arriva agli incroci andare avanti lungo il tubo piú largo. S'incontrano lombrichi e acqua in quantità, e una volta s'è affacciato pure un topo di fogna. Non è stato un bello spettacolo. Il brigatista che se l'è trovato davanti ha brandito una sbarra di ferro e il topo è fuggito via, impaurito lui stesso dall'insolito ospite di quel mondo sommerso.

La temperatura è bassissima, e almeno il problema dell'aria è risolto, ma se ne sono aggiunti di nuovi: l'abbigliamento, le imbracature necessarie per salire e scendere nei pozzi che s'incontrano, la protezione della lampadina elettrica per non far bagnare le pile.

Man mano che si procede si avanza non piú carponi ma a quattro zampe, poi su due piedi, piegati, e finalmente dritti. Ma anche il livello dell'acqua sale, e a volte il fango costringe a camminare a fatica.

Una notte Michele e il compagno sceso con lui vanno avanti fin quando si ritrovano immersi fino al collo. Michele vede dei ferri attaccati a una parete che salgono verso l'alto. Sembrano i pioli di una scala. Ci si arrampica e arriva in cima, bloccato da un piano di ferro che ha l'aspetto di un tombino visto da sotto. Comincia a spingere, ma non si muove. Cerca di premere con piú forza facendo attenzione a non provocare troppi rumori: chissà dove sbuca. Forse già su una strada, forse su un prato, forse...

Ecco, la lastra si muove, Michele riesce ad alzarla pochi centimetri per gettare un'occhiata fuori. E per subire l'ennesima delusione.

– Cazzo, è il cortile del carcere! – impreca mordendosi la lingua.

Non quello dov'è rinchiuso lui, ma l'altro edificio del complesso di Rebibbia, la casa di reclusione.

Si guarda intorno e distingue i muri di cinta, le garitte delle sentinelle, i riflettori accesi. La porta carraia. Meglio richiudere prima che un fascio di luce punti il tombino alzato e qualcuno si accorga di lui.

Michele torna indietro e informa il compagno:

– Siamo ancora dentro!

Tornano indietro, prima di risalire si disinfettano con il detersivo per i pavimenti. Riavvolgono le corde, mettono via i vestiti sporchi di fango. In un cunicolo hanno ricavato lo spazio per nascondere il materiale: disinfettanti, attrezzi per scavare, abiti da lavoro, manichini e la scorta di medicine che prende Prospero Gallinari, uno dei carcerieri di Moro, ergastolano e malato di cuore.

Prospero è in un'altra cella, ma quando sarà il giorno verrà anche lui. Avrà bisogno di una riserva di pasticche, e cosí ogni giorno ne consegna una ai suoi compagni che la mettono da parte per quando servirà, lontano dalla galera; se davvero si riuscisse a scappare non sarebbe prudente presentarsi in farmacia a chiedere quel tipo di medicine.

Tornati in cella, i due avvisano gli altri. Se ne parla anche nei giorni successivi, in cortile, durante le partite di calcio e le sfide a carte.

– E se uscissimo da lí e tentassimo l'azione di forza?

– Sí, con quali armi?

– Ci mancano troppe informazioni: quante guardie ci sono, come sono equipaggiate, che turni fanno, quando si dànno il cambio...

Il dibattito va avanti, l'ipotesi viene accantonata, bisogna trovare nuove strade.

– Cazzo!

– Dài, non te la prendere, se siamo arrivati fin lí possiamo proseguire per un'altra via.

– Bisogna trovare la fogna, non c'è alternativa, – dice uno spiegando sul tavolo la piantina della rete fognaria disegnata dopo mesi di osservazioni e misurazioni prese a occhio.

La primavera è arrivata, si sente anche in carcere. Le giornate sono piú lunghe, il cielo è quasi sempre terso e attraversato dalle rondini, gli alberi che spuntano dietro i muri sono piú verdi.

Il pomeriggio di martedí 21 aprile Michele e i compagni sono all'aria. C'è chi tira calci al solito pallone, chi gioca a carte, chi semplicemente fa avanti e indietro per sgranchire le gambe.

I telegiornali dell'ora di pranzo riferiscono del dibattito a Montecitorio sulla fiducia al neonato governo Fanfani, le elezioni anticipate sono ormai alle porte. Raccontano anche che il professor Federico Caffè, insigne economista di settantatre anni, uno dei maestri di Tarantelli, è misteriosamente scomparso da quasi una settimana.

Michele se ne sta per conto suo, è stanco. Le ultime notti ha dormito quasi niente, continuando a girovagare per i sotterranei del penitenziario. Inutilmente.

L'ora di rientrare nelle celle si avvicina.

All'interno dell'istituto, un agente carcerario apre come ogni giorno la porticina che s'affaccia su uno dei corridoi che di solito viene controllata solo dall'esterno, gettando un fascio di luce elettrica. Ma oggi chiede ai colleghi: – Quant'è che non entriamo nello scantinato?

– Boh! Un bel po' di tempo, credo.

– Perché non diamo un'occhiata come si deve?

– Ma no, lascia perdere, chi te lo fa fare?

L'agente, chissà perché, insiste: – Io entro.

S'abbassa, infila la porticina e fa luce con la torcia: è nello stesso tunnel che porta ai sotterranei della cella numero 11. Si guarda intorno e vede una bottiglia di disinfettante. Poi una corda, una busta piena di stracci. Alza gli occhi e vede un buco. Lo illumina.

– Ma qui c'è una galleria! – grida alle guardie rimaste fuori.

Un rapido controllo, e si scopre che il punto di partenza è la cella dei quattro brigatisti.

In cortile nessuno s'è accorto di niente, il tempo passa e ancora non è arrivato l'ordine di rientrare. Strano.

D'un tratto, lo spazio all'aria aperta si riempie di agenti. L'allarme è scattato: a Michele e i compagni della numero 11 bastano poche occhiate per capire che sono stati scoperti.

– Svelti, tutti ai posti, – grida il capo delle guardie ai detenuti colti di sorpresa. Tutti tranne quattro, che vengono messi da una parte e accompagnati direttamente nelle celle di sicurezza. Isolati uno dall'altro.

La notizia si diffonde velocemente. Il ministro della Giustizia, Virginio Rognoni, si precipita al carcere per congratularsi con le guardie e discutere la situazione con il direttore e i responsabili della sicurezza. Poco dopo arriva il magistrato. I telegiornali della sera dànno l'annuncio: «Sventata evasione di terroristi da Rebibbia».

La mattina seguente Michele e gli aspiranti evasori chiedono di essere portati al processo. È loro diritto, e stavolta non intendono rinunciare. Li rinchiudono ciascuno in una gabbia diversa. In aula ci sono i giornalisti. Michele cerca di sorridere, e di far passare la sconfitta per una vittoria.

– Ci abbiamo provato, è andata male, ci proveremo ancora, – assicura. E col suo sorriso beffardo proclama: – Tentare la fuga è un diritto inalienabile di tutti i prigionieri politici. Rivendichiamo questa azione che aveva anche lo scopo di introdurre la discussione sui prigionieri politici in Italia, un soggetto legittimato a parlare e a farsi sentire, e che invece viene ridotto al silenzio. L'esperienza della lotta armata non è riducibile a un fenomeno giudiziario, ma ha molto da comunicare all'esterno. Crediamo nella possibilità della lotta armata in Italia.

Sulle reali possibilità di fuga attraverso il tunnel Michele dichiara: – Ci eravamo molto vicini. Era questione di giorni, forse di ore.

Nemmeno lui è troppo convinto di quello che dice, non era a un passo dalla libertà. Ma certamente avrebbe continuato a cercarla. Non fosse che per non rinunciare a se stesso, a ciò che è stato o è ancora. Solo cosí, pensa, ci potrà essere un futuro. Anche dopo la sconfitta.

Francesco Piccioni ha trascorso sedici anni di detenzione in carcere, di cui quattordici e mezzo in regime «speciale». Nel 1996 è stato ammesso al lavoro esterno presso la redazione del quotidiano «il manifesto», e dal settembre 1999 continua a scontare la pena in regime di semilibertà. Insieme all'ex compagno di detenzione Francesco Lo Bianco ha pubblicato il libro a fumetti *Alla prossima volta. Br-La tentata evasione*, edizioni Cids.

6. «Paola»

Quella notte Paola dormí un sonno agitato. Non tanto per l'ansia di ciò che sarebbe dovuto accadere la mattina seguente, ma per il sogno che fece.

Con gli occhi chiusi vide che Roberta, amica e compagna nella corsa alla rivoluzione, in una situazione confusa e di pericolo rimaneva prigioniera da qualche parte, come fosse incastrata e non riuscisse a liberarsi, minacciata da cani rabbiosi che le ringhiavano contro.

Paola si girò e rigirò nel letto, riuscí a scacciare l'incubo e si riaddormentò fino all'ora della sveglia, fissata prima del solito. Come sempre aprí gli occhi anticipando il suono dell'orologio; le capitava cosí, di svegliarsi da sola al momento stabilito. Era come se avesse dentro un cronometro che le dettava tempi e ritmi di tutti gli impegni e le permetteva di non arrivare mai in ritardo a un appuntamento.

Si alzò, chiamò Roberta, ma non le disse del sogno. Si raccontavano ogni cosa, dalle barzellette che Paola ripescava nella memoria di quando era bambina alle sensazioni piú intime, dai progetti per il futuro ai banali pensieri della vita quotidiana. Perfino della morte parlavano, perché l'avevano messa nel conto, ma sempre con toni distaccati, quasi scherzosi, dissacratori. Però le ansie e le paure, nel momento in cui si facevano piú forti e rischiavano di diventare un problema, ognuno le teneva per sé.

A Paola capitava spesso di pensare ai pericoli in agguato. Anche quella mattina, per ciò che stavano andando a fare e per via del sogno. Ma rispettò la consegna del silenzio.

Era una regola importante: dubbi e considerazioni politiche venivano messi sul tavolo e dibattuti fino alla nausea, quando si discuteva delle decisioni da prendere e delle azioni da compiere. Ma una volta stabilito il da farsi, basta. Gli avanzi di timori e perplessità rimanevano all'interno di ciascuno. Nessuno aveva il diritto di insinuare negli altri sentimenti e preoccupazioni che nulla avevano a che vedere con le scelte dei «rivoluzionari di professione». Era una forma di rispetto per i compagni e una scommessa con se stessi: riuscire a mettere da parte le sensazioni personali di fronte alle esigenze collettive.

Paola e Roberta fecero colazione e si vestirono. Risero di come si stavano conciando, con quelle buffe parrucche. Poi Roberta tornò seria e indossò il giubbotto antiproiettile sotto il giaccone viola. Nella borsa infilò le armi e una copia del ciclostilato con la stella a cinque punte in copertina.

– Andiamo, – disse, e uscirono.

Paola portava al dito l'anello che le aveva dato Roberta e Roberta il bracciale regalatole da Paola, scambio avvenuto a suggello di un legame che superava la comune militanza politica.

Salirono sulla Vespa e andarono all'appuntamento con i compagni. Roberta guidava sicura in mezzo al traffico, rispettando segnaletica e precedenze. Paola, seduta dietro, ripensava a quello strano sogno. Un po' inquieta, ma senza immaginare che stava per avverarsi.

All'inizio degli anni Settanta, mentre i venti del cambiamento e della rivolta arrivano fino a Ventimiglia, Geraldina Colotti non sa che un giorno diventerà Paola, né che vedrà morire al suo fianco un'amica e compagna che s'era ribattezzata Roberta ma si chiamava Wilma, e tutti la prendevano in giro per il nome che ricordava la donna del cartone animato degli Antenati facendole il verso del marito che urla: «Wilma, dammi la clava!»

Geraldina non la conosce ancora, abitano a centinaia di chilometri di distanza e tra loro ci sono quattro anni di differenza, che a quest'età contano molto. Wilma vive a Roma ed è ancora una bambina, Gerry, come la chiamano, è già un'adolescente interessata alle ingiustizie che vede consumarsi nel mondo, attraverso la Tv ma anche sotto i propri occhi, nell'angolo di Riviera dov'è nata e cresciuta.

Dal piccolo schermo arrivano le immagini in bianco e nero delle manifestazioni studentesche e operaie, all'estero e in Italia, a volte pacifiche e a volte violente, ma tutte nel segno di una libertà conquistata o da conquistare. Geraldina resta affascinata da quei cortei e da quelle cronache, cosí come è attratta da altre lotte e altri mutamenti che avvengono attorno a sé.

A Ventimiglia c'è il mare e c'è il porto, coi suoi traffici di ogni genere. C'è la tradizione della Resistenza ligure rimasta viva anche dopo la Liberazione, per esempio quando Genova si oppose al congresso del Msi in nome di un antifascismo mai domo. C'è il confine a pochi passi con la Francia e il viavai di frontalieri costretti ad andare a lavorare a Mentone o nel Principato di Monaco, con minori garanzie ma salari piú alti grazie al cambio. Un mondo a parte che grazie al «maggio francese» e all'«autunno caldo» italiano subisce dei cambiamenti che Gerry, finite le elementari e le medie dalle suore, decide di vivere in prima persona.

I suoi genitori sono approdati qui dalla Puglia, dove erano braccianti agricoli, nel 1953. Il signor Giovanni s'è messo a fare il manovale, la signora Franca la casalinga in una mansarda senza servizi, al centro della città. Tre anni dopo, nel 1956, prima ancora che i carri armati sovietici entrassero in Ungheria, è nata Geraldina. I genitori le hanno dato un'educazione cattolica un po' all'antica, centrata sui valori della dignità e dell'onestà ma anche sul farsi gli affari propri, pensare al futuro personale piuttosto che a quello del mondo.

Anche se Giovanni partecipa alle attività sindacali ed è tra i promotori delle prime rivendicazioni, papà e mamma non vedono di buon occhio che Gerry, appena arrivata al ginnasio, si alzi all'alba per andare a distribuire i volantini o attaccare i manifesti sui muri della città. Loro vorrebbero che continuasse a studiare col solito impegno, da scolara modello qual è sempre stata. Ma quella ragazzina piccola, vivace ed estroversa, brava in classe e a suonare il pianoforte, ha deciso che non può rimanere indifferente dopo aver visto un operaio morire volando giú da un'impalcatura. Non c'erano protezioni, naturalmente, e i compagni di lavoro erano corsi a mettere i teloni di sicurezza prima che arrivassero i soccorsi, in modo da far credere che fosse tutto a posto, evitare la chiusura del cantiere e non perdere il lavoro.

«Non è giusto», s'è detta allora Geraldina, e continua a pensarlo anche adesso che può unirsi ad altri ragazzi e ragazze per provare a imporre che non accada piú.

Certo, i cantieri e le rivendicazioni operaie sono lontane dal liceo *Gerolamo Rossi* di Ventimiglia, ma a scuola c'è la possibilità di discutere nelle assemblee e prendere iniziative: contro il governo, contro i fascisti e la repressione, contro una condizione operaia giudicata inaccettabile anche da chi ha il privilegio di studiare.

Geraldina si applica con passione e buoni risultati, soprattutto in italiano, storia, filosofia e musica, ma riesce a trovare il tempo per le riunioni e le manifestazioni. Anche quelle dove volano le prime bottiglie molotov e degenerano in scontri coi celerini che usano i calci dei fucili come fossero manganelli.

«Operai sfruttati pure loro», sente ripetere Gerry, senza rimanere troppo convinta da certi slogan gridati alle manifestazioni dai gruppi un po' meno estremisti. Lei si definisce comunista ma pure libertaria. Per questo rifiuta di iscriversi alla Federazione giovanile comunista e altre organizzazioni. È attratta dall'idea anarchica, quella piú radicale che finisce per dettare perfino i comportamenti personali e quotidiani. Legge libri di filosofia e s'appassiona alle dispute ideologiche, ma è convinta che si è abilitati a esporre teorie solo se si è disposti ad agire per metterle in pratica. Anche rischiando in proprio, visto il livello di scontro raggiunto.

E l'azione non è solo politica. C'è qualcosa di «pubblico» persino nel giocare a calcio e frequentare le palestre dove s'imparano le arti marziali, che non sono sport maschili o violenti come tutti pensano, bensí «pratiche per recuperare il rapporto con il proprio corpo e la natura». Cosí come recitare, suonare o fare la presentatrice negli spettacoli estivi organizzati dal titolare di una radio privata, modi diversi per stare in mezzo alla gente e comunicare qualcosa.

Tutto ciò non toglie tempo allo studio e nel 1974 la studentessa Colotti Geraldina ottiene la maturità classica e i complimenti della commissione esaminatrice. Gerry è contenta per sé, per i suoi genitori che hanno fatto tanti sacrifici per far arrivare al diploma la loro unica figlia, e perché adesso può andare all'università. L'aspetta Genova, con il suo ateneo e i suoi fermenti certamente maggiori di quelli di Ventimiglia.

Sotto la Lanterna Gerry s'iscrive alla facoltà di Lettere e filosofia, entra in contatto con studenti e gruppi di ragazzi e ragazze che militano nell'estrema sinistra. Frequenta i corsi del professor Gianfranco Faina, docente e promotore di idee insurrezionaliste, comunista e anarchico insieme, insofferente a qualsiasi forma di autorità e gerarchia, il quale si avvicina alle Brigate rosse quando si affacciano a Genova alla metà degli anni Settanta.

– Sono degli stalinisti insopportabili ma anche gli unici che fanno qualcosa di concreto, – confida ai pochi che condividono le sue cospirazioni. Ben presto però, il suo modo di fare e intendere la propaganda e l'arruolamento, anche tra gli studenti contestatori, si scontra con le rigide regole dell'organizzazione. Faina viene espulso dalle Br e seguirà strade diverse, fino all'arresto per partecipazione alla banda armata chiamata Azione rivoluzionaria.

All'università c'è anche un altro professore dalle simpatie rivoluzionarie, conosciuto per le sue tendenze estremiste. È molto piú disciplinato di Faina, e accetterà le regole delle Brigate rosse. Si chiama Enrico Fenzi. Geraldina prende a frequentare i gruppi di studio coordinati da lui dove si parla di filosofia e letteratura, ma le discussioni sfociano ben presto nella politica e sulle potenzialità insurrezionali dei movimenti che, dopo la crisi della sinistra extraparlamentare, si stanno riaffacciando sulla scena.

Il Settantasette è alle porte, con la sua ondata di distruzione e creatività, iconoclasta e libertario, pieno di sfaccettature e tendenze, tra le quali ciascuno può trovare il proprio spazio. Gerry partecipa alla grande festa collettiva, che contiene un tasso di violenza e di illegalità piú alto di quello conosciuto finora. Ma va bene cosí, perché le azioni «extralegali» rappresentano un passaggio obbligato per chi ha in testa di rompere le regole costituite e non ha mai smesso di pensare che sia possibile portare a compimento il tanto decantato assalto al cielo.

Anzi, adesso forse è davvero possibile se migliaia di giovani si ribellano e affrontano in strada le forze dell'ordine, chi armato e chi coi volti dipinti, chi con gli slogan duri che inneggiano alle P38 e chi con quelli beffardi dello scherno. Tanto piú che qualcuno ha cominciato a parlare di lotta armata e a praticarla sul serio.

Geraldina segue con attenzione e interesse le azioni e la propaganda delle Brigate rosse, anche se immagina che le sue pulsioni libertarie mal si concilierebbero con una simile struttura militare.

Nell'aprile del 1978, proprio mentre le Br stanno realizzando l'attacco al «cuore dello Stato» attraverso il sequestro di Aldo Moro, Geraldina Colotti si laurea in Filosofia con una tesi a indirizzo psicoanalitico. Voto: centodieci e lode. Papà e mamma l'immaginano cattedratica di successo, ma lei – che pure è contenta per il risultato raggiunto – ha in mente un futuro diverso. Finora s'è mantenuta gli studi facendo la cameriera e la segretaria. Adesso si tratta di guadagnare per continuare a essere indipendente e poter seguire i sentieri già imboccati dell'insurrezione.

Da Genova Geraldina si sposta a Torino, dove con altri compagni discute e cerca le possibili vie d'uscita da una situazione che pare senza sbocchi. Da un lato la repressione e la chiusura degli spazi autogestiti hanno spento le speranze di chi – un po' anarcoide, libertario, situazionista e surrealista come lei – pensava che col movimento del Settantasette si potessero realizzare prospettive concrete di cambiamento. Dall'altro, dopo l'omicidio Moro il «partito combattente» ha mostrato dei limiti difficilmente superabili, e s'è lanciato in operazioni che riportano indietro di anni il rapporto col movimento operaio. S'è visto con l'omicidio di Guido Rossa, sindacalista comunista che aveva denunciato un suo compagno di fabbrica militante delle Br. L'organizzazione decise di punirlo come delatore, doveva essere solo ferito, ma al momento dell'agguato uno degli sparatori ha voluto ucciderlo.

Il potere ha resistito a entrambi gli assalti, ma la lotta non si può abbandonare. Bisogna continuare, ma come?

A Torino Gerry seguita a partecipare ad attività «extralegali», e si mantiene grazie alle supplenze nelle scuole. Siamo ormai all'inizio degli anni Ottanta, e qualcuno dei compagni che frequenta ha stabilito dei contatti con le Brigate rosse che vanno avanti con la propaganda armata, nonostante la conclusione del sequestro Moro e la controffensiva dello Stato.

I primi «pentimenti» portano agli arresti a grappoli dei militanti «combattenti». Gianfranco Faina, il suo professore di un tempo, è morto in carcere di tumore. Dietro le sbarre è finito pure Enrico Fenzi, arrestato a Milano insieme al capo delle Br Mario Moretti. Eppure la stella a cinque punte chiusa nel cerchio continua a mietere vittime e reclutare compagni.

Gerry non vede con favore l'ingresso in una struttura rigida, organizzata secondo criteri militari e troppo dogmatica sul piano ideologico. Si rende conto, però, che praticare la «critica della prassi senza apparati» diventa sempre piú difficile, se non impossibile.

Le fissano un paio di appuntamenti per discutere con un militante brigatista e vedere di trovare punti di contatto, ma gli incontri saltano. Nel frattempo i «pentimenti» maturano anche tra coloro che hanno dato vita ad altre illegalità. La risposta dell'«apparato repressivo» non riguarda solo i sedicenti guerriglieri che uccidono. L'aria si fa pesante pure per chi, senza sigle o con firme improvvisate, ha praticato forme di «resistenza offensiva», di «attacco al potere» o di «insorgenze proletarie» violente attraverso attacchi mirati piú alle cose che alle persone.

In molti decidono che è meglio sfuggire all'eventuale arresto. Geraldina, insieme ad altri compagni, si trasferisce in Francia.

Arriva a Montreuil, antica cittadina alle porte di Parigi, dove trova un impiego presso un distaccamento del ministero degli Affari sociali. La chiamano per una sostituzione, è selezionata tra diversi aspiranti e le affidano un lavoro che le piace molto, a metà strada tra la psicologa e l'assistente sociale. Tra i vari incarichi, svolge un'indagine conoscitiva sui lavoratori provenienti dalle ex colonie francesi per individuare quale tipo di supporto psicologico e materiale può aiutare il loro inserimento nella società.

Geraldina si getta con entusiasmo in una ricerca che in qualche modo contribuisce a realizzare l'aspirazione di contribuire al riscatto sociale delle categorie piú deboli, come certamente sono gli immigrati di colore. L'incarico a tempo le viene rinnovato una prima volta, poi una seconda, finché non si prospetta l'ipotesi di un'assunzione definitiva.

Ma Gerry, anche in Francia, ha in piedi tante attività. E soprattutto ha scelto di entrare nelle Br, dopo un ulteriore contatto con un compagno successivamente arrestato. A Montreuil promuove iniziative culturali, fa l'educatrice di giovani ex detenuti e per arrotondare i guadagni passa un po' di tempo alla cassa di un supermercato. Ha aperto due conti in banca, presso la Société Générale. Ufficialmente servono a gestire i risparmi, in realtà sono il deposito del denaro dell'organizzazione.

La sua casa diventa punto d'incontro di brigatisti e militanti italiani riparati all'estero con l'idea di rientrare per fare la rivoluzione. Alcuni hanno cominciato ad andare e venire dall'Italia, portando e riferendo i contributi a un dibattito politico che rischia di dividere la principale formazione armata. Nelle Brigate rosse sono emerse due posizioni che appaiono sempre piú distanti tra loro, anche se si continua a tentare una mediazione che eviti la spaccatura.

> Da piú parti si è rilevato che la campagna di repressione scatenata dallo Stato contro il movimento rivoluzionario ha, per cosí dire, solamente sviluppato e fatto evidenziare in tutta la loro implicazione i sintomi di una profonda crisi politica che preesisteva ai giorni delle torture, dei tradimenti e degli arresti di massa.

L'analisi è impietosa, diretta. Siamo nella primavera del 1984, e alcuni militanti delle Br hanno messo il dissenso nero su bianco. A partire dalla «ritirata strategica» del 1982, accusano, l'organizzazione non è riuscita a risalire la china di una crisi che prescinde dalla repressione messa in campo dallo Stato e dalle «forze della controrivoluzione».

Col linguaggio denso di chi è cresciuto sui classici del marxismo-leninismo, i dissidenti hanno scritto e distribuito – in Francia, dove alcuni si sono rifugiati – un opuscolo intitolato *Un'importante battaglia politica nell'avanguardia rivoluzionaria*.

È qui che vengono descritte con nettezza le due posizioni che si fronteggiano all'interno dell'organizzazione dopo che a Roma, il 15 febbraio di quell'anno, è stato ucciso a colpi di fucile automatico il diplomatico statunitense Leamon Ray Hunt, responsabile logistico della forza militare multinazionale dell'Onu nel Sinai. L'azione è firmata dalle Brigate rosse-Partito comunista combattente, che annunciano una campagna antimperialista a fronte delle nuove tensioni internazionali, insieme alle Farl, Frazioni armate rivoluzionarie libanesi.

> Esistono oggi nelle Brigate rosse due concezioni completamente differenti del processo rivoluzionario e dei compiti d'avanguardia nel nostro Paese, – scrivono gli estensori dell'opuscolo. – Una concezione si appoggia sull'idea che ritiene possibile, partendo dall'attività del partito rivoluzionario, condurre una «guerra di classe di lunga durata» in un Paese imperialista come l'Italia, ed è una tesi che, tutto sommato, è stata propria della nostra organizzazione fin dal suo atto di nascita e che può indicarsi anche sotto il nome di «strategia della lotta armata»; l'altra, a partire dalla valutazione concreta degli effetti che l'applicazione di questa tesi ha prodotto nella realtà italiana (effetti positivi e negativi, beninteso) e tenuti presenti alcuni fondamentali insegnamenti del marxismo e del leninismo, considera che, nel nostro Paese, la forma che assume la guerra rivoluzionaria è tendenzialmente quella di un'insurrezione, e che il compito del partito è quello di guidare le masse a questo appuntamento storico mediante la sua attività rivoluzionaria, la sua politica rivoluzionaria, centrata in modo essenziale ma non esclusivo sulla lotta armata.

Le due posizioni sono nette e distinte, e le Brigate rosse si dividono. Chi resta di qua, chi va di là.

Da una parte i militanti del Partito comunista combattente, che vede ingrossare le proprie fila piú dietro le sbarre delle carceri che fuori, dove l'organizzazione si manifesta con azioni sporadiche e ormai quasi esclusivamente simboliche. Dall'altra il manipolo di quelli decisi a tentare una via diversa, piú complessa, che non sia solo l'attività militare.

La sconfitta del movimento armato, hanno scritto

questi ultimi nell'opuscolo, è arrivata ancor prima dei pentimenti e degli arresti. Negli anni Ottanta il Pci è tornato all'opposizione e al governo c'è un nuovo asse Dc-Psi. I socialisti hanno ottenuto la presidenza del Consiglio per il segretario del partito Bettino Craxi. La Dc, guidata da Ciriaco De Mita, tenta un rinnovamento interno per riconquistare al piú presto il timone del Paese. Il Pci, dopo la morte di Enrico Berlinguer, non riesce a esprimere una leadership in grado di evitare una crisi che appare irreversibile: persino la battaglia per difendere il meccanismo della scala mobile sembra persa in partenza.

Per chi ha sognato e continua a inseguire un progetto rivoluzionario, la nuova situazione determina la chiusura di ogni spazio d'azione. Le «spinte propulsive» dei Settanta si sono esaurite da un pezzo, nessuno può sostenere che l'insurrezione sia alle porte. Nemmeno tra coloro che aderiscono alla «seconda posizione». Però resta una dose di utopia che fa immaginare la possibilità di un futuro diverso, e nell'attesa si cerca di correggere, «con realismo», le deviazioni del passato.

Un presunto errore è stato elevare la lotta armata a feticcio, arrivando a confondere la strategia con la tattica. Le azioni militari possono essere un elemento della lotta, ma non l'unico, soprattutto nel momento di maggiore crisi dell'organizzazione. Per ripartire occorre trovare altre forme di intervento utili a «educare le masse», riuscire a convincerle che la rivoluzione è ancora possibile. La fase dell'attacco armato tornerà, ma bisogna pensare a nuovi strumenti di propaganda, che possono essere anche giornali e riviste.

Si affaccia persino l'ipotesi di una riconversione legale del «partito armato», sull'esempio dei tupamaros in America latina, dell'Ira in Irlanda o dell'Eta in Spagna, per imporre in qualche modo un negoziato con il potere. Per fare questo è comunque necessario – ma come tattica, non come strategia – tenere acceso lo scontro militare. Magari facendolo retrocedere rispetto a esecuzioni che appaiono fini a se stesse, sulle quali s'è concentrata parte delle critiche alla «prima posizione».

In passato sono stati colpiti indistintamente settori che non sembravano prioritari nell'ottica dell'assalto al potere, dai giornalisti ai magistrati, a sindacalisti come Guido Rossa. Ora bisogna fare due passi indietro per farne uno avanti, evitando che la propaganda, anche quando dev'essere armata, avvenga a un livello tale da far parlare dell'obiettivo colpito e non della strategia politica che c'è dietro. Tanto piú in una fase di riflusso come quella che attraversa l'Italia.

Va comunque conservata l'unione del politico col militare, nel senso che se pure possono esistere due livelli d'intervento, non è pensabile distinguere i «funzionari» che si dedicano alle attività legali dai «soldati» impiegati nella guerriglia. Chi è disponibile a fare una cosa dev'esserlo anche per l'altra, soprattutto se si ricoprono posizioni di vertice.

In Francia e in Italia, alcuni militanti delle Brigate rosse continuano a spingere verso la «seconda posizione», fino alla conseguenza di essere espulsi dall'organizzazione. Un esito traumatico del dibattito teorico-politico che i dissidenti mascherano come scissione, gettando le basi per la fondazione di un nuovo gruppo armato. Tra loro c'è Geraldina Colottti, che dentro le Br s'è schierata con chi è stato estromesso.

Nel momento di massima crisi delle formazioni combattenti, quando ogni spazio rivoluzionario appare ormai precluso, Gerry sceglie di giocare comunque la sua partita, anche se sembra già persa. Per coerenza con ciò che ha sempre pensato sulla necessità di cambiare il mondo; perché la militanza politica è diventata per lei un fatto esistenziale, e questo è un modo per rendere concreto un simile principio; per l'assenza di alternative che non siano quelle di chiudersi in se stessa e nei suoi lavori.

Nel 1985 torna in Italia per farsi rilasciare dalla Questura di Ventimiglia – la città dov'è ancora ufficialmente residente, nella casa dei genitori – il passaporto. I poliziotti glielo consegnano senza problemi, nonostante in archivio ci sia qualche segnalazione a suo carico per partecipazioni a manifestazioni e iniziative politiche dell'estrema sinistra. Ma quando torna in Francia, insieme al documento autentico e regolare Geraldina ha in tasca anche una carta d'identità, con la sua foto ma intestata a una persona diversa.

È il primo segno della clandestinità. Sul documento falso c'è il nome di una certa Paola, e «Paola» diventa cosí il suo nome di battaglia, la nuova identità della militante rivoluzionaria che ha abbracciato la lotta armata.

In Francia s'è rifugiata anche Wilma Monaco, di quattro anni piú giovane di Geraldina, romana del popolare quartiere Testaccio. Ha cominciato a fare politica nei gruppi studenteschi, poi è passata alle formazioni semiclandestine, e attraverso il Movimento proletario di resistenza offensiva è entrata in contatto con le Brigate rosse. Le sue attività sono sempre rimaste ai margini dell'eversione, ma l'ondata dei «pentimenti» ha costretto anche lei alla latitanza, scappando all'estero.

Era sposata con un compagno entrato nelle Br, ma al momento della scissione tra prima e seconda posizione i loro destini si sono separati: lui da una parte, lei dall'altra, nella politica e nella vita. Cosí adesso Wilma si ritrova con i compagni che pensano di dar vita a una nuova organizzazione. Il suo nome di battaglia è «Roberta».

Alcuni ragazzi incensurati, i quali non hanno mai aderito alle Br ma militato nei gruppetti e collettivi ultracomunisti delle periferie delle grandi città, fanno la spola tra l'Italia e la Francia per raccogliere e diffondere le tesi della «seconda posizione» che vuole rifondare la lotta armata.

Nel frattempo a Roma, il 27 marzo 1985, le Brigate rosse-Partito comunista combattente irrompono nel dibattito sull'abolizione della scala mobile uccidendo all'università il professor Ezio Tarantelli, docente di economia politica alla facoltà di Economia e commercio e presidente dell'Istituto di studi economici e del lavoro della Cisl.

A un anno di distanza dall'omicidio Hunt, i brigatisti della «prima posizione» tornano a occuparsi delle vicende italiane con un nuovo delitto. Una raffica di mitraglietta colpisce un riformista e un sostenitore del dialogo tra le parti, che cercava soluzioni e non solo contrapposizioni all'interno del conflitto sociale. Nel documento di rivendicazione le Br-Pcc rilanciano il dibattito nel «partito armato» e criticano aspramente la teoria delle «cinghie di trasmissione», cioè le velleità di penetrazione nei «movimenti di massa» attribuite ai compagni della «seconda posizione».

Contrari alla nuova «iniziativa», gli scissionisti (o espulsi) continuano a elaborare tesi alternative e a compilare il programma dell'organizzazione che intendono far nascere. Impiegano qualche altro mese, finché in autunno – sotto il simbolo di una stella a cinque punte chiusa nel cerchio, simile ma non uguale alla stella delle Br, e l'intestazione «Unione dei comunisti combattenti» – è pronto un ciclostilato intitolato *Manifesto e tesi di fondazione*.

Ci sono richiami alla dottrina del materialismo storico-dialettico, alla dittatura del proletariato e all'esperienza dei soviet, seguiti dagli obiettivi che il gruppo proclama di perseguire. Un modo per rimarcare la continuità con l'esperienza delle Brigate rosse, ma anche la rottura con la linea contestata e prevalente all'interno di quella formazione.

> L'Unione dei comunisti combattenti, – si legge nel documento che ne annuncia la nascita, – avanguardia cosciente della classe operaia, opera per trasformare ogni lotta ridotta o parziale in una lotta generale per il rovesciamento dell'ordine capitalistico. Essa organizza e dirige la lotta del proletariato col fine preciso di guidarlo sino all'insurrezione armata contro lo Stato borghese, sino allo scontro diretto per la conquista del potere politico...
>
> L'Unione dei comunisti combattenti adotta la lotta armata in quanto metodo decisivo della propria lotta politica comunista... Per giungere alla rivoluzione l'avanguardia comunista deve conquistare un'influenza predominante nelle masse proletarie...
>
> L'Unione dei comunisti combattenti, che afferma il proprio ruolo di combattente per il socialismo attraverso la lotta armata e conserva in ogni caso la propria autonomia organizzativa, qualunque direzione prendano gli avvenimenti e quali che siano le forme del movimento, sin dal primo giorno della sua costituzione si pone esplicitamente come scopo non già la creazione di una setta di propaganda, non già un'attività politico-militare avulsa dalla reale dinamica e dal reale contesto della lotta tra le classi, ma proprio la partecipazione cosciente a tale conflitto, l'intervento d'avanguardia nella scena politica e la guida della lotta proletaria secondo una direttiva comunista.
>
> Suo obiettivo dichiarato è elevare, nel corso della lotta, il proletariato dalla coscienza compiuta dei propri interessi; conquistarne la direzione politica per guidarlo alla presa del potere...
>
> L'Unione dei comunisti combattenti respinge categoricamente ogni concezione soggettivistica che ritiene possibile la rivoluzione proletaria senza una adeguata opera di conquista delle masse lavoratrici alla linea politica del comunismo.

Bandita ogni ipotetica «divisione dei ruoli fra organismi militari e politici», che «minerebbe alla base l'unità d'azione, la compattezza e la natura comunista dell'avanguardia contemporanea», il *Manifesto* detta anche le regole interne:

> L'Unione dei comunisti combattenti si basa organizzativamente sul centralismo democratico, i cui principî essenziali sono: l'eleggibilità degli organi superiori da parte di quelli inferiori; il carattere assolutamente vincolante di tutte le direttive degli organi superiori; per gli inferiori, l'esistenza di un forte centro dirigente la cui autorità e le cui decisioni, negli intervalli tra i congressi, non possono essere messi in discussione da nessuno. Va da sé che nelle condizioni di clandestinità in cui si sviluppa la lotta, il principio elettivo può subire delle limitazioni; gli organismi dirigenti hanno pertanto il diritto di cooptare nei propri effettivi singoli militanti, qualora si presenti la necessità...

Dunque un altro gruppo armato entra in scena. Geraldina Colotti ha accettato di farne parte, a ventinove anni, diventando Paola; Wilma Monaco di anni ne ha venticinque, ora si chiama Roberta ed è pronta per la nuova esperienza.

S'incontrano ai capolinea degli autobus, nei bar di periferia o nelle trattorie a conduzione familiare. All'Alberone, al Tiburtino, a Cinecittà, nei quartieri popolari di Roma dove insieme al degrado è rimasto qualche segno delle lotte degli anni passati. Pure nel periodo del riflusso piú spinto, quando tutto sembra misurarsi su altri valori, alcuni giovani pensano ancora che la politica sia un modo per affermarsi e per dare un senso alla propria esistenza. Anche la politica piú estrema, che non esclude il ricorso alla violenza e alle armi.

Succede cosí che la militanza nei gruppi studenteschi del liceo continui nei «collettivi» di quartiere e in ciò che resta dell'Autonomia operaia, delle botte coi fascisti, delle azioni dimostrative su questo o quel tema. Si incendia qualche macchina, si distribuiscono volantini, si tenta di organizzare iniziative sui problemi della casa, della lotta alla droga, del rifiuto del lavoro nero.

Ogni tanto c'è chi si presenta con qualche pistola, residuo di chissà quale arsenale, perché l'idea che un giorno si debba tornare allo scontro violento col potere non è caduta. Le Brigate rosse sono in crisi, e le critiche al «soggettivismo» della formazione combattente piú importante e duratura sono frequenti. Ma non significa abbandonare la prospettiva della lotta armata. Anzi. Quel gruppetto di ragazzi romani, ancora troppo giovani nel 1977 e ai tempi del reclutamento brigatista «di massa», ascolta con interesse ciò che hanno da dire i militanti arrivati dalla Francia che intendono rilanciare la guerriglia in Italia.

E cosí Michele, Pino, Stefano, Carlo, Nando, Ilario e altri si ritrovano a leggere documenti e a seguire le vere e proprie lezioni teorico-politiche, ma anche pratiche, tenute dagli scissionisti della «seconda posizione» che hanno fondato l'Unione dei comunisti combattenti.

Prima che questi rientrassero definitivamente in Italia, la «revisione critica» dell'esperienza delle Br era già avviata, cosí come ci si abbandonava in infinite discussioni sulla rivoluzione culturale cinese, l'interpretazione maoista del marxismo-leninismo, la rivalutazione dell'esperienza dei soviet.

Ora il tempo a disposizione per «preparare la rivoluzione» è equamente diviso tra la prosecuzione del dibattito teorico e lo studio di azioni concrete che servano a propagandare la nascita dell'Unione.

Nell'autunno del 1985 Geraldina, che i giovani da reclutare conoscono come Paola, trascorre le sue giornate spostandosi da una parte all'altra di Roma, per incontrare i nuovi militanti. Al quartiere Appio, nel fumo di una birreria dal nome tedesco, discute con Carlo della necessità di un'iniziativa militare da affiancare alle posizioni di principio.

– Dobbiamo proporre al movimento un punto di riferimento politico-organizzativo preciso, – spiega, – perché il nostro problema non è solo dare una risposta al soggettivismo delle Br-Pcc, ma anche alle tendenze liquidazioniste della lotta armata che sono altrettanto presenti e pericolose.

Carlo annuisce, e prende istruzioni su ciò che dovrà fare per la programmazione dell'«iniziativa», parola usata per indicare un attentato.

In un pub dalle parti del Colosseo, Paola si presenta per illustrare a Pino e Ilario l'evoluzione dei movimenti rivoluzionari dalla presa del Palazzo d'Inverno in avanti, e annuncia che uno degli obiettivi è la fondazione di un giornale per diffondere le linee politiche dell'organizzazione che sta nascendo. I due compagni si mostrano a digiuno di troppi fatti e di troppe teorie. Paola capisce che qualche riunione non è sufficiente a colmare i vuoti.

– Dovete leggere un po' di libri, – ammonisce indicando alcuni titoli, – e mettere per iscritto le impressioni su quanto leggete.

Pino e Ilario promettono che lo faranno.

Nello stesso pub Paola conosce Michele, al quale paventa la possibilità di far parte di un gruppo che intende proseguire e correggere l'esperienza brigatista, tacendone però il nome. Michele si mostra interessato e la discussione riprende nelle sere successive in una trattoria dall'aria trasandata ma genuina, con le tovaglie di carta, vicino al Ponte Casilino. Paola e Roberta la chiamano «dalla signora», e a volte la utilizzano per ricevere telefonate.

Nella zona dell'Alberone, in un bar già usato per questo tipo di appuntamenti, a Paola viene presentato Luciano, un ragazzo al quale Ilario aveva portato l'opuscolo della «seconda posizione» dove si criticava la piega presa dalle Brigate rosse.

– L'hai letto? – gli aveva chiesto Ilario qualche giorno dopo.

– Ho cominciato, ma dopo un po' non ce l'ho fatta piú, è scritto troppo difficile. Comunque sulla critica alla lotta armata come strategia io sono d'accordo.

– Il problema è la tua scarsa preparazione dal punto di vista della dottrina marxista, – aveva ribattuto Ilario. – Posso farti conoscere una persona che può aiutarti a colmare le lacune e spiegarti meglio i meccanismi sociopolitici della fase attuale.

Incuriosito, affascinato ma anche un po' impaurito dall'alone di mistero che il suo amico ha costruito intorno all'incontro – «è una persona che potrebbe avere dei guai con la giustizia, devi presentarti con un nome diverso dal tuo», aveva aggiunto –, Luciano ha deciso di recarsi all'appuntamento.

Al bar dell'Alberone trova Paola, che prima si apparta con Ilario, poi si mette a chiacchierare con lui, parlandogli di politica interna e internazionale durante una lunga passeggiata.

Decidono di rivedersi la settimana successiva, e la seguente. Al terzo incontro, Paola passa dalla teoria alla pratica: – Dovresti rimediare tre o quattro targhe di macchine. Servono per fare delle prove con una colla, dobbiamo mettere insieme i pezzi per costruire una targa falsa.

Luciano sembra cadere dalle nuvole: – E come faccio?

– Le rubi, – risponde Paola. – Puoi farti aiutare da Riccardo, un nostro compagno.

Anche ad Antonello chiedono di rubare delle targhe e un furgone, in vista di un'azione che dovrà essere il biglietto da visita dell'Unione dei comunisti combattenti.

L'azione non sarà un omicidio. Nella fase della rifondazione della politica, compresa quella fatta con le armi, non bisogna ripetere gli eccessi e gli errori di cui sono state accusate le Brigate rosse, che – al ritmo di un delitto all'anno – continuano a confondere tattica e strategia.

– Recuperata l'interpretazione leninista del marxismo rispetto a certe deviazioni di stampo guevarista, possiamo ricominciare ad agire attraverso iniziative che non ci accomunino alle posizioni che abbiamo criticato, – ripetono i militanti dell'Unione ad Antonello, che su questa premessa aderisce all'organizzazione. – Noi dobbiamo presentarci come alternativa alle Br-Pcc; siamo un'organizzazione che fa politica e non versa solo sangue. Le armi vanno usate non per ammazzare, ma per porre l'attenzione sulle nostre parole d'ordine.

L'altra faccia della medaglia è la controreplica degli accusati: quelli della «prima posizione» sono pronti ad accusare l'Unione di «revisionismo». Di qui la necessità di sparare, pur senza uccidere.

Si cominciano a individuare i possibili obiettivi da colpire, a Roma e nelle città dove l'Udcc sta tirando su nuovi militanti: Genova, Milano, Bologna, nel Veneto.

Da Bologna Fabio si reca spesso nella capitale, per incontri nei quali si discute di politica e di ideologia. I contatti con i compagni avvengono in strade e piazze dove ragazzi che si avviano per lunghe passeggiate non dànno nell'occhio. Camminando, Fabio viene a sapere che i «prigionieri» delle Br rinchiusi a Palmi non si sono schierati né con la prima né con la seconda «posizione», mentre quelli delle altre carceri sono rimasti con le Br-Pcc. Arrivati nelle pizzerie, nelle trattorie e nei bar dove nota che i compagni romani ogni tanto si alzano per andare a rispondere al telefono, Fabio riferisce del «lavoro locale», cioè dei contatti stabiliti a Bologna con nuovi aspiranti militanti, e delle possibilità di fare propaganda sul territorio. Indica le librerie alle quali poter spedire gli opuscoli dell'organizzazione, i circoli politici non solo della sua città ma anche di Firenze, Parma, Piacenza.

Da quando è entrato a far parte dell'Unione, gli hanno raccomandato di usare la massima prudenza nell'incontrare i compagni del movimento, facendo fare loro lunghi e tortuosi percorsi prima di recarsi agli appuntamenti, in modo da seminare eventuali «code» di poliziotti o carabinieri. I contatti devono avvenire in luoghi pubblici e possibilmente affollati come ospedali o università. Oppure in riunioni politiche allargate come le assemblee, dove eventuali infiltrazioni dell'Antiterrorismo possono essere scoperte facilmente; basta chiedere a una faccia nuova chi conosce tra quelle che ha intorno per individuare uno sbirro.

– Agli incontri non devi mai andare in macchina, – gli dicono ancora, – usa sempre l'autobus, soprattutto se devi trasportare dei documenti. E casa tua deve rimanere pulita, senza tracce che possano permettere di risalire all'organizzazione.

Da Roma chiedono notizie su eventuali obiettivi da colpire a Bologna. Fabio ne indica tre: l'ex ministro ed economista democristiano Beniamino Andreatta, il responsabile del dipartimento economico della Dc Antonio Rubbi e Roberto Ruffilli, senatore ed esperto democristiano per le riforme istituzionali.

L'interesse maggiore è per Andreatta, considerato

un «falco» vicino alle posizioni di Reagan e della Thatcher. Fabio propone di svolgere un'inchiesta sul suo conto, ma gli dicono di lasciar perdere: – Hai ancora troppo poca esperienza, finiresti per farti beccare. Abbiamo già avviato alcune inchieste su Roma.

Avviare un'inchiesta significa fare appostamenti e pedinamenti per scoprire indirizzi, abitudini e orari delle potenziali vittime di un attentato. Fabio viene messo a parte di alcuni nomi, compresi gli scartati.

– Volevamo colpire Giuliano Amato, il sottosegretario alla presidenza del Consiglio, ma ha troppi agenti di scorta, – spiegano.

– Non siamo ancora pronti per affrontare uomini armati? – chiede.

– Il problema non è quello, – gli rispondono. – Tecnicamente potremmo attaccare anche un sottosegretario o un ministro, ma dovremmo fare dei morti e questo provocherebbe la riprovazione generale. Politicamente l'azione avrebbe un effetto negativo.

Dunque bisogna sparare.

Per Paola l'uso della violenza non è un problema. Da quando ha sposato la politica, ed era ancora una ragazzina, l'ha sempre coniugata con l'illegalità diffusa. Poi i tempi sono cambiati, è entrata in scena la lotta armata, ci sono state le critiche e i progetti di rifondazione che adesso bisogna mettere in pratica. Di nuovo attraverso l'uso delle armi, perché altre strade non ne vede.

Tuttavia si tratta di un passaggio necessario ma contingente, che deve sfociare in qualcosa di diverso. Non c'è una particolare passione per pistole e mitragliette, ma l'esigenza di usarle per ottenere un obiettivo. Non c'è alcuna tentazione da «mucchio selvaggio», per cui l'affermazione attraverso la violenza e la sopraffazione diventa un valore in sé, bensí la consapevolezza del peso dell'arma che dovrà sparare.

Non si preme il grilletto per fanatismo, ma per il fine politico da raggiungere. Per questo si discute di teoria tutto il tempo necessario, anche con passione e accanimento, mentre di armi ed esercitazioni si parla il minimo indispensabile, per dovere e senza alcuna emozione.

Però le armi servono, e bisogna trovarle. Si comprano al mercato nero, oppure si portano dall'estero. L'organizzazione ha ancora dei contatti in Francia, dove sono state fatte delle rapine e qualcuno ha messo da parte un piccolo arsenale.

Pino è già stato reclutato mentre Wilma Monaco, che lui conosceva prima che diventasse Roberta, si trova in Francia. Di tanto in tanto lui e Ilario vanno alla stazione Termini per telefonare, da una cabina pubblica, ai compagni che stanno al di là del confine.

Un giorno Ilario gli passa la cornetta: – Wilma vuole parlare con te.

Dall'altra parte del filo la ragazza gli chiede di contattare un certo Carlo, che conoscono entrambi, e di richiamarla in modo da poterci parlare.

Pino va a cercare Carlo, lo accompagna a un telefono pubblico, chiama il numero francese, si fa passare Wilma e consegna la cornetta a Carlo. I due parlano e fissano un appuntamento telefonico per la settimana seguente.

Al nuovo colloquio, Ilario sente Carlo dire a Wilma: – Per la calibro 9 c'è poco da fare, è difficile da trovare, mentre per una 7,65 posso tentare. Comunque non è semplice.

Parlano di pistole, e Ilario intuisce che Carlo sta cercando di tirarsi indietro. Evidentemente s'è spaventato dopo aver capito di avere a che fare non con semplici rapinatori ma con aspiranti terroristi.

Anche Wilma decide che è meglio interrompere la collaborazione, si fa ripassare Ilario e dice:

– Sgancialo.

Ilario appende la cornetta, riporta Carlo a casa e lo saluta con una generica promessa: – Ci rivediamo –. Entrambi sanno che non ce ne sarà bisogno, ognuno continuerà per la sua strada.

Qualche tempo dopo Wilma è di nuovo in Italia, e si presenta ai compagni col nome di Roberta. Una sera è a cena con Michele e Stefano «dalla signora», quando l'avvertono che c'è una telefonata per lei.

Roberta si alza, parla pochi minuti, torna al tavolo e dice ai compagni: – Meno male, sono passati.

Lei non aggiunge nulla e Michele non fa domande perché cosí gli hanno insegnato: se c'è bisogno che tu sappia una cosa ti viene detta, altrimenti è inutile chiedere. Giorni dopo, un compagno gli dirà che un piccolo carico di armi per l'organizzazione aveva attraversato il confine tra la Francia e l'Italia.

Il resto della serata trascorre con Roberta che spiega a Michele come si prepara un documento falso e le tecniche per liberarsi quando ci si accorge di essere pedinati. Infine, la donna estrae dalla borsa un ritaglio di giornale. È una pagina del settimanale «Il Mondo».

– Lo vedi questo? – chiede indicando a Michele una fotografia.

– Lo vedo. Chi è?

– È Antonio Pedone, consigliere economico di Craxi. Dobbiamo cominciare un'inchiesta su di lui.

Al primo appuntamento, alla facoltà di Economia e commercio, Michele trova Roberta e altri compagni, ma non riescono a identificare Pedone. Anche nei giorni successivi del professore non c'è traccia, lezioni ed esami sono svolti sempre da un'assistente.

L'inchiesta va avanti, insieme a quelle sul conto di obiettivi alternativi. Alcune sere Michele si apposta sotto la casa di Pedone con Paola, fingendosi il suo fidanzato, e aspettano di vedere a che ora rientra il professore.

Altre mattine viene spedito alla Luiss, l'università privata dove insegna Luciano Pellicani, direttore della rivista socialista «Mondoperaio». Deve riuscire a individuare la macchina sulla quale arriva e annotare il numero di targa, dopodiché attraverso il Pubblico registro si potrà risalire all'indirizzo.

È stata Roberta a svelare il trucco a Paola e Michele: – Si dice che bisogna rintracciare il proprietario di un'auto che t'è venuta addosso ed è scappata, dando il numero di targa con le ultime due cifre modificate. L'impiegato ti consegna il volume dov'è compreso il numero che hai chiesto e pure quello che ti interessa, e da lí si risale all'indirizzo che cerchi.

L'obiettivo dell'Udcc è colpire un uomo vicino a Craxi: – Sarà il nostro modo di votare la sfiducia al suo governo.

Per questo si sono concentrati su quei nomi: Pedone, Pellicani e Antonio Da Empoli, anch'egli professore, consulente economico di palazzo Chigi. Di lui e del suo ruolo nella composizione della nuova legge finanziaria parlava un breve articolo sul «Mondo»; poco piú che un trafiletto, che non è sfuggito al compagno incaricato di leggere la stampa specializzata sui temi dell'economia.

Gli appostamenti sui tre possibili bersagli proseguono. A volte si tenta di capirne di piú sui palazzi in cui abitano con la scusa di dover consegnare dei fiori a qualche inquilino dello stesso stabile.

I turni sotto le case si susseguono di giorno in giorno, al mattino e alla sera, per controllare gli orari di uscita e di rientro. I compagni si dànno il cambio secondo turni prestabiliti, ma tra i piú giovani c'è qualcuno che non sembra dare la dovuta importanza agli incarichi ricevuti.

– Tu vuoi parlare sempre di teoria e di politica, – rimprovera Paola a Carlo, – sembra che il lavoro pratico non t'interessi. Invece le inchieste vanno fatte stando attenti a ogni dettaglio. Anche il minimo particolare può risultare decisivo.

Carlo ribatte: – Ma io non sono ancora considerato un militante a pieno titolo dell'organizzazione. Se voi stessi mi trattate da aspirante, perché devo correre gli stessi rischi degli altri facendo appostamenti, rubando le targhe o le macchine?

– Perché fa parte della formazione, – risponde Paola. – Quando si partecipa all'attività dell'organizzazione, si partecipa a tutte le attività. L'unione del politico e del militare, ricordi? Non esistono deroghe. Noi siamo un gruppo clandestino e combattente, che forgia le sue leve attraverso questa regola. L'esperienza sul lavoro pratico illegale va vissuta insieme alla formazione teorica.

Del resto pure lei e Roberta, che fanno parte della Direzione del gruppo, svolgono le inchieste come gli altri. Con l'inconveniente di avere un solo cappotto in due, e fare pedinamenti o appostamenti con lo stesso capo d'abbigliamento può destare sospetti.

La discussione va avanti per qualche giorno, Carlo e i compagni piú insofferenti verso la «pratica» vengono sollevati da ogni incarico finché, una settimana dopo, si ripresentano e ammettono che ha ragione Paola.

Anche Michele è «congelato» per un po', ma per motivi diversi. A casa sua riceve solitamente documenti e lettere da alcuni compagni rimasti in Francia, e la volta che la posta attesa non arriva s'insinua il dubbio che sia stata intercettata dalla polizia. Paola gli dice di interrompere i contatti con tutti i militanti fino a quando non riceverà una busta con dei segni convenzionali prestabiliti.

Michele resta in attesa, e quando la busta arriva a destinazione torna a svolgere le normali attività. Ma a quel punto il piano è pronto, bisogna solo aspettare il giorno dell'azione.

Paola e Roberta hanno avvisato i compagni una mattina di fine gennaio 1986, nel bar dove si vedevano dopo gli appostamenti sotto casa del professor Pedone.

– Quest'inchiesta viene abbandonata, – hanno detto, – è stato deciso di colpire l'altro obiettivo.

– Quale?

– Da Empoli.

Sul suo conto, alcuni militanti avevano cominciato a verificare indirizzi, percorsi e orari.

Da pochi giorni il professor Antonio Da Empoli è stato formalmente nominato direttore del dipartimento degli Affari economici e sociali di palazzo Chigi. La comunicazione è avvenuta attraverso la «Gazzetta ufficiale», e diventerà operativa in breve tempo.

Ogni mattina un autista lo va a prendere a casa, alle pendici di Monte Mario, e lo accompagna in centro, nel palazzo del governo. E ogni mattina il professore – un signore di quarantasette anni, sposato e padre di un bambino – fa fermare l'auto davanti alla stessa edicola di via della Farnesina, scende, compra i giornali e risale.

I militanti dell'Unione studiano tutti i giorni i movimenti di Da Empoli, annotano ogni passaggio della sua routine quotidiana, compreso l'acquisto dei giornali, e fanno continui sopralluoghi per verificare dove e come è meglio entrare in azione.

A Michele, Paola affida il compito di preparare dei chiodi a tre punte, prende dei pezzetti di carta e gli fa vedere come devono essere. Li vorrebbe per il giorno dopo, ma nonostante Michele passi l'intera notte in cantina, alle prese con un tornio, non riesce a fabbricare quello che gli è stato richiesto.

Negli stessi giorni, altri compagni sono impegnati nella stesura del volantino di rivendicazione che verrà diffuso dopo l'attentato, insieme al *Manifesto* di fondazione dell'Unione.

Due Vespe 50 di seconda mano sono acquistate per poche centinaia di migliaia di lire.

Ogni tassello dei preparativi è sistemato al suo posto, mentre continua l'osservazione quotidiana di Da Empoli: fa sempre lo stesso percorso, con la stessa sosta, allo stesso orario. Tutto sommato il luogo migliore per colpire è proprio davanti all'edicola, quando scende dalla macchina per comprare i giornali.

Paola in questo periodo continua a incontrare Luciano, il giovane che trovava un po' troppo difficile il linguaggio usato nei documenti dell'organizzazione e che lei aveva cominciato a indottrinare; sia sul piano teorico, parlandogli di politica e di filosofia, sia sul piano pratico, chiedendogli di rubare targhe.

Il 10 febbraio 1986 un'inattesa quanto abbondante nevicata paralizza la città di Roma, l'aereo che riporta in Italia papa Wojtyla da un viaggio in India è dirottato su Napoli.

A Berlino, Stati Uniti e Unione Sovietica si preparano a realizzare uno storico «scambio di spie», tre dell'Est contro cinque dell'Ovest, nel quale rientra anche la liberazione del dissidente ebreo russo Anatolij Sharanskij.

A Palermo, nell'aula-bunker appositamente costruita accanto al carcere dell'Ucciardone, si apre il maxiprocesso alla mafia istruito dai giudici Giovanni Falcone e Paolo Borsellino contro piú di quattrocento imputati.

A Napoli comincia invece il processo nei confronti del brigatista Giovanni Senzani, altri compagni del suo Partito guerriglia e alcuni camorristi.

A Firenze, poco dopo le 5 del pomeriggio, viene ucciso a colpi di mitraglietta calibro 7,65 l'ex sindaco e consigliere comunale Lando Conti, esponente repubblicano di primo piano, uomo molto legato al ministro della Difesa Giovanni Spadolini. L'ammazzano all'interno della sua auto, lungo la strada che da Fiesole porta a Firenze.

Sul luogo del delitto gli assassini lasciano la risoluzione strategica numero 20 delle Brigate rosse, già diffusa un anno prima con l'omicidio Tarantelli. Anche l'arma usata per uccidere è la stessa, e qualche giorno dopo arriva la rivendicazione ufficiale delle Br-Partito comunista combattente:

> Un nucleo armato della nostra organizzazione ha giustiziato Lando Conti... Faceva parte di quel ceto politico-imprenditoriale, ossatura della borghesia imperialista nei suoi progetti congiunturali, ceto politico che coniuga gli interessi economici legati al settore bellico con le scelte generali dell'imperialismo occidentale.

Dalle gabbie dei processi in corso, i brigatisti detenuti sottoscrivono l'eliminazione del «noto costruttore e trafficante d'armi», tentando di leggere documenti puntualmente interrotti e sequestrati dai giudici.

Lo stesso giorno in cui muore Lando Conti entra in vigore la nomina di Antonio Da Empoli a direttore del Dipartimento economico-sociale di palazzo Chigi.

A un appuntamento con Luciano e Michele, Paola chiede al primo un parere sull'omicidio di Lando Conti commesso dai compagni brigatisti della «prima posizione». Luciano balbetta qualcosa, si capisce che non ha nemmeno letto con attenzione i quotidiani.

Paola lo rimprovera: – Noi facciamo affidamento su di te, ma se continui a non studiare i documenti e a non leggere nemmeno i giornali quando avvengono azioni come questa, dovremo rivedere i nostri programmi.

Luciano tenta di giustificarsi: – È un periodo in cui sto lavorando molto, sono stanco e non ho il tempo di dedicarmi ad altre cose.

– Va bene, – ribatte Paola, – ci vediamo giovedí prossimo al bar di Santa Maria maggiore.

All'appuntamento successivo Luciano accampa ancora scuse di lavoro: – Dovrò cambiare impiego, e allontanarmi da Roma per un po'.

È un pretesto per dire che non ha piú voglia di impegnarsi nell'Unione dei comunisti combattenti, Paola l'ha capito e cerca di saperne di piú, finché Luciano ammette: – Insomma, io non me la sento di andare avanti sulla vostra strada.

– Evidentemente non sei tagliato per questa vita, – risponde secca la compagna della Direzione. – Non ho capito se non hai sufficiente coscienza di classe oppure è soltanto paura delle conseguenze cui potremmo andare incontro, ma non importa. Ciao.

Non si vedranno piú.

Paola racconta l'episodio a Roberta. Anche lei impiega gran parte del suo tempo a reclutare giovani militanti. Aveva cominciato con Pino, conosciuto quando ancora era Wilma, durante la vertenza sindacale nella ditta in cui lavorava. Sapeva che aveva un fratello in carcere sospettato di terrorismo, e vedendolo piú infervorato di altri gli aveva proposto di leggere qualche documento su un nuovo gruppo combattente che stava nascendo. Pino s'era mostrato interessato.

Wilma gli aveva raccontato della separazione dal marito, del loro coinvolgimento nella lotta armata e della divisione anche per via delle diverse posizioni politiche.

Dopodiché, un giorno s'era presentata con gli occhiali scuri e l'aria agitata, chiedendo se gli era possibile rimediarle un documento falso: – Quelli di prima me ne hanno dato uno che non vale niente.

Pino, che era già in contatto con i compagni riparati in Francia, le trovò una carta d'identità e un rifugio oltreconfine, dove i militanti della «seconda posizione» la accolsero sapendo delle sue critiche alle Br-Pcc.

Insomma, il ragazzo che lei intendeva arruolare l'aveva aiutata a entrare in contatto con l'organizzazione.

Paola e Roberta trascorrono intere serate, nella casa in cui vivono, a chiacchierare dei giovani che hanno reclutato, di questioni politiche piú generali ma anche di fatti privati. Ad esempio i rapporti con gli uomini. Si conoscono da pochi anni, ma hanno allacciato un legame di solidarietà e complicità che consente loro di parlare di aspetti personali e collettivi insieme, come il ruolo delle donne all'interno del movimento rivoluzionario.

Non è un problema di parità, che viene dato per scontato all'interno dell'organizzazione e nei rapporti con i compagni. E nemmeno di femminismo, che per certi versi entrambe considerano ormai una battaglia di retroguardia. Si tratta di capire quale apporto specifico e originale possono dare due come loro in quanto donne.

Quando sono sole e s'infilano nello stesso letto, ne discutono fino a notte fonda prima di dormire. Alla fine ci scherzano su, perché a tutte e due piace prendersi in giro e ridere perfino di una cosa seria come quella che stanno facendo.

Stanno progettando di sparare a un uomo. Un'azione dimostrativa, che non deve provocare la morte di nessuno, ma eminentemente politica: – È la sfiducia al governo Craxi votata dall'Unione dei comunisti combattenti.

Ogni particolare sembra messo a punto.

L'hanno detto anche a Michele, nell'ultimo appuntamento.

– Non lo uccidiamo, vero? – ha chiesto lui.

Loro hanno confermato: – No, lo feriamo alle gambe.

Eppure la sera prima dell'agguato respirano tensione. La convinzione di avviarsi a compiere una cosa giusta non elimina il peso che l'azione comporta.

Anche per questo Paola dorme un sonno agitato, con lo strano sogno di Roberta prigioniera dei cani rabbiosi che le torna in mente mentre sulla Vespa guidata dalla sua amica va incontro agli spari.

Durante l'inchiesta, nessuno è riuscito a scoprire che l'autista del professor Antonio Da Empoli è un agente di polizia e gira armato. L'hanno spiato diverse volte, ma senza capire che porta con sé una pistola.

Non lo sa Paola, non lo sa Roberta e non lo sanno nemmeno gli altri due compagni, Nando e Sergio, che la mattina di venerdí 21 febbraio 1986, poco prima delle 9, si appostano intorno all'edicola di via della Farnesina.

Il piano prevede che a sparare contro le gambe del professore sia Sergio, coperto da Paola e Nando in posizione ravvicinata. Roberta, armata di una calibro 38 e una mitraglietta Smeisser Mp 40 calibro 9, sorveglierà a distanza.

La Fiat Regata con Da Empoli e il suo autista arriva alle 9 e 5 minuti. Si ferma, il professore scende, l'autista tiene il motore acceso.

Da Empoli fa qualche passo verso l'edicola, compra i soliti giornali che in prima pagina scrivono della riforma dell'Irpef, dell'arresto del boss mafioso Michele Greco, della visita del presidente degli Usa Ronald Reagan nell'isola di Grenada, del capo dello Stato Francesco Cossiga che considera «opportuno» concedere un'amnistia per festeggiare i quarant'anni della Repubblica italiana, estesa ai detenuti per fatti di terrorismo.

Quando si gira per tornare in macchina un giovane gli si avvicina e lo chiama per nome. Da Empoli lo guarda e quello gli spara. Uno, due colpi di pistola. Il professore, ferito a una gamba e a una mano, cade a terra.

All'improvviso, un attimo dopo, arrivano degli spari che nessuno s'aspettava. Sono i colpi dell'autista-agente che s'è precipitato fuori dalla macchina e ha risposto al fuoco per difendere il professore e se stesso. Mentre il poliziotto scarica la sua Beretta 92 contro tutto ciò che di sospetto vede muoversi intorno a sé, altri proiettili volano e s'infrangono sull'auto, contro una pietra miliare sul bordo della strada e chissà dove ancora.

Anche Paola s'è messa a sparare per coprire la fuga dei suoi compagni. Colpisce piú volte la Regata, buca le gomme e gli sportelli, i vetri vanno in frantumi. Si gira verso Roberta. Prima l'aveva vista impugnare la sua 38 e aprire il fuoco, adesso s'accorge che è a terra. È ferita e si lamenta.

Paola chiama, Roberta non risponde. Vorrebbe soccorrerla, ma è sotto il fuoco del poliziotto. Tenta di fermare una macchina per caricarcela sopra e portarla verso un ospedale, ma il guidatore minacciato fa resistenza. Allora rinuncia, perché non è il caso di spargere ancora sangue e perché dall'altro lato della strada quello continua a sparare.

Nando e Sergio salgono su una Vespa e fuggono, Paola si mette a correre. Deve scappare a piedi perché la Vespa lei non sa guidarla. Corre a perdifiato, si gira ancora una volta per guardare Roberta ferma a terra, le braccia larghe, accanto a sé la borsa con la mitraglietta e il documento che doveva lasciare sul luogo dell'attentato.

L'hanno colpita su un fianco, mentre si stava girando, in uno dei pochi punti non protetti dal giubbotto antiproiettile.

Paola corre ancora, rallenta e comincia a camminare solo in vista della fermata di un autobus. Quando il bus arriva, ci sale sopra. Nessuno tra i passeggeri sa di avere accanto una terrorista armata che ha appena partecipato a un conflitto a fuoco.

Paola si guarda intorno, controlla le facce e ripensa a Roberta, la sua amica Wilma lasciata riversa sulla strada. Ripensa al sogno premonitore, ai cani che non le lasciavano scampo, come i colpi di pistola di quel poliziotto. Lei ce l'aveva sotto tiro, ma non ha voluto ucciderlo perché questa era la decisione presa. Ha sparato per tentare di farlo desistere, non è bastato. E Wilma, sarà morta o è soltanto ferita?

Wilma è morta, lo diranno i telegiornali all'ora di pranzo. È morta una terrorista di un nuovo gruppo, l'Unione dei comunisti combattenti, ex moglie di un altro terrorista arrestato pochi mesi prima, sul litorale romano, in compagnia di Barbara Balzerani, la «primula rossa» delle Br.

Paola spegne la Tv, e nel silenzio rivive quello che è accaduto poche ore prima, e prima ancora le risate di Wilma, la sua allegria ma anche la determinazione nel voler compiere l'azione che le è costata la vita. Guarda l'anello che Wilma le aveva regalato, e ricorda il bracciale che lei aveva donato a Wilma e adesso è all'obitorio, al polso della sua amica.

L'assale il rammarico che a cadere sia stata Wilma e non lei. Quando ci si ritrova a combattere una battaglia clandestina e quasi disperata, è meglio che se qualcosa di brutto deve succedere succeda a te. Perché il peso delle conseguenze – il dolore, il rimpianto, la fatica del dover andare avanti – è piú forte del peso della propria morte.

E l'assale la rabbia per l'operazione fallita. Tutto ciò che si voleva dimostrare con l'apparizione di una nuova sigla eversiva è crollato sotto i colpi di pistola di quell'agente. Erano andati per non uccidere, e sono stati uccisi. Il significato dell'azione è stato stravolto non solo perché è morta una compagna, ma anche per la drammatica sproporzione tra ciò che si voleva fare e ciò che è accaduto.

Ma altri pensieri prendono il sopravvento, nell'appartamento-rifugio, all'arrivo dei compagni. Bisogna liberare subito la casa. È possibile che la polizia arrivi al covo attraverso i documenti e le chiavi trovate addosso a Wilma.

Un appuntamento di emergenza è già fissato per il pomeriggio. In un bar vicino alla basilica di San Giovanni, dalla parte opposta della città rispetto al luogo dell'attentato, Paola incontra Nando, Carlo e Alessandra. Si decide che la casa debba essere subito abbandonata, la notte stessa Paola andrà a dormire in un altro posto. A Carlo vengono affidate tre borse piene di vestiti, documenti e qualche arma da conservare nel suo appartamento in attesa di trovare una nuova sistemazione.

Partono le telefonate ai giornali, che rivendicano l'azione e con linguaggio burocratico avvisano: – Il nucleo armato della nostra organizzazione aveva l'intenzione di invalidare e non di uccidere l'assistente di Craxi.

Nei giorni successivi si stende un comunicato con il quale l'Unione dei comunisti combattenti celebrerà la morte della «compagna Roberta» allo stesso modo in cui le Brigate rosse piansero la morte di Mara Cagol, undici anni prima.

Decine di copie del *Manifesto* dell'Unione vengono fatte trovare nelle sale d'aspetto delle stazioni ferroviarie, alle fermate degli autobus e della metropolitana di Roma e in altre città.

Tra i «postini» c'è Michele, il quale è incaricato anche di sistemare un registratore e un megafono in un mercato rionale. Sul nastro è incisa la voce di Paola che legge il comunicato «in onore della compagna Wilma "Roberta" Monaco».

Michele tenta varie volte, ma l'operazione non riesce. Alla fine abbandona cassetta e registratore che saranno trovati dalla polizia, mentre uno striscione che inneggia a Roberta viene esposto da un ponte, in un altro quartiere.

Il lavoro degli investigatori sull'agguato al professor Da Empoli comincia dai bossoli trovati in via della Farnesina, dalle armi che Wilma Monaco aveva con sé, dagli «effetti personali» trovati nella borsa. Su un foglietto di block-notes a quadretti sono appuntati nomi di strade e numeri: «Bus via Camilluccia 011-48, bus Trionfale 907-911-913-994-446, via Stresa a senso unico». L'aveva scritto Paola, per ricordare a Wilma quali autobus circolavano nella zona.

Nella borsa c'è pure una tessera dell'Atac valida per l'intera rete: un guerrigliero non deve rischiare di farsi trovare sull'autobus senza il biglietto.

Intorno al tavolo, nell'appartamento dove Paola ha trovato rifugio, c'è un posto vuoto. Che si debba scrivere un documento, discutere un'iniziativa o semplicemente cenare, la mancanza di Roberta si fa sentire come forse nemmeno Paola immaginava. E neppure Geraldina. Da «guerrigliere» avevano tentato di esorcizzare il pericolo della morte, considerandolo un possibile incidente di percorso che non avrebbe fermato la rivoluzione. Da amiche ne avevano parlato provando addirittura a scherzarci su.

Ma ora è accaduto, Roberta è ritornata Wilma ed è stata restituita alla sua famiglia, alla quale era rimasta molto legata anche da clandestina. Non ci sono piú né la compagna né l'amica, assenze difficili da sopportare.

Al funerale, naturalmente, non s'è potuta nemmeno avvicinare, c'erano piú poliziotti che parenti e amici. Geraldina l'ha celebrato in privato, rimestando tra i vestiti e gli oggetti di Wilma per vedere di cosa doveva liberarsi e cosa invece poteva tenere. Guardando di continuo l'anello che porta al dito. È stato un altro momento in cui il peso della morte s'è sentito piú forte. Il peso umano della morte, ché il peso politico è diverso.

Lí per lí uno pensa che i colpi di pistola che hanno ucciso Wilma abbiano spezzato anche il filo che teneva insieme il realismo e l'utopia, affossando l'idea di un rilancio della politica armata in vista della rivoluzione. «Questa morte è la fine di tutto», si potrebbe dire.

Ma Paola no. Lei sa quanto Roberta credeva in quel filo e ribatte: – Questa morte è un motivo in piú per andare avanti. Proprio perché Roberta era la piú convinta, tra noi, di ciò che faceva.

Il pensiero che non ci fosse alcuna remora in chi è

caduto aiuta ad alleviare la frustrazione e il senso di colpa.

– Un compagno morto in battaglia non può essere il sigillo a una storia chiusa, – insiste Paola nelle discussioni coi compagni. – Noi abbiamo un ruolo personale da svolgere, di testimonianza e di scommessa su un progetto che non possiamo abbandonare. Non siamo un retaggio del passato, ma una realtà presente.

Paola lo dice convinta, cercando di superare il dolore che porta dentro ma non le impedisce di continuare. Per le sue certezze e per non deludere quel manipolo di ragazzi – in gran parte reclutati e indottrinati da lei stessa – che si dicono disponibili a non mollare.

Dopo qualche settimana di pausa, le riunioni nei bar e per strada ricominciano. Con maggiori prudenze e con la convinzione che la prossima mossa dev'essere piú incisiva. È il prezzo da pagare a una guerra nella quale il tiro degli altri è troppo alto per tenere basso il proprio. E gli altri non significa solo lo Stato, ma pure la concorrenza delle Br «prima posizione» che seguitano a calcare la scena con un delitto all'anno.

Nel dibattito sulla necessità di passare dal ferimento all'omicidio, ognuno dei compagni incaricati di «dettare la linea» dell'Unione dei comunisti combattenti gioca la doppia parte del favorevole e del contrario. È un modo per scandagliare tutte le ipotesi e le possibilità, e alla fine la posizione risulta unanime: bisogna uccidere perché il ferimento non risponde piú alle esigenze dello scontro in atto. Dopo quello che è successo c'è bisogno di dimostrare che l'Unione è in grado di confrontarsi con un obiettivo ambizioso e di colpirlo. La propaganda politica armata non può passare che attraverso un'«azione di annientamento».

Sul piano politico, la frangia brigatista che ha fondato la nuova organizzazione sceglie di ampliare il suo raggio d'azione con un'iniziativa che si estenda dal fronte interno al fronte internazionale. Si decide di colpire, cioè, un bersaglio che abbia rilevanza nella politica estera italiana.

Il governo sta discutendo l'adesione al progetto europeo dello «scudo spaziale», un sistema di difesa integrato tra i diversi Paesi dell'Alleanza atlantica. È una proposta di riarmo che gli oppositori chiamano «guerre stellari», ed è un programma che va attaccato. Scartati ancora una volta ministri e sottosegretari per evitare spargimenti di sangue aggiuntivi, la rosa degli obiettivi si restringe intorno a quattro nomi: tre generali e un alto funzionario del ministero degli Esteri.

Ruoli e indirizzi sono stati individuati attraverso la Guida Monaci e pubblicazioni specializzate. Carlo e Alessandra sono andati nella redazione della «Rivista militare» per consultare l'archivio e acquisire il maggior numero di informazioni sullo «scudo spaziale».

Tra marzo e aprile del 1986 cominciano i pedinamenti, ma il diplomatico e uno dei generali sono esclusi quasi subito: girano sempre con la scorta e l'auto blindata. Gli altri due militari, invece, abitano nello stesso comprensorio, una sorta di grande condominio alla periferia nord di Roma dove vivono molti alti gradi dell'Esercito e dell'Aeronautica. Carlo, Paola, Nando, Sergio, Piero e Alessandra li seguono per alcune mattine e alcune sere, studiandone mosse e percorsi. Uno dei due è accompagnato da un uomo che potrebbe essere un agente in borghese, probabilmente armato, mentre il secondo ha solo un giovane aviere in divisa che gli fa da autista. È il bersaglio piú facile.

La scelta cade cosí sul generale dell'Aeronautica militare Licio Giorgieri, da quattro anni direttore della Sezione costruzione armi e armamenti aeronautici e spaziali dell'Arma azzurra. Lavora nel palazzo dell'Aeronautica, vicino all'Università, e ogni giorno attraversa in macchina gran parte della città. Gli appostamenti vanno avanti per quasi due mesi, la mattina tra le 8 e le 9, la sera tra le 18 e le 19.

Il generale si muove sempre agli stessi orari e segue sempre lo stesso percorso. Il posto migliore per colpire è l'ultimo tratto di strada, prima di arrivare a casa. Di sera, col buio e un po' di traffico che rallenta la marcia delle auto, la sua macchina può essere affiancata da una moto dalla quale fare fuoco contro il finestrino posteriore, dalla parte dove siede Giorgieri.

Vengono acquistate due moto da cross usate e un compagno affitta un garage privato per custodirle fino al giorno dell'agguato.

Curati tutti i particolari, dal mese di maggio ogni giorno diventa buono per entrare in azione. Ma durante uno degli ultimi controlli, mentre percorrono la strada verso l'abitazione del generale, a Nando e Paola capita un incidente con la moto. A tamponarli è un'Alfetta con due uomini e bordo. Paola e Nando cadono, ma si rialzano subito. Lei riesce a dileguarsi senza dare nell'occhio, lui invece è costretto a parlare col conducente dell'auto, a scambiarsi i dati dell'assicurazione. L'uomo insiste per accompagnarlo al Pronto soccorso, ma secondo i medici non c'è problema: è stata solo una botta, in quattro o cinque giorni passerà ogni dolore, Nando può tornare a casa.

Per precauzione l'azione Giorgieri viene sospesa. Nando ha avuto l'impressione che l'uomo dell'Alfetta potesse essere un poliziotto in borghese, e dopo un agguato nella stessa zona andrebbero certamente a controllare i dati dell'incidente e del Pronto soccorso.

Le moto tornano in garage, e mentre la Direzione del gruppo comincia a buttare giú un nuovo testo teorico dell'organizzazione che sarà intitolato *Come uscire dall'emergenza?*, in Germania salta fuori da un covo della Raf una lista di obiettivi legati alla Nato e alle fabbriche d'armi.

– Se colpiamo adesso Giorgieri diranno sicuramente che siamo legati alla Raf e ai francesi di Action Directe, – ipotizza qualcuno riferendosi agli omicidi rivendicati nel 1985 dai due gruppi, a Parigi e a Berlino, del generale René Audran, vicedirettore della sezione Affari internazionali del ministero della Difesa, e dell'industriale tedesco Ernst Zimmermann, presidente di una fabbrica che produce motori per aerei militari. – Sarebbe un elemento di confusione, perché quelli sono concentrati sul fronte internazionale mentre noi siamo per la rivoluzione all'interno del nostro Paese, sia pure attraverso azioni che tentano di influire sulla politica estera dell'Italia.

– E allora che si fa? – domanda qualcuno.

– Dobbiamo tornare su un obiettivo interno, – risponde il primo.

Detto fatto. Passata l'estate e messe da parte le informazioni accumulate su Giorgieri, i compagni dell'Unione ricominciano a studiare abitudini e spostamenti di personaggi della politica economica nazionale, legati alla Confindustria e ai partiti di governo.

Qualche altro giovane è stato reclutato e s'è aggiunto al piccolo esercito combattente. Le giornate di Paola se ne vanno tra appuntamenti e inchieste. Le serate le trascorre in casa per battere a macchina la stesura definitiva di *Come uscire dall'emergenza?* Quando è tutto scritto si passa alla fase di fotocopiatura, attraverso una macchina acquistata e sistemata in una soffitta, e di fascicolazione con tanto di taglierine e spillatrici giganti. Vengono cosí confezionate decine di copie di un volumetto spedito a ritrovi e librerie in ogni parte d'Italia, per far circolare le tesi dell'Unione.

Ma accanto all'attività teorica deve procedere quella militare, componente irrinunciabile per un'organizzazione che si definisce combattente. Le indagini sugli obiettivi «interni» non hanno portato a risultati accettabili per entrare in azione, e cosí si torna su Giorgieri. Il generale, ignaro di essere osservato ormai da sei mesi, ha mantenuto i suoi ritmi quotidiani, con l'aviere che lo va a prendere a casa ogni mattina e lo riporta dall'ufficio ogni sera.

Ricontrollati i movimenti, Paola e un compagno vanno «operativi» – cioè armati, a bordo di una moto e protetti dai caschi integrali – sul luogo dell'agguato una sera di metà dicembre. L'uomo guida, lei è seduta dietro.

Lungo l'ultimo tratto di strada che corre verso casa, la moto affianca l'auto di Giorgieri. Sentendo il rombo il generale alza gli occhi e vede la persona seduta dietro armeggiare con qualcosa in mano.

Giorgieri non capisce bene cosa sta accadendo, ma dall'auto che lo segue si mettono a suonare. Paola si gira, mentre il guidatore dà un colpo di gas e si allontana svicolando tra le auto.

Il generale parla con l'autista. Quella persona – chissà se un ragazzo o una ragazza – sembrava avesse una pistola, anche l'uomo a bordo della macchina dietro se n'è accorto.

I due compagni tornano dagli altri rimasti in attesa del segnale che tutto era andato secondo i programmi. Invece l'azione è saltata.

– Ma che è successo? – chiedono.

– S'è inceppata la pistola, – risponde Paola, che avrebbe dovuto sparare e uccidere.

Sembra una maledizione. Al primo attentato Roberta è rimasta sull'asfalto, al secondo l'arma ha fatto i capricci. Almeno stavolta nessun compagno ci ha rimesso la pelle, e se qualcuno può aver notato qualcosa di strano nessuno s'è scoperto. O cosí pare.

A casa, il generale Giorgieri racconta alla moglie lo strano episodio. La signora si allarma, il generale cerca di tranquillizzarla: – Non ti preoccupare, non è neanche sicuro che avessero una pistola.

Il giorno dopo sui quotidiani non esce alcuna notizia di un fallito attentato, nei successivi nemmeno. Paola aspetta ancora una settimana, poi torna in quel tratto di strada per vedere se qualcosa fosse mutato nelle abitudini di Giorgieri.

Alla solita ora, ecco spuntare la macchina guidata dall'aviere, col generale seduto dietro assorto nei suoi pensieri. Non è cambiata la macchina, non è cambiato l'autista, non è cambiato il percorso. È il segno che si può ritentare.

– Facciamo passare le feste di Natale e Capodanno, poi torniamo operativi, – decidono.

Nel frattempo i pensieri della signora Giorgieri rivanno allo strano episodio che le raccontò il marito.

– Come è andata a finire la storia del ragazzo sulla moto che forse aveva una pistola? – chiede una sera al generale.

Lui cerca in fretta una risposta che possa tranquillizzarla: – Ah, già, mi ero dimenticato di dirtelo. Erano due libanesi, li hanno arrestati. Non c'è piú niente di cui preoccuparsi.

Nel gennaio del 1987 il mondo assiste alla guerra fra Iran e Iraq, mentre le unità navali degli Stati Uniti, dell'Unione Sovietica, della Francia e della Gran Bretagna incrociano sospettose le acque del Golfo Persico. Gli Usa hanno problemi con la caduta del dollaro sui mercati internazionali. In Italia sopravvive il governo di Bettino Craxi, ma il leader del Psi è irrimediabilmente diviso dal segretario democristiano Ciriaco De Mita, che rivendica la guida di palazzo Chigi per un uomo del suo partito.

In vista delle elezioni anticipate ormai ineluttabili, il ministro repubblicano delle Finanze Visentini annuncia la riduzione delle tasse.

Dopo la morte del pittore Renato Guttuso s'è scatenata la lotta per la sua eredità, con tanto di particolari sulla conversione religiosa in punto di morte e l'entrata in scena di figli adottivi e naturali. I medici italiani avanzano rivendicazioni che li portano a dichiarare un inedito sciopero negli ospedali, che il ministro della Sanità Donat Cattin giudica illegittimo.

Il Parlamento italiano sta discutendo una legge sulla dissociazione dal terrorismo che concede sconti di pena ai militanti della lotta armata i quali, pur senza accusare i complici come hanno fatto i pentiti, siano disposti a ripudiare quell'esperienza. Dalla Francia, dov'è latitante da quasi quattro anni, Toni Negri ha scritto al presidente del Consiglio Craxi, chiedendo di estendere i benefici ai fuoriusciti.

Della lettera di Negri si parla sui quotidiani di mercoledí 22 gennaio. A metà pomeriggio dello stesso giorno, Paola esce di casa insieme a Piero, Nando e Stefano, dopo una riunione. Arrivano dalle parti di via Nomentana, parlano ancora un po', poi si dividono. Paola e Stefano vanno in una direzione, Piero e Nando nell'altra.

Non se ne accorgono subito, ma un gruppo di carabinieri in borghese li sta seguendo. Piero è latitante da quando, tre anni prima, è fuggito dal soggiorno obbligato. È imputato con un centinaio di militanti delle Brigate rosse al processo *Moro ter*, l'avevano arrestato la prima volta nel 1982, dopo le dichiarazioni di un pentito.

Gli investigatori non hanno ancora ben chiara la nuova geografia brigatista, nei loro archivi Piero è indicato come appartenente alla «prima posizione», quella del Partito comunista combattente.

I carabinieri probabilmente lo stanno seguendo da un po', e quando vedono che si allontana insieme al compagno decidono di intervenire.

Si stringono intorno alla cabina telefonica dove Piero è entrato con Nando. Appena i due escono, gli intimano l'alt. Sono vicini alla fermata di un autobus affollata di gente, ormai è buio. Piero tenta di lanciare l'allarme, secondo il codice di comportamento dettato dai manuali brigatisti.

– Via, via tutti! – grida estraendo la semiautomatica calibro 9 che porta con sé. È un attimo. Appena s'accorgono dell'arma, i carabinieri cominciano a sparare. Piero è colpito a un braccio, Nando viene bloccato prima che riesca a reagire. Un proiettile ferisce di striscio la gamba di un uomo che aspettava l'autobus.

Al grido di Piero, Paola s'è voltata e ha visto che un militare continuava a puntargli la pistola contro, in posizione di tiro. Pensa che vogliano ucciderlo, e anziché scappare decide di buttarsi addosso al carabiniere. Qualcuno spara anche a lei, la prende all'addome, cade a terra ferita.

Un uomo in divisa le è subito sopra, intorno la gente grida per lo spavento, lei riesce a mantenersi ancora lucida. È convinta che rischiano di finire tutti ammazzati, e nel tentativo di evitare un possibile colpo di grazia prova a fingere di essere lí per caso.

– Che sta succedendo? Aiuto, sparano! – dice con quel po' di fiato che le resta.

I carabinieri cessano il fuoco, e avvertono via radio la centrale operativa. Chiedono l'intervento di un'ambulanza per la ragazza rimasta a terra. Nel marasma generale, tra gli spari e le urla della folla impaurita, Stefano è riuscito a dileguarsi.

Le prime, confuse notizie giunte alle agenzie di stampa poco dopo le 19 riferiscono di due presunti brigatisti arrestati e due passanti feriti: l'uomo colpito alla gamba, un medico che era appena uscito dal suo studio in via Nomentana «giudicato guaribile in dieci giorni», e «Geraldina Colotti, di trentatre anni, colpita da due proiettili al corpo, in gravi condizioni». Sul suo conto «si sa solo quello che risulta dai documenti che aveva indosso: è nata e risiede a Ventimiglia».

La precisazione arriva un'ora e mezza piú tardi, alle 20,35:

> Gli arresti sono saliti a tre. La donna ferita infatti è conosciuta come militante di un gruppo della sinistra extraparlamentare ed è piantonata in ospedale. Contro di lei è stato emesso un ordine di cattura dal giudice Sica.

Domenico Sica è il pubblico ministero titolare di tutte le inchieste sul terrorismo a Roma. Va a interrogare Geraldina Colotti il giorno dopo, in ospedale. Un rituale di pochi minuti, il tempo di mettere a verbale le poche frasi pronunciate da Paola: «Sono una militante dell'Unione dei comunisti combattenti. Mi dichiaro prigioniera politica. Mi avvalgo della facoltà di non rispondere».

Piú avanti Sica, che ha imparato a conoscere brigatisti di ogni genere e prova a carpire qualcosa anche dai piú impenetrabili, ritenta.

– Mi spieghi almeno il significato di ciò che scrivete nei vostri documenti, – chiede.

Geraldina è irremovibile: – Mi avvalgo della facoltà di non rispondere.

Sul letto d'ospedale, coi carabinieri che la controllano a vista, torna a quei minuti lunghissimi trascorsi stesa sull'asfalto, proprio come aveva visto Wilma un anno prima. Ricorda il dolore, la vita che usciva da sé e chissà se avrebbero fatto in tempo a bloccarla, il fastidio non tanto per la morte che sentiva arrivare quanto per le cose da fare lasciate in sospeso. Compresa la battaglia politica.

Poi sono giunti i soccorsi, si riaffacciano le immagini del mondo visto dal basso, con i camici bianchi e verdi che si affannavano sopra di lei, maneggiando bisturi e infilando tubi nel tentativo di salvare la vita a una terrorista. Una vita da passare in galera.

Il magistrato che voleva informazioni, di questo si dovrà occupare: assicurarle un futuro dietro le sbarre.

È lí che la «resistenza» dovrà continuare, ma almeno con ritmi piú blandi e ordinati. Niente piú «appuntamenti strategici» e timori di essere seguiti, niente piú sospetti su ogni persona che ti gira intorno, niente piú agguati da organizzare né da temere.

Altri proseguiranno la lotta fuori, se saranno in grado, portando a compimento le azioni lasciate in sospeso. Se non arriveranno prima gli investigatori che sono già al lavoro sulle armi, i documenti e i mazzi di chiavi trovati addosso agli arrestati.

L'arma di Piero, una Mab calibro 9 parabellum con un colpo in canna e quindici nel serbatoio, viene da uno stock di centodiciassette pistole rubate in Francia, in una fabbrica di Bajonne, nell'ottobre del 1984. E in Francia porta la ricevuta, trovata nella borsa di Geraldina, di un conto corrente a lei intestato della Société Générale di Montreuil. Altri appunti, come alcuni numeri di telefono cifrati, conducono in Spagna, a Barcellona.

«Adesso almeno potrò leggere tutti i romanzi e i libri di poesia per i quali non trovavo mai il tempo», dice a se stessa Geraldina mentre le indagini proseguono alla ricerca dei suoi complici, prima che tornino a colpire.

Tre settimane dopo la sparatoria di via Nomentana, il 14 febbraio 1987, le Brigate rosse-Partito comunista combattente fanno la loro strage di San Valentino uccidendo due agenti che facevano la scorta a un furgone portavalori e ferendo il terzo. Per i compagni di Paola ancora in libertà quell'azione – insieme all'esigenza di rispondere al colpo subito con la cattura di tre compagni avvenuta a gennaio – è un ulteriore impulso ad accelerare i progetti che l'Udcc ha in cantiere.

Il gruppo non ha ancora reagito all'uccisione di Wilma Monaco, e nemmeno all'arresto dei tre compagni. Il problema non è la vendetta contro lo Stato, ma dare un segnale che rimarchi la propria presenza sul campo di battaglia. E il rilancio della sfida da parte della concorrenza interna al «partito armato» non può essere ignorato.

Passa ancora un mese. Dopo l'uscita di Craxi da palazzo Chigi Giulio Andreotti sta trattando con i leader del cosiddetto pentapartito per tentare di varare il suo sesto governo, che porterà il Paese a nuove elezioni politiche. L'imprenditore milanese Silvio Berlusconi, amico personale di Craxi e proprietario delle principali reti televisive private nazionali, strappa alla Rai le stelle dell'intrattenimento, Pippo Baudo e Raffaella Carrà; un investimento miliardario che rende ancor piú evidente la volontà di contrastare il monopolio della Tv di Stato.

Grazie ai permessi premio e altre agevolazioni previste dalla nuova legge sull'ordinamento penitenziario, cominciano a uscire dal carcere per qualche ora o qualche giorno i primi terroristi dissociati. Tra questi Lauro Azzolini e Franco Bonisoli, due dei quattro componenti il Comitato esecutivo delle Brigate rosse durante il sequestro Moro, detenuti dall'ottobre 1978.

Prima di sequestrare il presidente della Dc, nel giugno del 1977 Azzolini e Bonisoli avevano teso un agguato al direttore del «Giornale» Indro Montanelli, ferendolo alle gambe. I quotidiani di venerdí 20 marzo 1987 riferiscono di un incontro avvenuto dieci anni dopo tra il giornalista e i due ex brigatisti.

– Bonisoli e Azzolini sono da rispettare, – ha commentato Montanelli dopo la stretta di mano coi suoi sparatori, – perché stanno pagando per tutto il male che hanno fatto. Pagano, però non hanno tradito i loro compagni.

Alle ore 18,45 dello stesso venerdí il generale dell'Aeronautica militare Licio Giorgieri viene assassinato in via del Fontanile arenato, una strada della periferia nord di Roma. È l'uomo che doveva colpire Paola, la volta che s'inceppò la pistola. Ora lei è in carcere, ma qualcun altro ha portato a termine la missione. Nello stesso luogo e con la stessa tecnica fallita nell'occasione precedente.

A uccidere Giorgieri sono sei colpi di pistola sparati da breve distanza, prima da una moto che affianca la macchina sulla quale viaggia il generale, poi da fermo, quasi a bruciapelo. Il drammatico racconto fatto agli investigatori dal militare di leva autista del generale è subito trasfuso in un atto giudiziario:

> Il suddetto affermava di aver prelevato il generale al ministero dell'Aeronautica e di aver seguito il percorso dal Muro torto fino a via del Fontanile arenato. In questa ultima via aveva notato attraverso lo specchietto laterale sinistro una moto con

faro giallo protetto da una griglia di colore nero con luce anabbagliante. La moto su cui vi erano due individui con caschi di colore bianco, circa cinquecento metri prima dell'incrocio con via dei Grimaldi, si era affiancata alla vettura e uno dei due individui aveva esploso un colpo d'arma da fuoco. Egli aveva frenato riparandosi sul sedile anteriore destro. Quando la macchina era ferma aveva udito due o tre detonazioni e, dopo qualche secondo, ancora quattro o cinque colpi e la voce del generale che diceva «Muoio». Quindi alcune persone si erano avvicinate chiedendo cosa fosse accaduto, ed egli si era rialzato, notando il generale con la testa reclinata fuori dal finestrino posteriore destro e con una spalla che perdeva sangue.

L'attentato è rivendicato con alcune telefonate dall'Unione dei comunisti combattenti: – Questa sera abbiamo giustiziato Licio Giorgieri... Seguirà comunicato.

Nell'aula di giustizia dove si svolge il processo *Moro ter*, il brigatista rosso Prospero Gallinari prende la parola dalla gabbia per dire: – Rivendichiamo l'attentato contro Licio Giorgieri compiuto dai compagni dell'Unione dei comunisti combattenti –. Il presidente della Corte d'assise lo zittisce. Ai carabinieri Gallinari consegna un documento di cinque pagine firmato da lui e altri tre militanti delle Br.

Tra i commenti pubblicati dai giornali, ci sono anche quelli degli ex brigatisti in libertà per qualche ora. Lauro Azzolini dice:

> Quando hai un movimento attivo, il progetto rivoluzionario ha delle gambe su cui camminare. Nel caso di questi attentatori il progetto viene inventato, pertanto non ha nessuna prospettiva, se non la sconfitta politica, morale, umana. Siamo rimasti sconfitti noialtri quando eravamo dentro la classe operaia, quali prospettive restano a questi che hanno sparato?

Le prospettive di Paola, militante arruolata nelle Br quando già la sconfitta sembrava inesorabile, erano quelle della rifondazione della lotta armata. Ora, chiusa tra le mura di un penitenziario di massima sicurezza, diventano il tentativo di dare senso e contenuto al proprio ruolo di «prigioniera politica». Il suo corpo è dietro le sbarre e i cancelli blindati, ma la testa è rimasta fuori. L'azione contro Giorgieri, checché ne pensi il terrorista dissociato, immette nuova linfa in un'idea che la galera non ha spezzato.

C'è pure chi discute di amnistia e «soluzioni politiche» che per Paola non devono avere il significato di una resa. Potrebbero segnare un punto a favore del progetto rivoluzionario se si riuscisse a imporle dall'esterno, anche attraverso azioni che costringessero il potere a trattare. Le «forze della controrivoluzione» non lo sanno, ma nel carcere romano di Rebibbia e altrove si stanno studiando e preparando dei progetti di evasione che dovrebbero portare alla liberazione di un buon numero di compagni.

«Se ci ritrovassimo tutti fuori di qui», pensa nella sua cella, «per una via o per l'altra, potremmo riprendere il discorso della riconversione legale dell'organizzazione». È una speranza che Paola non ha abbandonato.

Il documento di rivendicazione diffuso dopo l'omicidio Giorgieri rilancia la sfida alla sinistra storica e istituzionale:

> L'incapacità del Pci di rappresentare in modo adeguato gli interessi della classe operaia e dei settori sociali colpiti dalla svolta reazionaria crea un «vuoto politico» che rende la classe operaia la «grande assente» dalla sfera politica nazionale. Solo il Partito comunista combattente è in grado di riempire questo vuoto politico.

Ce n'è anche per i compagni di una stagione che appare lontanissima, che hanno scelto la strada istituzionale:

> Chi nel movimento rivoluzionario rimette in discussione la necessità della lotta armata si prenota un posto in quel circo pittoresco e inconcludente che è una certa sinistra extraparlamentare italiana. Ma noi non ci limitiamo alla semplice propaganda... Vogliamo partecipare alla lotta politica nazionale imponendo in modo duraturo l'esistenza di un soggetto politico rivoluzionario, nemico intransigente di governi e programmi reazionari.

La scelta di sparare, però, rimane tattica, non strategica. È la risposta ai brigatisti della «prima posizione», considerati troppo slegati dal contesto nel quale uccidono:

> La lotta armata è un formidabile strumento di lotta politica di cui dispongono i comunisti combattenti, purché sia subordinata a precisi obiettivi politici che attestano il ruolo dell'avanguardia rivoluzionaria nelle concrete battaglie della lotta tra le classi nel nostro Paese.

Sulla prima pagina del documento di rivendicazione, sotto la stella a cinque punte chiusa nel cerchio e la sigla dell'Udcc, campeggiano alcune parole d'ordine e lo slogan finale: «Onore alla compagna Wilma Monaco-"Roberta"».

Quel che resta del gruppo di Paola, però, non arriva all'estate. Alla fine di maggio, l'Unione dei comunisti combattenti è praticamente smantellata dai carabinieri che dopo gli arresti di gennaio hanno tirato tutti i fili dell'organizzazione clandestina. La maggior parte dei compagni viene arrestata a Roma, altri sono successivamente individuati e catturati tra la Francia e la Spagna. Tra loro ci sono gli assassini del generale Giorgieri.

L'utopia di tenere alta la guardia armata della rivoluzione in attesa di tempi migliori si infrange definitivamente contro la galera e i «pentimenti» di chi collabora con la magistratura e garantisce pesanti condanne. Adesso il futuro è il carcere. Per i brigatisti della «seconda posizione» cosí come per quelli della «prima», le Br-Pcc. Mantenendo il lugubre ritmo di un morto all'anno, nell'aprile 1988 fanno in tempo a uccidere a Forlí il senatore democristiano Roberto Ruffilli, un altro sostenitore del dialogo con le sinistre e delle riforme istituzionali, prima di cadere anch'essi nella rete degli investigatori, pochi mesi dopo l'ultimo omicidio.

Paola torna Geraldina, sopravvissuta a una scelta nella quale era contemplata anche la morte, e pensa che forse sarebbe stata la conclusione piú giusta. Invece le tocca una nuova dimensione di sconfitta, alla quale fatica ad abituarsi. Il passare del tempo e il fallimento degli altri progetti, dall'evasione all'amnistia, rendono sempre piú difficile attribuirsi un'identità politica cui non vuole rinunciare, che deve trovare forme diverse di espressione. Da «dentro» Geraldina ci prova componendo poesie e racconti che dànno sfogo a una vena letteraria non inaridita dalla ruvidezza della lotta armata.

Uno degli scritti sarà dedicato a Wilma, caduta quando si chiamava Roberta. Poche righe per ricordare un'amica e una compagna uccisa con la pistola in mano, come poteva capitare a lei. In fondo è solo un caso, una volontà inspiegabile del destino che Geraldina ci sia ancora e Wilma non piú.

> È caduta bocconi e appena si lamenta. La chiamo. Un rivolo di sangue le esce dalla bocca, macchia l'asfalto e lo scritto con cui rivendichiamo l'azione. Poi lei si alza e sorride, mettendo in evidenza le fossette e quei puntini verdi che aveva nell'iride. Entrambe alziamo il viso verso il sole, di nuovo bambine, come amiamo fare.
>
> – Macchiolina... – dico. E l'annuso tutta. Poi ci scambiamo i maglioni. A lei quello bluette, che le sta bene, a me il suo rosso mattone. Mi ci avvolgo e sento ancora il suo profumo. È

primavera, e uno stormo di rondini sfreccia lungo il campanile. – Sei qui, macchiolina, sei qui... sei davvero tu...

Mi sveglio col maglione tra le braccia, ma non è il suo. Il suo maglione è andato perso, come ogni cosa della mia vita di prima. Perché Wilma è morta anni fa per le pallottole di un agente di scorta che non avevamo voluto colpire.

Geraldina Colotti è stata condannata alla pena di ventisette anni di carcere, anche per concorso nell'omicidio del generale Licio Giorgieri. Nell'aprile del 1996 ha ottenuto il permesso al lavoro esterno presso la redazione del quotidiano «il manifesto», e successivamente il regime di semilibertà. Ha pubblicato i libri *Versi cancellati*, edizioni Gra; *Per caso ho ucciso la noia*, edizioni Voland; *Sparge rosas*, editore Piero Manni, e col disegnatore Vauro *Scuolabus*, M. C. editrice.

Nota dell'autore

La mattina del 20 maggio 1999, a Roma, mentre usciva di casa per andare al lavoro, è stato ucciso il professor Massimo D'Antona, consulente del ministro del Lavoro nel governo di centrosinistra guidato da Massimo D'Alema.

La sera del 19 marzo 2002, a Bologna, mentre tornava a casa dal lavoro, è stato ucciso il professor Marco Biagi, consulente del ministero del Lavoro del governo di centrodestra guidato da Silvio Berlusconi.

I due omicidi – commessi con la stessa pistola, secondo le prime risultanze investigative – sono stati rivendicati dalle Brigate rosse per la costruzione del Partito comunista combattente.

Nonostante la «continuità oggettiva» con l'esperienza precedente invocata dalle Br riapparse nel 1999 e la rivendicazione delle nuove azioni da parte di un gruppo di appartenenti all'organizzazione detenuti dagli anni Ottanta, con i due delitti s'è aperta una fase della storia delle Brigate rosse diversa da quella ripercorsa attraverso le vicende fin qui narrate. Per almeno due motivi: i protagonisti di esse, come la grande maggioranza dei militanti delle Br inquisiti e condannati, hanno da tempo dichiarato conclusa l'esperienza della lotta armata e non piú attuali le ragioni per cui scelsero di aderirvi; inoltre, dall'ultima fase della loro esperienza al momento della comparsa delle «nuove Br», sono trascorsi undici anni che hanno profondamente cambiato la composizione sociale e politica dell'Italia e del mondo.

Questo libro ricostruisce alcuni aspetti delle storie di sei militanti delle Brigate rosse nell'arco di tempo tra il 1970 e il 1988, durante il quale le organizzazioni armate di sinistra in Italia hanno provocato la morte di centoventotto persone (e il ferimento di alcune centinaia), per la maggior parte attribuibile proprio alle Br. Le «Br della prima Repubblica», se cosí si può dire.

Per ogni protagonista sono stati presi in considerazione determinati periodi o avvenimenti della sua militanza, limitati nel tempo e montati secondo un criterio cronologico, nel tentativo di far emergere da un lato episodi e considerazioni che fossero significativi di ciascuna esperienza, e dall'altro la continuità (se e laddove esiste) della vicenda delle Br attraverso le esperienze dei singoli aderenti.

«Storie delle Brigate rosse», quindi, che possono risultare utili alla ricostruzione della piú vasta storia del principale gruppo armato che ha operato in Italia.

Si tratta di un lavoro certamente non esaustivo, col quale si è provato a mettere a fuoco le motivazioni personali e soggettive che – insieme a quelle collettive e oggettive – hanno provocato la scelta di alcune persone di militare nelle Br in situazioni e periodi del tutto diversi tra loro, come l'inizio degli anni Settanta, in piene effervescenze operaie e studentesche, e la metà degli anni Ottanta, quando il destino delle varie «insorgenze rivoluzionarie» appariva inesorabilmente segnato.

Le vicende qui esposte sono state ricostruite sulla base delle cronache dell'epoca, della letteratura esistente, degli atti giudiziari e parlamentari riguardanti i fatti narrati, nonché dalle dirette testimonianze dei protagonisti raccolte dall'autore. Per evidenti motivi, fra tutto il materiale è stata fatta una selezione e le scelte sono di esclusiva responsabilità dell'autore.

Alcuni dei protagonisti, cosí come tanti altri militanti delle Br, hanno seguito percorsi diversi dopo lo svolgimento degli avvenimenti di cui si parla; ad esempio attraverso un ripensamento critico sull'uso della violenza come strumento di lotta politica, in generale o in un determinato contesto. Nel libro non se ne dà conto perché l'intento è quello di rendere il senso di pensieri e azioni che hanno contribuito a incanalare o modificare la storia di questo Paese secondo il punto di vista di chi ne è stato attore di rilievo e nel momento in cui se n'è reso responsabile. Senza l'aggiunta di valutazioni morali o politiche successive e senza la formulazione di alcun giudizio.

Le revisioni del proprio passato, anche le piú radicali, sono importanti, cosí come le considerazioni di oggi rispetto alle scelte di ieri. Ma si tratta di processi che incidono sulle persone – oggi certamente mutate rispetto a quindici, venti o trenta anni fa –, non sugli eventi che esse hanno provocato. Quelli restano, immodificabili come le conseguenze che hanno prodotto, lutti compresi. E forse vale la pena continuare a chiedersi e cercare di capire perché si sono verificati.

Roma, gennaio 2003

Indice

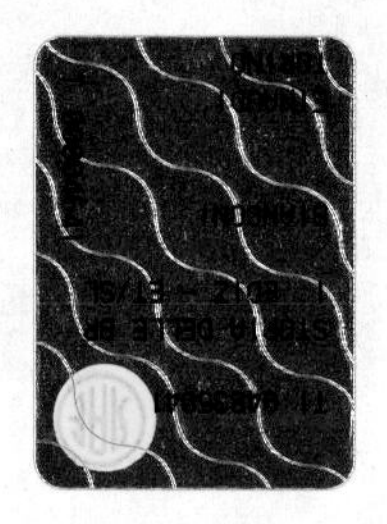

Stampato per conto della Casa editrice Einaudi
presso Mondadori Printing S.p.A., Stabilimento N.S.M., Cles (Trento)
nel mese di febbraio 2003

C.L. 15739

Edizione											Anno
1	2	3	4	5	6	7	8	2003	2004	2005	2006